INSOUMISE

TOME 2 · LA PRISON DE VERRE

MATHILDE SAINT-JEAN

INSOUMISE

TOME 2 · LA PRISON DE VERRE

Guy Saint-Jean Éditeur
3440, boul. Industriel
Laval (Québec) Canada H7L 4R9
450 663-1777
info@saint-jeanediteur.com
www.saint-jeanediteur.com

••••••••••••

Catalogage avant publication de Bibliothèque et Archives nationales du Québec et Bibliothèque et Archives Canada

Saint-Jean, Mathilde, 1996-
Insoumise
L'ouvrage complet comprendra 3 volumes.
Sommaire : t. 2. La prison de verre.
Pour les jeunes.
ISBN 978-2-89455-392-3 (vol. 2)
I. Saint-Jean, Mathilde, 1996- . Prison de verre. II. Titre. III. Titre : La prison de verre.

PS8637.A457I57 2015 jC843'.6 C2014-942740-9
PS9637.A457I57 2015

••••••••••••

Nous reconnaissons l'aide financière du gouvernement du Canada par l'entremise du Fonds du livre du Canada (FLC) ainsi que celle de la SODEC pour nos activités d'édition. Nous remercions le Conseil des Arts du Canada de l'aide accordée à notre programme de publication.

Financé par le gouvernement du Canada | Funded by the Government of Canada | Canadä
SODEC Québec
Conseil des Arts du Canada | Canada Council for the Arts

Gouvernement du Québec – Programme de crédit d'impôt pour l'édition de livres – Gestion SODEC

Conception graphique de la page couverture et mise en pages : Olivier Lasser et Amélie Barrette
Révision : Lydia Dufresne
Correction d'épreuves : Audrey Faille
Photos de la page couverture : iStock/eyebex/margostock

Dépôt légal — Bibliothèque et Archives nationales du Québec, Bibliothèque et Archives Canada, 2015

ISBN : 978-2-89455-392-3
ISBN ePub : 978-2-89455-415-9
ISBN PDF : 978-2-89455-418-0

Imprimé et relié au Canada
1re impression : août 2015

ASSOCIATION NATIONALE DES ÉDITEURS DE LIVRES
Guy Saint-Jean Éditeur est membre de l'Association nationale des éditeurs de livres (ANEL).

À Flavie et Laurence, mes deux lectrices préférées,
que j'aime plus encore que le chocolat.

Prologue

Les espèces qui survivent ne sont pas les espèces les plus fortes, ni les plus intelligentes, mais celles qui s'adaptent le mieux aux changements.

Charles Darwin

EXTRAIT D'UN LIVRE DÉFENDU

Ne leur laissons ni l'opportunité d'être forts ni celle d'être plus intelligents. Proscrivons l'adaptation et réduisons-les à néant avant qu'ils ne survivent plus longtemps.

Pour le bien de la République. Dirigeants de la Haute République

Un

Il neige. Encore. Quoique, aujourd'hui, c'est plutôt un blizzard qui prend d'assaut le ciel.

J'ai arrêté de compter les jours où il neigeait quand j'ai réalisé, à l'âge de neuf ans, que rares étaient ceux où de petits flocons ne tombaient pas du ciel. Chez moi, je crois bien que sur les douze mois que dure une année, au moins la moitié est consacrée à des jours enneigés ce qui, dans ma tête de petite fille, me semblait une éternité.

Je ne m'en plains pas outre mesure. Pour être honnête, j'ai toujours apprécié l'hiver. Cette saison est difficile, certes, et extrêmement rigoureuse pour la plupart des familles de mon côté de la République étant donné le grand nombre de maisons où le chauffage est inadéquat, mais c'est celle que je préfère.

Il m'est d'autant plus difficile de traverser la frontière entre les deux côtés de ma République en hiver, cela va de soi, mes traces sont pratiquement indélébiles à moins qu'une nouvelle bordée de neige ne tombe. Or, j'ai fini par m'y faire et trouver un moyen de brouiller mes pistes. Quoique toutes ces techniques pour passer inaperçue s'avèreraient futiles maintenant que je suis ici, en Haute République. Et cette saison reste incontestablement ma favorite pour la simple et bonne raison que c'est dans des conditions semblables que mon cœur a chaviré pour la première fois entre les mains de Caleb, à l'anniversaire de mon frère Adam.

Je m'assois dans le lit de Nayden tellement lentement que j'ai à peine l'impression de bouger.

Ma fièvre des derniers jours est passée, ne laissant dans son sillage qu'une malheureuse migraine que j'arrive à supporter. J'ai aussi arrêté de trembler, il n'y a que les vêtements que mon hôte m'a prêtés qui me sont encore collés à la peau. Je passe une main lasse sur mon visage et balance tranquillement mes jambes au-dessus du matelas d'un lit qui ne m'appartient pas et dans lequel je dors pourtant depuis trois jours, si ce n'est plus considérant le temps fou que j'ai pris à me réveiller de mon retour de l'hôpital.

Je marche sur la pointe des pieds jusqu'à la penderie au fond à gauche qui contient, je le devine bien assez tôt, ses vêtements. Ils sont tous soigneusement pliés et rangés à la perfection; à croire qu'il les a repassés dans le tiroir et sur chacun des cintres. Il y a bon nombre de chemises blanches, toutes alignées et repassées d'un côté, et de l'autre, ses vestes militaires pour toutes les occasions. Certaines plus d'apparat et d'autres pour de simples tours de garde. Dessous, rangés avec soin sur une petite tablette, tous ses insignes, dont certaines médailles manquent au rangement méthodique. Je devine aussitôt pourquoi je n'entendais rien à l'étage du dessous: Nayden est sorti travailler.

Je poursuis ma découverte vers la droite, délestant les pantalons tout aussi soigneusement rangés que les nombreuses paires de bottines au bas de la garde-robe manifestement exclusive à ses vêtements de travail et de ronde.

À droite, je tombe sur ce qui semble être ses vêtements civils. Je m'arrête sur une chemise bleue qui, une fois boutonnée et remontée dans le bas à l'aide d'un nœud, devrait plus ou moins m'aller.

Je replace le collet en penchant le nez vers le tissu. Ce même parfum... enivrant, sensuel, masculin. Mer, cèdre, sel, agrumes... Pour être honnête, j'ignore ce que sent la mer, mais si elle devait avoir une odeur, il est clair qu'elle sentirait cela. Je relève le nez de peur d'être surprise par quelqu'un bien que je sois seule. C'est également parce que je me trouve ridicule de renifler sa chemise que j'arrête.

Nayden fait pratiquement trente centimètres de plus que moi, ce qui fait que ses vêtements sont beaucoup trop grands pour ma petite taille. Inutile donc de m'attarder davantage devant sa garde-robe dans l'espoir de dénicher un autre ensemble que celui que je porte déjà.

Je pose donc le chandail dans le panier et fais le lit. Le tout me prend au moins une bonne vingtaine de minutes; bon nombre de mes mouvements sont restreints à cause de ma blessure à l'abdomen qui n'a toujours pas fini de cicatriser, mais j'y arrive tout de même. Je remonte mes cheveux en un chignon que je réussis à faire tenir à l'aide d'un crayon, faute d'épingles, et descends aussi lentement que possible l'escalier en colimaçon. Je jette un coup d'œil à l'ensemble du loft. Mon hypothèse se confirme: Nayden n'est pas là.

En arrivant à la cuisine, je tombe sur un petit mémo qu'il a écrit de sa main. Trois phrases:

Le loft est à toi pour la journée. Essaie de ne pas trop foutre le bordel.

N.B.: Je compte sur toi pour ne pas me fausser compagnie.
Nayden

Je repose le petit mot sur le comptoir non sans lever les yeux au ciel et marche jusqu'au réfrigérateur que j'ouvre en grimaçant. L'effort, bien que minime, m'arrache une vague douleur à l'abdomen; c'est bien normal, ma blessure est toute récente. J'ai du mal à comprendre comment des gens peuvent tirer sur une adolescente simplement parce qu'elle est en dehors de chez elle au-delà des heures permises par le couvre-feu. Ce genre de choses ne devrait pas survenir. Dans un pays où la population est censée vivre en paix et en sécurité, on ne devrait pas avoir peur de sortir de chez soi. On ne devrait pas non plus craindre que son petit frère autiste ne disparaisse du jour au lendemain, simplement parce que le gouvernement n'est pas clément à l'endroit des gens qui sont différents ou insoumis. Comme moi.

Moi qui traversais depuis six mois d'un côté comme de l'autre malgré l'absolue interdiction de ce geste. En y repensant bien, c'est sans doute pourquoi on m'a tiré dessus. Ce pourquoi Nayden a décidé de me garder de son côté de la République plutôt que du mien, où on m'a d'ailleurs retrouvée gisante, une balle logée sous les côtes. Il me garde ici non seulement parce que je suis une criminelle et parce que c'est son travail de m'arrêter, mais également parce que je suis une importante pièce de l'énigme qu'il se doit de résoudre. Il y a une taupe au mur et il le sait. Cette taupe, elle m'a servi de passeport entre la Haute et la Basse République. Cette taupe, j'en suis amoureuse et mon sauveur l'exécutera dès qu'il aura découvert son identité. Cette taupe, c'est Caleb Fränkel et il a complètement perdu la mémoire pour une raison que j'ignore. Sans compter que Nayden sait pertinemment que je ne viens pas d'ici. Il m'a balancé cette cruelle vérité au visage le jour où je me suis réveillée après notre fuite de l'hôpital; aurais-je dû m'en étonner? Non, pas vraiment. Nayden est lieutenant-général, il était clair qu'il savait ce genre de choses à mon sujet. C'est probablement la raison pour laquelle il me portait une attention toute particulière au bar de Lanz et non parce que je représentais un quelconque intérêt amoureux... Ce qui n'était pas nécessairement mon cas cependant. Je ne suis qu'une fille parmi tant d'autres après tout. Maintenant, il tient sûrement à me garder en vie pour une raison bien claire: je suis celle qui, il l'espère sans doute, vendra Caleb et l'aidera à boucler son enquête. En contrepartie, j'ignore si j'obtiendrai l'absolution. Car après tout, je suis à présent condamnée à la peine de mort pour bris de frontière et cette sentence ne repose que sur un seul individu: Nayden. Dans le moment, tant que je ferai preuve de coopération avec lui, ça ira. Du moins je l'espère.

Je sors de mes pensées en entendant le ronronnement du réfrigérateur reprendre alors que je tiens encore la porte ouverte, mais c'est uniquement pour laisser le temps à ma mâchoire de tomber de quelques centimètres. Je n'ai jamais vu autant de nourriture de toute ma vie dans un frigo. Le nôtre n'a jamais contenu ne serait-ce que le tiers de ce que celui-ci recèle. J'en reste longuement ébahie, trop stupéfaite pour bouger et empreinte d'un certain dégoût tout à la fois. Chez moi, de l'Autre Côté, on rêve d'avoir autant de nourriture alors qu'ici, on n'a qu'à tendre le bras pour la saisir. Étrange de se dire qu'un simple mur nous en empêche. Qu'un simple mur ait la capacité de nous restreindre autant. Qu'un simple mur ait pu faire en sorte qu'on veuille la mort de tous ceux qui oseraient le traverser.

Je m'assois finalement dans le fauteuil près de l'escalier en détaillant les livres du regard, un pot de petits fruits rouge vif à la main. J'ignore ce que c'est, mais c'est délicieux.

Je crois que ce sont des fraises, mais je n'en suis pas tout à fait certaine. J'en ai vu tellement peu souvent. En me relevant pour aller me chercher quelque chose à boire, je tombe sur un autre petit papier de Nayden collé sur une porte d'armoire sous laquelle il m'indique comment me servir d'un appareil qui sert à griller le pain. Je fronce les sourcils, sans comprendre, puis suis les instructions à la lettre.

Et c'est en faisant un énorme bond que je contemple sans retenue la tranche de pain grillée à la perfection qui vient d'être propulsée hors de l'appareil. Je la tartine de confiture que j'ai aussi trouvée dans le réfrigérateur et me dirige vers la bibliothèque, rôtie dans une main et verre de jus dans l'autre.

Tous ces livres m'intriguent.

Il y en a plusieurs que je ne connais pas, d'autres encore que j'ai pratiquement peur d'effleurer tant la reliure me semble fragile, et certains que je reconnais simplement parce que monsieur Fleisch, mon professeur d'histoire, les a une fois mentionnés dans son cours en parlant d'eux comme des abominations. Bien que tout ce que cet homme m'enseignait était biaisé par sa propre perspective. En gros, si je me fie à cet enseignement, ces étagères débordent de livres proscrits ou défendus. Certains sont même en des langues que je ne connais pas !

Qu'est-ce que je donnerais pour que Noah voie ça !

Noah. Mon petit frère.

J'espère qu'il va bien. Je l'espère tellement. Si quelque chose lui arrivait, je ne me le pardonnerais jamais. Je me suis tellement battue pour le protéger de tout. Du monde, des autres, du gouvernement et de lui. Si on venait à le prendre à cause de moi, parce que tout ce que je voulais faire c'était le sauver, je vivrais pour toujours rongée par le remords de n'avoir pu le protéger et de ne pas avoir été en mesure de l'épargner de la cruauté du monde.

Je délaisse l'impeccable bibliothèque, intimidée bien malgré moi par tout ce savoir qui se trouve sur ces étagères et auquel je n'ai jamais eu droit. Pour moi, cela demeure un interdit. Peut-être m'y risquerai-je un peu plus tard… Je me tourne vers la partie salon pour m'asseoir face au grand écran noir.

Devant moi, posée sur la table basse, se trouve une grande manette laquée dont les commandes n'apparaissent qu'une fois que mes doigts en effleurent la surface.

Je sursaute légèrement de voir toutes ces lumières scintiller puis s'allumer sous mes doigts tandis qu'un sourire étire finement mes lèvres. Je reporte mon attention sur l'écran et dois appuyer sur plusieurs touches avant de trouver celle qui allume le téléviseur.

Le téléviseur que nous avons à la maison est bien moins avancé technologiquement que celui-ci parce qu'il s'agit uniquement d'une nécessité de l'Autre

Côté; c'est ainsi que les messages importants sont diffusés à la population. En plus des messages publics et des nombreux communiqués que le gouvernement nous fait parvenir.

Je trouve finalement le moyen de changer de chaîne et tombe sur des dessins animés pour enfants. Je rigole un moment et me lève pour aller chercher quelque chose d'autre à grignoter. Je reviens, une boîte de biscuits à la main et un autre pot de fruits que je parviens à identifier comme étant des cerises.

Je me lasse des dessins animés, alors je change de nouveau le canal. Je dois changer à une dizaine de reprises avant de trouver quelque chose d'intéressant. Ce coup-ci, l'image semble plus vieille, du moins un peu, mais suffisamment pour que je le remarque.

Les gens parlent une langue que j'arrive à comparer aux paroles de certaines chansons que je chante. Comment ça s'appelle déjà ? De l'anglais ? Oui, je crois que c'est ça.

Des gens chantent et dansent, le sourire aux lèvres. Je me cale dans la grande causeuse et les écoute chanter. Je les accompagnerais bien, mais je ne connais pas les paroles.

Une jeune fille chante, réussissant ainsi à faire revenir le soleil. Il y a un homme déguisé en épouvantail. La jeune fille aux cheveux brun foncé que je devine être le personnage principal porte une jolie robe bleue à carreaux. Elle est accompagnée d'un petit chien noir qui, je crois, s'appelle Toto. Mais ce que je préfère, ce sont ses souliers couverts de paillettes rouges qui scintillent à la seconde même où une lumière se pose dessus.

Je déguste un à un les biscuits, et les cerises m'explosent en bouche. Je me surprends à sourire devant le film à quelques reprises. Je verse même quelques larmes lorsqu'il tire à sa fin. Le générique défile, puis un second film suit presque aussitôt.

Je découvre avec surprise une dame qui garde des enfants et vole avec un parapluie. Je ramène les genoux à ma poitrine en grimaçant quand je sens ma plaie qui s'étire et les entoure d'un bras, le menton calé dans la paume de ma main libre.

Le film touche à sa fin quand Nayden revient, à la tombée du jour. Or, c'est seulement quand il pose ses clés sur le bureau que je tourne la tête vers lui, un peu surprise.

— Excuse-moi, je ne t'avais pas entendu.

Il chasse mes paroles d'un geste qui trahit sa fatigue, retire son chapeau d'officier qu'il glisse sous son bras avant de s'asseoir à ma droite en se laissant littéralement tomber.

Il lance pratiquement sa casquette sur la table et prend la boîte de biscuits en croisant les jambes d'un air décontracté, le dos bien calé contre le dossier du canapé. C'est l'une des premières fois que je le vois aussi détendu, mais surtout aussi épuisé.

— Comment vas-tu aujourd'hui ? me demande-t-il.

— Très bien, merci de le demander. Et toi ?

— Ça peut aller.

Je n'ose plus bouger. L'avoir si près me désarçonne plus qu'à l'habitude. Seulement, je ne pourrai rester dans cette position très longtemps. Ainsi recroquevillée sur moi-même, je risque de me courbaturer à m'en faire mal pour un mois entier, sans oublier ma plaie, pressée sur ma cuisse. D'autre part, le pansement que j'ai négligé de changer m'apparaît drôlement humide tout à coup...

Mes yeux reviennent inévitablement à l'écran, et je suis toujours aussi époustouflée par ce qui y défile.

Il me jette une œillade en biais. Ses lèvres s'étirent subtilement pendant qu'il mâche.

— Je t'ai vu, marmonné-je.

Il pouffe de rire. Ma main remonte contre ma joue pour l'empêcher de voir mon sourire.

— J'ignorais que tu aimais les comédies musicales.

— Je l'ignorais aussi, rétorqué-je en me détendant peu à peu.

Ma réplique l'amuse, il se tourne vers moi alors que, pour ma part, mon attention est toute dirigée vers l'écran plat.

— Qu'as-tu regardé ?

— Quelque chose comme *Le magicien d'Oz* et *Mary Poppins.*

— C'est tout ce que tu as fait aujourd'hui ?

J'acquiesce d'un petit coup de menton, un peu gênée d'admettre que je n'ai rien fait d'autre que de regarder la télévision.

— La journée était déjà bien avancée quand je me suis réveillée.

— C'est normal, ton corps récupère. Avec cette blessure, tu devrais encore être à l'hôpital.

— Si tu en es si persuadé, pourquoi m'être venu en aide pour m'enfuir de l'hôpital ? rétorqué-je du tac au tac.

— Touché, ricane-t-il. J'ai besoin de toi, voilà pourquoi.

Je fronce les sourcils. Besoin de moi. *Pas comme tu le crois, pauvre idiote,* s'empresse de dire une petite voix dans ma tête. Oui, bien sûr, pour son enquête.

— Tu n'es pas partie, c'est déjà ça, marmonne-t-il en tournant brièvement la tête vers son gigantesque téléviseur.

— Tu craignais que je ne m'en aille ?

Il hausse les épaules.

— Un peu. Te voir ici me confirme que tu ne partiras pas.

Je fronce les sourcils, pivote vers lui en reposant mon dos contre l'accoudoir.

— Je pourrais partir demain. Tu ne laisses jamais la porte verrouillée de toute façon, le défié-je.

Le soldat opine du chef, sans me regarder.

— C'est vrai. Le feras-tu ?

Sa question me prend au dépourvu.

Dehors, les flocons se sont remis à danser. À ma gauche, un énième film commence. Et pourtant, tout ce que je regarde, c'est Nayden. Sa mâchoire tressaille légèrement tandis qu'il se repositionne de son côté.

Le temps s'écoule. Je le fixe toujours. À moins que ce ne soit lui qui se refuse à détourner les yeux.

J'essaie de comprendre, de savoir ce qui peut bien se passer dans sa tête, mais il est tellement impassible que je ne vois que les apparences : une très grande fatigue qu'il tâche tant bien que mal de dissimuler, soutenue d'un léger amusement.

Ça viendra, j'arriverai à savoir ce qu'il pense vraiment.

— Je ne sais pas, avoué-je finalement pour répondre à sa question.

Il expire tranquillement puis acquiesce, satisfait. Il sait qu'il a gagné. Je déteste ça.

D'un seul coup, une sonnerie. La porte. Il y a quelqu'un derrière. Le souffle me manque, je m'affole et me lève d'un bond sans prendre garde à ma blessure qui prend soin de me rappeler sa désagréable présence en me foudroyant d'une vague de douleur.

Mon cœur s'emballe, ma respiration aussi. Je serre contre ma poitrine un coussin qui se trouvait à derrière moi sur le canapé et fixe la porte, les yeux aussi grands que mes poings.

Chez moi, quand on sonne à la porte, ce n'est jamais bon signe.

J'ignore pourquoi ça le serait ici.

Deux

Nayden se lève, ni inquiet, ni même anxieux. Il fouille dans ses poches sans même me regarder et en sort son portefeuille. Il pose un doigt sur ses lèvres quand il daigne faire brièvement volte-face vers moi – enfin –, puis pose sa main sur la poignée. *Loin était l'envie de me mettre à chanter, tu peux me croire !* ai-je envie de répliquer, mais l'angoisse m'en empêche.

Je crois m'être fondue dans la couleur du mur. Je suis aussi blanche que cette peinture sans ton. Je disparais derrière l'escalier et tends l'oreille, curieuse malgré tout, l'œil aux aguets considérant que je les aperçois entre les marches.

— Viktor ! Comment ça va ?

— Très bien, je vous remercie, Lieutenant-général. Vous ai-je dérangé ? Vous m'aviez l'air occupé, dit-il en désignant le téléviseur. J'aurais pu appeler pour vous prévenir. Je le ferai la prochaine fois, Monsieur Prokofiev, ce n'est pas un problème.

Nayden pousse un petit grognement, puis tapote l'épaule du prénommé Viktor.

— Combien de fois devrai-je te le répéter ? C'est Nayden. Laisse tomber les titres officiels et toutes tes excuses.

— Oui. Excusez-moi. Enfin, quoi qu'il en soit, j'ai votre commande.

— Combien ça fait ?

— Vingt-deux et quarante-sept, Monsieur.

— Tiens. Garde la monnaie, ajoute mon hôte.

— Merci Nayden. Vous attendez quelqu'un ? demande le livreur à la fois curieux et extrêmement gauche. Vous ne commandez que pour un, habituellement, et je…

Je serais prête à parier que Nayden hausse les sourcils, un sourire au coin des lèvres et que c'est pour cette raison que la voix du livreur vient de se figer dans sa gorge.

— À ce que je sache, ça ne te concerne pas, marmonne-t-il en récupérant ladite commande.

— Oui, bien sûr. Excusez-moi, c'est seulement qu'il y avait deux plats alors j'ai pensé que vous attendiez une personne, je ne sais pas trop, bafouille Viktor. Je suis désolé, ce n'est pas de mes affaires, vous avez totalement raison, je…

— Arrête de t'excuser, tu te ridiculises, lâche-t-il d'un ton intimidant.

Je tente un léger coup d'œil au moment où Viktor vire à l'écarlate. J'ai une vague envie de sortir de ma cachette pour lui venir en aide et confirmer ce que Nayden s'acharne à lui cacher pour qu'il s'enfonce, mais le faire maintenant me rendrait aussi ridicule que le livreur. Je dois néanmoins avouer avoir une idée de la raison pour laquelle il prend plaisir à le ridiculiser. Nayden a toute la population à ses pieds, cela doit être exaspérant à la longue d'inspirer la crainte au point que les gens se rabaissent tellement qu'ils en perdent toute estime. Parce qu'en ce qui concerne l'estime que lui portent les gens, l'appellation en elle seule me semble inappropriée. Il s'agit de respect, c'est évident, mais c'est un respect nourri par la peur.

— Oui, pard… OK. Je m'en vais. Bonne soirée.

— Au revoir Viktor, renchérit Nayden d'un ton rude où pointe un amusement malsain.

Une fois que j'entends la porte se refermer, je tente un pas vers l'avant, mes doigts toujours autour du coussin.

J'avance d'un autre pas, tends le cou à l'extrême pour voir Nayden tourné vers moi, souriant, et tenant dans chaque main deux petites boîtes joliment décorées desquelles émane un parfum alléchant.

— Tu devrais le lâcher. Le pauvre, il est au bord de l'évanouissement, dit-il en désignant le coussin que j'ai remonté à ma poitrine.

Je repose distraitement le coussin sur la causeuse et passe mes mains, crispées d'avoir serré quelque chose pendant si longtemps, contre mon pantalon ou, plutôt son pantalon que *je* porte.

Sa façon de me regarder vient presque aussitôt corroborer mes pensées sur son sourire. Étrange par contre qu'il ne l'ait pas remarqué avant, il a tendance à porter très attention aux détails. Il fronce les sourcils et m'examine de la tête aux pieds à plusieurs reprises.

— C'est ma chemise, ça ? ricane-t-il en plissant légèrement les paupières.

Je baisse les yeux sur ma tenue et sens mes joues s'empourprer immédiatement. Je devine qu'il n'attend pas de réponse de ma part. À moins que ma gêne soit suffisante pour lui. J'ouvre tout de même la bouche, mais la referme aussitôt. J'ai l'air aussi imbécile qu'un poisson hors de l'eau.

Il passe à côté de moi en riant et s'assoit à la table. Je lui fais toujours dos quand il me dit :

— Viens, ça va refroidir.

Je pivote un peu trop rapidement et je sens ma vue s'embrouiller. Je titube en fermant les yeux. Je l'entends pousser sa chaise et lève ma main pour l'arrêter dans son geste.

— Ça va ! Tout va bien. Laisse-moi juste un peu de temps. C'est juste un petit étourdissement.

— Il y a longtemps que tu as mangé ? Tu as besoin de refaire tes forces, Emma. Viens t'asseoir.

Il joint le geste à la parole et reprend place sur son siège. Dans les trente secondes qui suivent, je suis assise en face de lui et inspecte la boîte sous mon nez. Un léger pli se forme au centre de mes sourcils. Pli que Nayden effleure du bout des doigts, me faisant inévitablement lever la tête vers lui.

— J'en conclus que tu n'as jamais commandé de plats à emporter même du temps où tu travaillais au bar ?

— C'est si étonnant ? Je n'avais pas d'argent...

Sa mâchoire tombe quelque peu, mais il m'approuve d'un petit mouvement.

— En gros, ce sont des plats qu'on prépare en restaurant pour les gens comme moi qui ont eu une grosse journée et qui n'en ont rien à faire de cuisiner.

— D'accord, et qu'est-ce que c'est ?

— Rien de bien compliqué. Ouvre la boîte, tu verras, c'est délicieux. Ce sont des pâtes avec des tomates séchées, de l'huile d'olive et du parmesan.

Voyant qu'il m'encourage d'un hochement de tête, je souris à l'idée de découvrir ce qui s'y trouve. Rien qu'à sa description, ça m'a l'air alléchant. Je n'ai jamais eu de produits aussi dispendieux à la maison, je n'en ai toujours qu'entendu parler. Il soupire sèchement et pousse mon plat plus près de moi en me tendant une fourchette.

— Ça va, ce n'est pas mortel, Emma. Le but c'est que ce soit toi qui les manges et pas l'inverse.

Je ne peux m'empêcher de le foudroyer du regard. Est-ce mon problème si de mon côté de la République il n'y a rien de tout ça ? Le peu que j'ai vu de sa culture se situe au café concert où je travaille. Je récupère donc la fourchette et lui tire la langue, ce qui réussit à briser l'atmosphère barbante que je m'acharnais à installer.

J'ignore peut-être ce que c'est, mais les effluves qui s'en dégagent sont si parfumés que je ne peux présumer que ce sera mauvais. Alors je goûte.

L'explosion de saveur est plus puissante que la première fois où j'ai mangé des crêpes en arrivant ici. Mes yeux s'arrondissent tandis que je fais rouler toutes ces saveurs dans l'espoir qu'elles ne quittent jamais mon palais, ma langue et mes joues.

— Alors, c'est bon ?

— Très. Merci beaucoup.

— Tout le plaisir est pour moi.

Je m'adosse à la chaise, ma petite boîte aux mille parfums dans une main, ma fourchette dans l'autre. Il se lève entre deux bouchées, retire sa veste de militaire qu'il accroche au dossier du siège de bureau et revient sur ses pas en déboutonnant ses manches à la hauteur des poignets pour les relever au-dessus de ses coudes, dévoilant ainsi ses magnifiques avant-bras. Il se rassoit en reculant jusqu'au dossier de sa chaise à son tour.

Nous nous dévisageons en tandem, d'un mélange de curiosité et de questions, pour le moment, informulées. J'engloutis la totalité de mon repas en quelques minutes dans un mutisme complet, sans le quitter des yeux une seconde. J'ose enfin briser le silence. Je peux presque l'entendre se cogner contre les murs du loft et fracasser la baie vitrée quand j'ouvre la bouche.

— Combien de temps comptes-tu me garder ici ?

Il hausse les épaules, pose une main sur sa nuque.

— Moi ? Te garder ici ? Tu n'es pas prisonnière.

— Non, mais tu m'as dit que je ne pouvais pas partir.

— En effet, répond-il alors que le coin droit de ses lèvres s'étire sur le côté.

— C'est presque une prison dans ce cas. Alors ? Combien de temps ?

— Disons jusqu'à ce que tu sois rétablie. À partir de là, tu seras totalement libre de faire ce que tu voudras.

— Parce que présentement je ne suis pas libre de le faire ?

Il pouffe d'un léger éclat de rire.

— Si. Seulement, tu n'es pas en *condition* de le faire. À ce que je sache, tu n'as rien pour affronter le froid, pas plus que tu ne connais le chemin du retour jusque chez toi. Même là, tu ne te rendrais pas à destination vivante.

Je déglutis à grand-peine. Un nœud énorme vient de se former dans ma gorge et il refuse de descendre. Je suis prisonnière d'une panoplie de lettres qui se battent chacune à tour de rôle pour se frayer un chemin jusqu'à ma bouche, où mes lèvres représentent l'ultime combat. Combat qui ne couronnera qu'un seul vainqueur déjà assuré de la victoire.

Ma volonté à garder le silence.

Ses doigts glissent dans ses cheveux, redescendent dans son cou, à sa nuque qu'il prend à deux mains. Ses yeux se sont réduits à deux fentes qui me transpercent en un seul coup d'œil. Cela doit bientôt faire trois minutes qu'ils me traversent de part en part et je suis aussi perforée qu'une passeoire. En arrière-fond, la comédie musicale ne représente, à mes oreilles, rien de plus qu'un chuchotement.

— Tu t'attendais à quoi, Emma ? Les autorités savent que quelqu'un a tiré sur toi alors que tu ne respectais pas le couvre-feu. Ils te cherchent depuis que tu t'es fait tirer dessus au solstice d'hiver. Pour le moment ça va, tu es chez moi. Mais à la minute où tu poseras le pied dehors sans moi, je doute qu'ils te laissent la vie sauve.

J'ai arrêté de bouger. Une question brûle mes lèvres, mais le silence les glace ensemble. Ils nous ont vus tous les deux quitter l'hôpital. Ils savent que je suis avec lui. Pourquoi ne pas venir ici et me récupérer ? Après tout, Nayden a certainement des supérieurs plus puissants qui peuvent s'occuper de mon cas. Ma tête est littéralement mise à prix.

— Notre fuite. Ce n'était qu'un coup monté, pas vrai ?

Il pince les lèvres d'un air agacé presque avec condescendance.

— Pas du tout. J'ai dû soudoyer tous les soldats qui m'avaient identifié ce soir-là pour qu'ils ne me dénoncent pas. Cela doit être quelque chose qu'on vous apprend de l'Autre Côté, n'est-ce pas ? Garder le silence ?

Le regard que je lui lance est empreint de toutes les couleurs les plus sombres qui soient, tout en étant plus noires qu'elles ne le seront jamais.

Je me lève, jette la boîte vide à la poubelle, lui fais dos pendant plusieurs minutes. Je l'entends se lever à son tour et je dois faire un pas de côté pour éviter qu'il ne m'effleure.

Je recule jusqu'à l'îlot, où je m'appuie; il pose les mains contre le comptoir en face de moi. Ses doigts pianotent sur le marbre. Bien que je trouve ce matériau magnifique, je déteste le fait qu'il soit aussi froid. Mes mains sont coincées contre mes côtes en raison de mes bras étroitement croisés.

Je compte les planches au sol.

J'arrive à dix-sept quand il se remet à me parler.

— Excuse-moi, Emma. Je ne pensais pas ce que je disais.

Je m'abstiens de tout commentaire. Six respirations plus tard, il se remet à me parler.

— Je suis désolé.

— Non. Tu pensais ce que tu as dit parce que tu sais pertinemment que c'est vrai. Ça ne sert à rien de t'excuser.

Il me dévisage un moment, se décolle du comptoir en se rapprochant de moi. Moins de trente centimètres nous séparent, espace comblé par un vide étrangement lourd que je supporte péniblement.

— Je ne voulais pas te blesser. Je n'ai pas réfléchi, rétorque-t-il doucement.

Je lève les yeux vers lui.

— On garde le silence, Nayden, oui, tu as raison. Mais sais-tu pourquoi on le garde ?

Il secoue brièvement la tête.

— On garde le silence parce qu'on a peur. Contrairement à ces soldats que tu as dû soudoyer, nous, pour nous faire chanter, ce sont des menaces dont ils se servent. Probablement parce que nous sommes moins cupides et sous un contrôle constant. Chaque individu de mon côté de la République est terrifié, Nayden.

— Par quoi ?

— Sa propre existence.

Il plisse légèrement les paupières, croise les chevilles en reprenant appui sur le comptoir.

— Vous ne vous révoltez donc jamais ?

— Les trois quarts de la population ignorent la signification de ce mot. Le quart restant meurt en tentant de l'apprendre à ceux qui demeurent dans l'ignorance.

Il passe une main sur son visage pour cacher sa stupéfaction.

— N'essaie pas de me comprendre, Nayden, tu perds ton temps.

Sans attendre, je m'éclipse à la salle de bain dont je ferme la porte dans mon dos. Je me laisse choir au sol en poussant un long soupir qu'il n'entendra jamais.

Trois petits coups sont frappés à la porte peu de temps après. Il est drôlement persévérant.

— Emma, tu me laisses entrer, s'il te plaît ?

J'enfouis mon visage entre mes mains.

— Emma, répète-t-il en cognant de nouveau. Tu me laisses une seconde chance, s'il te plaît ? C'est tout ce que je te demande en plus d'accepter mon pardon. Je n'avais pas l'intention de te blesser.

Je secoue la tête tout en sachant qu'il ne me verra pas. Je l'entends glisser contre la porte en bois. Mon oreille est collée dessus, je peux presque sentir sa main contre le battant.

— Je suis désolé. Je pourrais te le répéter un million de fois que ce ne serait pas assez, n'est-ce pas ? Je suis tellement maladroit avec toi et j'ignore pourquoi. Tu as sûrement raison, nous sommes trop différents.

— Nous sommes différents seulement parce qu'ils ont voulu qu'on le soit, Nayden.

— Quoi ? murmure-t-il.

— Nous sommes différents sans vraiment l'être.

— Explique-moi.

— C'est pourtant simple. Nous faisons partie d'une seule et même République séparée en deux parts distinctes. L'une représente le rêve et l'autre, le cauchemar. Tu es le rêve, je suis le cauchemar. Nous sommes deux parts d'un seul et même subconscient, mais ce n'est pas parce que nous appartenons au même monde que nous sommes semblables.

— Dans ce cas, tu es le plus beau cauchemar que j'ai connu de ma vie.

Je fixe le plafond, les mains tremblantes contre le plancher. Mon cœur se compresse dans ma poitrine à m'en faire mal.

— Tout n'est pas qu'ombre et lumière, Emma, poursuit-il.

— Pour ma part, je n'ai jamais connu de zone grise. Je changerai d'avis quand j'en verrai une.

Il soupire, se racle la gorge.

— Tu veux bien m'ouvrir la porte, s'il te plaît ?

Je glisse de quelques centimètres sur ma droite. Je lève la main jusqu'à la poignée que je déverrouille avant de la tourner. Nayden pousse sur le battant du revers de la main.

Je fixe un point devant moi, sans ciller. Il se penche vers moi, s'agenouille à mes côtés; sa main glisse lentement le long de la porte à quelques centimètres de la mienne.

— Je veux juste rentrer chez moi, murmuré-je en fermant les yeux.

— Je sais.

Son soupir m'arrache le cœur. Je n'ai pas la force de me battre pour le regagner. Je le laisse s'éteindre entre ses mains.

Trois

Ce qui a suivi est somme toute assez simple. Je me suis relevée pour changer mon pansement sous le regard attentif de Nayden qui, cette fois, n'a pas osé me proposer son aide, puis je suis sortie de la salle de bain pour aller m'asseoir sur le canapé au salon.

Nayden m'a dit qu'il allait se doucher.

J'ai attendu qu'il revienne.

J'ai fixé l'écran sans vraiment le regarder. Je me suis appuyée sur l'accoudoir et peu de temps après, je ne saurais dire combien, je me suis endormie pour me réveiller un peu plus tard dans le lit de Nayden plutôt que sur le mobilier de salon.

C'est comme si toutes les heures de sommeil que j'avais ratées m'étaient redonnées pendant que je vis ici. Je pourrais affirmer ne jamais avoir autant dormi de toute ma vie. Le problème est que c'est aussi la première fois que je fais autant de cauchemars.

Toujours le même. Toujours la même obscurité saisissante et mon incapacité à voir mon agresseur, accompagnées du froid de la mort qui m'enveloppe dans un manteau d'hiver. Suivis du réveil en panique et de la gorge brûlante des cris que je n'ai pas retenus cette fois. Ensuite, je ne me rappelle jamais de grand-chose. Je replonge simplement dans le sommeil, seulement beaucoup plus tendue qu'avant.

Ce matin, c'est toujours le blizzard à l'extérieur. Impossible de sortir ou de m'évader pour quelque raison que ce soit, même à deux coins de rue d'ici.

Je constate en passant devant la porte d'entrée qu'elle est verrouillée de l'intérieur par le loquet principal que Nayden verrouille avec sa clé, tout comme la veille. C'est uniquement pour empêcher les gens d'entrer sans ladite clé et non de sortir. Témoignage éloquent de ma presque liberté.

Ensuite de quoi je prends une douche en prenant soin de ne pas mouiller ma plaie qui semble en bonne voie de cicatrisation, et je change encore le pansement. Je le change au moins quatre fois par jour pour éviter une quelconque infection et favoriser mon rétablissement. Chez moi, j'aurais été mal en point et en manque considérable de ressources et de pansements en tout genre. Ma guérison aurait sans doute pris le double du temps.

Je sors de la salle de bain, une serviette autour du corps, et je monte à la chambre pour m'habiller.

Il va vraiment falloir que je demande à Nayden de me trouver des vêtements. Sa chemise me flotte sur le dos et est tellement grande pour moi qu'elle m'arrive une dizaine de centimètres au-dessus du genou. Pour faire bonne mesure et aussi parce que je me sens pratiquement nue, j'enfile un de ses pantalons cargo.

Un petit mot fixé à l'aide d'un aimant m'attend sur le réfrigérateur.

Bonjour Emma, je risque de rentrer plus ou moins tard, j'ignore à quelle heure exactement. Alors si tu vois que je tarde, ne m'attends pas

pour manger. Tu peux commander quelque chose, le téléphone est à ta disposition et j'ai fait exprès de poser une liste d'endroits où tu peux commander, avec l'adresse de mon loft. Il y a de l'argent dans le tiroir du bureau. Sinon, comme tu as pu le constater, le frigo est plein. Sers-toi. Ne mets pas le feu à mon appartement tout de même, je ne saurai pas comment expliquer la présence d'une jeune fugitive chez moi.
À plus tard.
Nayden
N.B : On discutera à mon retour, il est temps qu'on s'explique tous les deux.

Je pouffe de rire en voyant sa mise en garde, chiffonne le papier et le lance dans la poubelle. Je jette un coup d'œil à l'extérieur. Je ne ferais livrer rien à qui que ce soit par un temps pareil.

Le vent siffle furieusement et les flocons de neige chargés de fragments glacés griffent la baie. Il est clair que personne n'ira à l'école dans une telle tempête. Du moins, j'espère qu'Effie n'ira pas. La vue habituellement dégagée que j'ai du haut du je-ne-sais-combientième étage est complètement bouchée par les flocons de neige. À la maison, la tempête doit être tout aussi violente. En espérant que le chauffage y sera suffisant…

Quand j'allume le téléviseur, un bol de céréales et de petits fruits à la main, l'image coupe presque toutes les minutes. Pas de comédies pour aujourd'hui. Je devrai donc m'occuper à autre chose. Je referme la télé et me contente de compter les morceaux de neige et de glace qui se butent contre la fenêtre. Je m'assois et fredonne une mélodie, mes doigts pianotant d'eux-mêmes contre le plancher près de la baie.

Je rapporte mon bol dans l'évier, le lave puis soupire; ma journée semble déjà longue. En jetant un coup d'œil à l'ensemble de la pièce, mes yeux se posent sur la bibliothèque. Je la détaille de haut en bas un moment. Mes doigts s'arrêtent devant un titre intéressant.

Un simple mot. De cinq lettres. ATLAS.

Je prends l'épais volume, m'assois dans le fauteuil et le pose sur mes genoux. Je caresse délicatement la couverture bleu marine gravée or représentant un homme qui porte une énorme sphère sur son dos. Non, pas une sphère, notre planète.

J'ouvre le livre en plein centre et tombe immédiatement sur une vérité toute crue que je n'étais pas prête à avaler.

J'arrête de respirer, de bouger. Mon cœur manque un battement, puis un deuxième avant de reprendre un rythme digne d'un métronome dont la tonalité serait si régulière qu'il en deviendrait agaçant de l'écouter.

Je regarde en silence ce que j'ai devant moi. À la fois sous le choc et tétanisée de constater à quel point le mensonge dans lequel je vis est plus effroyable encore que je ne l'aurais cru.

J'ai sous les yeux une carte du monde. Ou du moins *d'un* monde, d'une partie de cet univers si vaste dans lequel j'ignorais vivre. Un monde auquel je n'appartiens décidément pas puisque je ne peux pas croire qu'il soit si grand et que je me sois retrouvée coincée entre quatre murs pendant aussi longtemps.

Je lis des noms de pays dont je n'ai jamais entendu parler. Je lis des noms d'océans dont j'ignorais l'existence. Je lis des noms d'États qui n'évoquent en moi qu'un sentiment de panique intense.

Je tourne la page après de longues minutes. Tout en haut sont inscrits les mots suivants: EUROPE RÉFORMÉE. À l'extrême droite de ce continent, une délimitation claire à peine plus grande que la taille d'une petite pièce de monnaie que je reconnais aussitôt, avant même d'en avoir lu le titre. Je l'effleure du bout des doigts, médusée.

Ma République est loin d'être à l'endroit où on m'a appris qu'elle l'était. Nous ne sommes pas au centre de ce continent que je viens de découvrir. Nous ne sommes pas sur l'ancien territoire de l'Allemagne, de l'Autriche ni même de la République tchèque. Nous en sommes même très loin. Beaucoup trop loin de cet épicentre qu'on voulait nous faire croire à tous. Trop loin de cet endroit qu'on m'a montré sur un morceau de carte durant la majeure partie de ma scolarité.

Entre parenthèses sont écrits les noms des anciens territoires. Nous sommes en Russie, à l'est de l'Ukraine, et les noms ont été biffés dans l'édition que j'ai entre les mains. Et le nom de mon État est loin d'être celui que je croyais. Ce n'est pas seulement *République*, mais bien *Sovetskaïa Respublika* pour *République soviétique*. Abrégée à un simple «*RS*» également entre parenthèses.

Les deux côtés sont clairement départagés et titrés à leur tour. Nous sommes à l'extrême droite de ce continent que je croyais être le centre du monde. Nous a-t-on menti à ce point? Et pourquoi l'avoir fait ? Pourquoi nous avoir rempli la tête d'autant de mensonges ? Pourquoi ne pas nous avoir tout simplement dit où nous étions ?

Je l'ignore, mais je frémis de colère.

Mes mains tremblent.

Je tourne une autre page. Cette fois, c'est un autre continent qui porte le nom AMÉRIQUE. Or, l'adjectif réformé ne le suit pas. Ce sont plutôt les mots suivants qui l'accompagnent : *classé territoire radioactif, zone inhabitable*. Cela signifie que tout cet espace a été abandonné ? Que les gens qui y habitaient sont morts ? C'est donc cela, les conséquences d'une guerre ?

J'en ai assez vu. L'épais volume tombe à mes pieds dans un bruissement de feuilles. Je me sens craquelée de toute part. Le jour fatidique où j'attendais qu'on me fasse basculer vient d'arriver. Enfin, on vient de m'envoyer au sol et la chute est plus douloureuse que je ne l'aurais cru.

C'est impossible. On ne peut pas nous avoir menti à ce point. On ne peut pas nous avoir montré à tous une version aussi erronée du monde. C'est impossible. Impossible, impossible, impossible.

Les minutes passent, puis les heures défilent les unes après les autres. Je me refuse à bouger, le livre toujours à mes pieds, je reste les yeux fixés dans le vide, à attendre.

Combien de pays mon monde compte-t-il ? Ou plutôt combien de régions y a-t-il ? Car les frontières sont minces, trop pour délimiter des pays comme avec ma République. Ce ne sont que des secteurs. Des subdivisions d'un gigantesque État et nous sommes le seul pays en dehors de cette réforme. Depuis combien de temps suis-je tenue ou, devrais-je dire, sommes-nous tous tenus dans l'ignorance ?

Je me lève et parcours les tablettes de la bibliothèque du regard. Un à un, je retire tous les livres qui portent ce nom atroce d'atlas. Je les enlève tous et les jette par terre. Pêle-mêle au sol, je les étends avec mes pieds comme ils ont étendu la mascarade de nos vies au sol pour les piétiner. J'en ai assez de tous ces mensonges. Je veux les anéantir, je veux qu'ils disparaissent. Qu'ils fondent comme neige au soleil. Je frappe sur les étagères et c'est dans une avalanche de livres que Nayden ouvre la porte.

— Emma, arrête !

Il m'attrape les mains par-derrière pour m'éloigner de sa précieuse bibliothèque que j'ai réduite en miettes.

— Ne me touche pas ! que je lui hurle avant de me dégager avec une hargne qui signe la perte de ma volonté.

Je me laisse tomber au sol le visage entre les mains. Nayden soupire, me contourne tout en prenant garde à ne marcher sur aucun livre. Il récupère la feuille que j'ai arrachée et la retourne.

— C'est à cause de cette carte que tu as fait tout ça ?

Je ne lève même pas les yeux vers lui.

— Viens. Je crois qu'il faut qu'on discute.

Il me prend par le coude, mais je me dégage furieusement. Mes joues sont glacées d'un mélange d'eau et de sel. Je m'assois sur l'une des chaises de la cuisine et attends qu'il m'explique, qu'il me dise pourquoi tout ça n'est qu'un tissu de mensonges. Nayden me rejoint et allume quelques lumières au passage avant de retirer son manteau qu'il pose sur le dossier de sa chaise.

— Emma, regarde-moi.

Je ne bouge pas d'un iota.

— Tu veux bien me dire pourquoi tu as détruit ma bibliothèque ?

Je reste muette. J'ai perdu ma langue parmi les mots et les cartes de tous ces livres.

— Emma ? Aie au moins la décence de me répondre.

Je relève la tête vers lui. Ses excuses ricochent sans même se rendre à ma conscience.

— Tu veux savoir pourquoi j'ai cet air ? Parce que je viens de réaliser que tout mon monde n'est qu'un tissu de mensonges !

Il grimace, passe une main sur son visage empreint d'une fatigue mal dissimulée. Il est exténué et je vois à son état qu'il sera loin d'être diplomate.

— Qu'est-ce que tu fais avec tous ces livres interdits, Nayden ?

Il pouffe d'un rire sans joie.

— Parce qu'ici ils ne le sont pas et que jamais je n'aurais pensé qu'une Inférieure viendrait chez moi.

— Une *Inférieure*, que je répète alors que le mot se coince dans ma gorge. Et tu veux que, après ce que tu viens de me dire, je me considère ton égale ?

Sa mâchoire tombe tandis que la mienne se resserre à m'en faire mal.

— Ce n'est qu'un mot, Emma.

— Tous ces livres ne sont que des mots et tu crois que ça banalise le mal que ça me fait ? Ce n'est pas qu'un mot que d'être une *Inférieure*, que je crache avec tout le mépris dont je suis capable. C'est ce que je suis, ce que je représente pour toi, ce à quoi tu penses en me regardant ?

— Qu'est-ce qu'ils t'ont fait de l'autre côté du mur pour que tu t'endurcisses à ce point ? articule-t-il d'un air dépité.

— Tu n'es vraiment qu'un imbécile, Nayden Keyes.

Mes yeux se remplissent de nouveau de larmes. Comme si je n'en avais pas déjà suffisamment versé.

Nayden soupire, passe dans ses cheveux une main qui s'arrête sur sa nuque. Il se lève et se met à faire les cent pas. Il stoppe devant moi et fait retomber ses mains contre ses flancs d'un geste brusque. Et c'est à ce moment qu'il éclate et qu'il débite d'un seul coup :

— Hurle après moi, Emma ! Crie-moi ce que tu n'as jamais osé dire ! Dis-moi ce qu'ils t'ont fait. Dis-moi ce qu'ils *vous* ont fait. Aide-moi à comprendre. Aide-moi à savoir pourquoi ça te fait cet effet de tomber sur une carte comme celle-là, parce que je l'ignore ! Explique-moi ce qu'ils vous font subir pour que tu te sentes à ce point misérable en me regardant. Explique-moi pourquoi quand *moi* je te regarde j'ai l'impression de voir toute l'histoire d'un monde défiler. Pourquoi j'ai l'impression de me noyer chaque fois que tu me fixes. Pourquoi j'ai la sensation de mourir chaque fois que je te vois te refermer un peu plus sur toi-même, toutes les fois que tu t'éloignes parce que tu as parfaitement raison, je ne suis qu'un imbécile ! Dis-moi, Emma !

Si je n'étais pas déjà assise, je serais tombée. Une deuxième balle vient de se loger en moi, dans ma poitrine, et elle me semble plus douloureuse que celle qui est réelle et, pourtant, la plaie est plus à vif, plus douloureuse, plus significative.

Je saigne à blanc, incontrôlable.

Je suffoque, je m'effondre de l'intérieur.

Je sens tout le poids de ce monde alourdir mon regard. Et pourtant, Nayden me soutient, arrive à me faire sentir qu'il est là malgré tout, malgré son ignorance à mon égard.

Ses épaules s'affaissent, il laisse passer une brève expiration empreinte d'un découragement sans nom.

— Si seulement je le savais moi-même, murmuré-je enfin.

Mes jambes sont faites de coton quand il me soulève de ma chaise pour me serrer contre lui. Ses bras autour de ma taille me pressent avec force tandis que les miens entourent sa nuque une fois que je suis hissée sur la pointe des pieds.

Je reste de longues minutes dans ses bras. À écouter le silence sauter sur toutes ces secondes paisibles qui viennent de s'envoler.

J'ignore si c'est moi qui dois m'éloigner ou bien lui qui doit me lâcher. J'inspire profondément contre son épaule puis recule d'un pas pour me rasseoir sur la chaise, bien trop consciente et mal à l'aise de ces longues minutes que je me suis surprise à savourer si près de lui.

Il tire la chaise en face de moi et la positionne au bout de la table. Il passe ses mains sur le bas de son visage puis les entrelace avant de poser ses lèvres dessus et d'inspirer un bon coup.

— J'ai des explications à te donner, n'est-ce pas ? soupire-t-il doucement.

Je déglutis, sèche ce qu'il reste de mes larmes d'un geste honteux.

— Je crois, oui.

— Alors je me lance.

Quatre

Il s'éclaircit la voix puis acquiesce pour lui-même.

— Premièrement, je ne m'appelle pas Nayden Keyes. Enfin si, je m'appelle Nayden. Seulement, le nom de famille avec lequel je me suis présenté n'est pas mon nom de famille « officiel », dit-il en fronçant légèrement les sourcils, le coin de ses lèvres tendu vers le bas.

Il tire sur une chaîne argentée à son cou et la passe par-dessus sa tête avant de me la tendre. Son matricule de soldat.

— La première série de chiffres représente mon numéro d'enregistrement. 03-LG25647. Je suis le troisième de ce gouvernement à posséder ce titre, mais certainement pas le premier soldat de notre République, d'où la série suivante. Sur la deuxième ligne, il s'agit de ma date de naissance suivie de mon âge à l'enregistrement. 17/07/17. Pour te donner une idée, ces plaques datent d'il y a trois ans.

— Tu as donc vingt ans.

— Oui.

Presque comme Caleb, pensé-je, incapable de me retenir. Caleb dont l'anniversaire sera en janvier. Ce qui s'avère très bientôt, bien que je n'aie aucune idée du jour qu'on est.

Mon cœur se consume, se change en cendres, s'envole en fumée.

— Ensuite ? murmuré-je en glissant mon pouce sur l'inscription.

— Ensuite il s'agit de mon titre. Lieutenant-général de l'Armée soviétique. Évidemment, sur la plaque, tout est en abrégé. Cela donne donc Lt. Gén. AS. Ensuite il s'agit...

— De ton nom, le coupé-je en effleurant la gravure. Nayden Prokofiev Keyes.

Ma lèvre se retrousse en prononçant son nom de famille, puis se fige tandis que l'information se rend tranquillement à mon esprit, mais avec la force d'un bélier défonçant une porte barricadée.

— Oui. Keyes est le nom de ma mère. Et Prokofiev celui...

— De ton père, que je l'interromps pour une seconde fois tandis qu'un nœud gigantesque me serre la gorge. Tu es le fils du général Prokofiev. *Le* général Prokofiev, répété-je pour me convaincre moi-même.

— Oui.

J'inspire, mais de manière tellement saccadée qu'on croirait que je sanglote. Je peine à déglutir et mon estomac se retourne.

Le général Prokofiev fait partie du conseil interne. Celui qui dirige notre République. Le *père* de Nayden est le général suprême du gouvernement. Je ne les connais pas tous, mais ce nom est suffisamment effrayant pour que je le reconnaisse sans peine, sans même avoir à regarder son visage. Sa réputation le précède, c'est l'un des pires généraux de l'histoire. On le connaît comme étant froid, intangible, incorrigible, mais surtout indétrônable.

Seulement, j'ignore comment c'est possible que mes deux collègues de travail n'aient pas reconnu son fils alors qu'il passait ses soirées au café. C'est pourquoi je lui pose la question. Nayden devait s'y attendre puisqu'il riposte aussitôt :

— Frieda et Lisabeth ne s'intéressent pas à la politique, Emma. Pour beaucoup, je passe incognito et je ne suis qu'un militaire de plus parmi tant d'autres. Mon visage est méconnu de plusieurs, tout comme celui de mon père. Je suis prêt à parier que tu connais son nom, mais que tu serais incapable de l'identifier dans une foule. Quand je me présente, c'est sous le nom de ma mère sans quoi je fais cet effet, ajoute-t-il en désignant mon air hébété. Et je déteste la peur que j'inspire en prononçant un nom de famille qui me rejoint uniquement par un lien de sang. Tu comprends ?

— Oui, marmonné-je en avalant ma salive.

— La dernière ligne, c'est simplement le nom du côté auquel j'appartiens. Dans mon cas, c'est Haute République.

— Comme si c'était indispensable, ironisé-je sans pour autant être capable de rire de façon sincère. Ce n'est pas nécessaire de dire de quel côté tu viens sur cette plaque, Nayden. Ton grade suffit. Jamais aucun soldat n'atteindra le grade de lieutenant-général de mon côté.

Il opine d'un air gêné.

— Je sais et je suis parfaitement d'accord avec toi… Tu sais à peu près qui je suis, maintenant.

Je me prends la tête, incrédule.

— Ces informations ne font pas de toi la personne que tu es, Nayden.

Il fronce les sourcils.

— Non, en effet.

Je baisse les yeux sur les plaques que je tiens toujours.

— Tu vas me les rendre ou continuer de les fixer en silence ?

Je m'exécute maladroitement, manquant de les échapper par terre. J'ai presque peur de le toucher maintenant. Il les remet à son cou avant de les glisser sous sa chemise.

— Dix-sept ans... C'est jeune pour devenir lieutenant-général, non ? que je marmonne.

Il hoche la tête, le visage assombri.

— Je sais. Mais mon père est général, il était donc légitime que je devienne son second.

À l'entendre, il méprise ce titre plus que j'aurais pu le croire.

— Je ne sais pas. C'est presque un passe-droit, un genre de corruption, que j'ajoute.

Je hausse les épaules, cale mon dos contre le dossier de la chaise. J'hésite même à le regarder maintenant que je sais qu'il est le fils d'un des hommes les plus influents de l'État. Et plus encore, je crains de me prononcer sur quoi que ce soit à présent.

— Et toi ?

— Quoi moi ? dis-je en fronçant les sourcils.

Il sourit. Je fonds sur ma chaise.

— Qui es-tu ?

— Tu le sais déjà, Nayden.

— Alors, rappelle-le-moi.

— Emma Kaufmann. Dix-sept ans. C'est tout ce qu'il y a à savoir.

— Dix-sept ans ?

— Oui.

Ses yeux s'arrondissent.

— C'est stupide, parce que je le savais, mais j'ai toujours l'impression que tu es plus vieille que ça, enchaîne-t-il.

— Comment ça ?

— Ta façon de penser, de voir les choses, de raisonner, de me parler même.

Je hausse les épaules.

— J'ai vieilli… rapidement.

Sa bouche s'étire en une fine ligne où s'expriment malaise et compassion.

— Continue. Frères et sœurs ?

Cette fois je secoue la tête.

— Tu le sais déjà, ça aussi.

— Je peux avoir leurs noms, au moins ?

— Non. Que je sois ici les met déjà suffisamment en danger.

Il balance sa tête d'un côté, puis de l'autre.

— D'accord, mais garde en tête que je peux accéder à ces informations très facilement. Moi, j'ai une sœur.

— Plus jeune ou plus vieille ? demandé-je sans porter attention à sa menace.

— Plus jeune. Elle a treize ans.

Presque le même âge qu'Effie et Noah. Je sens un frisson me parcourir. Je serre les poings pour l'empêcher de se propager plus loin, de peur qu'il ne fasse fissurer le sol jusqu'à lui.

— C'est pour ça que j'étais à l'hôpital le soir où tu as tenté de t'évader, poursuit-il.

— Elle est malade ?

— Elle est dans le coma, précise-t-il.

J'ai l'impression de recevoir au visage un seau d'acide qui fait craqueler ma peau.

— Je suis désolée, parviens-je à articuler malgré mon visage qui se décompose.

— Ça va.

— Comment est-ce arrivé ?

— Un accident.

J'allais lui demander depuis combien de temps, mais je réalise assez rapidement qu'il ne tient pas à approfondir le sujet. Je ne le pousse pas davantage. On a tous droit à ses secrets. Du moins, si je poursuis dans cette optique, peut-être que j'arriverai à me soustraire à quelques-unes de ses questions.

— Et ta mère. Où est-elle ?

Il hausse les épaules.

— Je ne sais pas. Elle est partie tout de suite après l'accident et elle n'est jamais revenue.

— Oh…

Je baisse les yeux sur mes mains, compte mes doigts comme pour m'assurer que j'en ai toujours dix, simplement pour penser à autre chose.

— J'irai chercher l'information moi-même si tu ne me dis pas le nom de tes frères et sœurs, souligne-t-il de nouveau. Ce n'est pas pour te faire du mal, c'est uniquement parce que cela m'intéresse, contrairement à ce que tu pourrais croire.

Je le foudroie du regard. Il a toutes les menaces du monde au fond de sa poche et moi je n'ai rien du tout.

— Promets-moi que ça ne les mettra pas en danger.

— Je te promets qu'il ne leur arrivera rien.

J'attends quelques secondes afin de m'assurer de sa sincérité. Il ira chercher l'info lui-même, alors aussi bien la lui dire. Par contre, dois-je mentionner Noah ? Le protéger en ne le nommant pas pourrait lui mettre la puce à l'oreille. Et puis, ne pas dire son nom en « public » est devenu une habitude…

— Adam, mon grand frère et Effie, ma cadette.

Je m'arrête. Il plisse légèrement les paupières, signe qu'il sait qu'il manque un nom à mon énumération. Je me mords l'intérieur de la joue. La douleur me rappelle à quel point je suis misérable.

— Je sais que tu as un autre frère.

Je soupire. Je dois mentionner Noah dans ce cas.

— Et Noah, avoué-je. Le jumeau d'Effie.

— Des jumeaux ?

— Oui, non identiques.

— Quel âge ?

— Effie et Noah ont douze ans. Adam a eu dix-neuf ans le 6 décembre dernier, dis-je, me rappelant amèrement qu'il est parti peu de temps après son anniversaire que nous n'avons pu célébrer faute d'argent et de temps.

Les yeux rivés sur mes mains pendant que les siens me scrutent à la loupe, curieux de percer à jour ce que j'essaie de lui cacher, j'inspire profondément.

— Je vois. Ils comptent beaucoup pour toi ?

— Plus que ma propre vie.

Il acquiesce.

— Je comprends.

Je croise les bras. Parler d'eux me rappelle à quel point j'en suis loin. Ma famille est tout ce que j'ai de garanti dans ce monde. Ou presque. Je redoute tous les soirs qu'un coup de feu fasse trembler les murs de ma maison. Toutes les nuits j'espère qu'il ne leur est rien arrivé et qu'ils n'entendront jamais ce son assourdissant qui m'a perforé l'abdomen. Que jamais personne ne viendra nous enlever mon petit frère.

Je frissonne sur ma chaise.

— C'était donc ton frère, celui qui t'a trouvée le soir où on t'a tiré dessus ?

— C'est mon frère qui m'a trouvée ?

Il acquiesce, passant une main sur ses lèvres qu'il humecte.

— J'imagine. En tout cas, je me souviens avoir entendu dire qu'un des soldats avait dû être retenu de force. Il refusait de te laisser partir. Il était assez tenace je dois dire, soupire-t-il. À moins que ce soldat ait été ton frère, je ne vois pas vraiment de qui il pourrait s'agir !

Bien que ma mémoire flanche à propos de cet évènement, j'arrive quand même à m'en souvenir.

Oui, c'était bien mon frère de qui on m'a arrachée. J'imagine le choc que ça a dû lui faire.

Adam connaissait mon trajet et savait que je travaillais ce soir-là. Sans doute passait-il pour s'assurer que mes traces soient bien dissimulées ou pour voir si j'étais rentrée sans problème.

Comment peut-on réagir autrement que par une crise quand on découvre sa petite sœur au sol dans une mare de sang ? Il a dû penser qu'il avait échoué dans son rôle de me protéger quoi qu'il arrive. Que donnerais-je pour lui dire que ce n'est pas de sa faute et qu'il ne faut surtout pas qu'il s'en fasse pour moi ?

— Tu sais ce qui lui est arrivé après ?

— Un de ses coéquipiers l'a calmé. Le colonel Fränkel, je crois. Un peu arrogant et prétentieux, mais un bon soldat. Ils sont tous pareils après tout. Ils croient tous qu'avoir une arme entre les mains et un titre un tantinet supérieur aux autres réussit à faire d'eux des êtres d'exception.

J'essaie de n'avoir aucune réaction à l'évocation de ce nom. De rester aussi froide que ce marbre qui recouvre les comptoirs de sa cuisine.

Je suis un bloc de glace et pourtant je fonds. Je me fissure, réchauffée par la simple allusion à ce nom qui ramène en moi un tourbillon d'émotions bouillant.

J'inspire.

— Tu le connais ?

Je secoue la tête. Je sens les morceaux de glace glisser sur ma peau. J'ai chaud. Le nœud que j'ai dans l'estomac s'est enflammé, je crains qu'en approchant sa main de trop près il puisse le sentir.

— Non. Il y a beaucoup de soldats de notre côté, c'est difficile de tous les connaître.

Il semble croire à mon mensonge. Il se lève, rapporte l'atlas pour l'ouvrir sur la table à l'endroit où je me suis arrêtée et où il manque une page.

— Maintenant montre-moi ce qui t'a fait si peur dans ce livre.

Je m'esclaffe et pourtant il n'y a rien de drôle, il le sait tout aussi bien que moi.

— Ce qui m'a fait peur, Nayden, c'est ce monde. Parce que toute ma vie on m'a dit que notre République était ici, dis-je en désignant une portion au centre du continent. Et pourtant on est ici, renchéris-je en glissant mon doigt jusqu'au véritable emplacement de notre République.

— Tu veux dire qu'on vous a fait croire qu'elle était au centre ?

— Oui. Pour nous donner un semblant d'importance sûrement. Pour être honnête, je n'ai aucune idée des pays qui bordent nos frontières, de ceux qui existent encore et de ceux qui sont restés parmi les débris de la dernière guerre. Pour tout te dire, j'ignorais jusqu'à l'existence de tout cet énorme État réformé.

Ses yeux s'écarquillent, il avance sur le bout de sa chaise en me dévisageant.

— C'est une blague ?

— Pas du tout.

— Oh, seigneur…

Je fixe mes mains jointes, la lèvre inférieure coincée sous mes dents.

— D'abord, il n'y a plus de pays, mais un seul État unifié, subdivisé en secteurs. C'est la Réforme. Nous sommes le dernier pays n'ayant pas adhéré à cette réforme.

— Quand a eu lieu cette réforme ?

— Après la guerre. Donc, il y a environ… deux siècles.

— Et pourquoi ne pas avoir adhéré à la Réforme ?

— C'est une excellente question.

— Tu ne le sais pas ?

— Personne ne le sait. Sans doute un énième secret d'État.

J'inspire profondément. Mes lèvres sont si serrées qu'elles doivent avoir pâli. Au fond, même ce cher monsieur Fleisch ignorait cette cruelle vérité… à moins bien sûr qu'il n'ait été formé à nous mentir.

— Tu… Tu veux quelque chose à boire ?

— Je ne dirais pas non. Merci, réponds-je en relevant brièvement les yeux vers lui, un vague sourire au bord des lèvres.

— OK. Je reviens.

Nayden me rejoint quelques secondes plus tard avec deux verres remplis d'un liquide ambré pétillant. J'examine le verre quand il le pose devant moi. Ça a l'aspect gazéifié d'un soda, mais ça n'a pas la même couleur.

— Soda gingembre.

— Je n'étais pas si loin de mon hypothèse. Aleks m'a fait goûter à mon premier soda il y a de cela deux mois. Alors, désolée, mais pour cette fois, tu ne me fais rien découvrir.

Il pouffe d'un léger éclat de rire en portant le verre à ses lèvres.

— Au moins j'aurai essayé.

Je lui souris et prends une gorgée à mon tour. Une question que je ne lui ai pas encore posée brûle mes lèvres sur lesquelles éclatent de petites bulles.

— Nayden ?

— Oui ?

— Que fait le gouvernement avec les autistes ?

En relevant la tête vers lui, je peux voir que ma question l'intrigue. Il ne s'attendait clairement pas à ce que je lui demande quoi que ce soit sur ce sujet.

— Pourquoi veux-tu savoir ça ?

— Parce que le peu d'autistes que j'ai connus ont disparu et que plus personne ne les a revus, que je mens.

Ce qu'il ignore, c'est que je m'inquiète pour mon petit frère depuis que je ne suis plus à la maison près de lui. Je crains que le gouvernement ne mette la main dessus.

D'autant plus que par mon absence, je pourrais causer bien des problèmes à ma famille. Que diront-ils au prochain raid si je ne suis pas de retour ?

Au nombre de gens qui meurent chaque semaine, les descentes dans les maisons sont de plus en plus nombreuses.

Il inspire profondément, cale son verre d'un seul coup. Je crois qu'il aurait préféré qu'il s'agisse d'autre chose que d'un simple soda gingembre.

— Ils s'en servent.

— Comment ça, *ils* s'en servent ? répété-je.

— Tout dépendant de leurs aptitudes, ils les utilisent. Ils font des expériences sur eux, voient comment ils peuvent exploiter leurs compétences au maximum.

— Pourquoi sur eux plus particulièrement ?

Il hausse les épaules.

— Je n'en ai aucune idée, Emma.

Je fronce les sourcils. Des expériences. C'est horrible. Considérant le manque d'aptitudes sociales de Noah, j'imagine sans peine comment tous les autres doivent se sentir en dehors de leur routine et de leur milieu familier. Le moindre changement les rend anxieux et peut déclencher des crises difficiles à contrôler. Ici, je parle d'expérience.

Il recule contre le dossier de sa chaise et me détaille des pieds à la tête.

Un ange passe.

— Je vais devoir t'acheter des vêtements sans quoi tu risques de dévaliser ma penderie.

— Cela faisait d'ailleurs partie de ma liste de demandes.

— Ta liste de demandes ?

Je me sens rougir du cou à la racine des cheveux en une fraction de seconde.

— Oui, enfin non. Pas que j'aie une liste de demandes, mais il est vrai que j'apprécierais avoir des vêtements à moi plutôt que de porter les tiens sans arrêt. Sans compter que ceux que j'avais sont restés à l'hôpital.

Nayden semble approuver la première partie de mon monologue maladroit, mais balaie mes paroles d'un geste pour la suite.

— J'y pense, ils ne sont pas à l'hôpital, mais dans ma voiture. Attends-moi, je reviens.

Il se lève, récupère rapidement ses clés puis saute dans ses bottes. Il revient quelques minutes plus tard, un sac de toile à l'épaule.

— Qu'est-ce qu'ils faisaient dans ta voiture ?

— Ils avaient l'intention de les jeter. Tu verras pourquoi.

C'est alors qu'il vide le contenu du sac sur la table. Il y a mon manteau, mes pantalons, mon chandail, ainsi que mes bottines, mais tout ce qui constituait le haut de mon ensemble est couvert d'une tache de sang d'au moins trente centimètres de diamètre. Mon t-shirt est quant à lui inutilisable en plus d'être troué à l'endroit où la balle s'est logée entre mes côtes ; je sens ma plaie me picoter à l'évocation de ce douloureux souvenir.

Mon manteau est tout aussi inutilisable, à la fois percé et taché de sang séché. Mes vieilles bottes lacées avec lesquelles j'ai foulé la frontière plus de fois qu'il ne serait légalement possible de le faire sont par contre encore en état de servir. Mon écharpe de laine est pour sa part intacte. Pour ce qui est de mes gants, ils sont tous les deux couverts de sang coagulé. Je me souviens clairement avoir porté mes mains à ma blessure.

Voir mes vêtements ravive mes souvenirs de manière aussi poignante que si je les revivais à cet instant précis. Ils défilent devant moi, sur ce chandail taché, se poursuivant sur ce manteau dans le même état.

Le garçon à ma droite. Le coup de feu. Le noir. L'envie de mourir. Le goût de vivre. La volonté de me battre qui surmonte la douleur. Le tapis de neige couvert de pétales rouges. Les cris que je n'ai pas été pas en mesure de laisser aller et qui emplissent les murs du loft toutes les nuits. Les plaintes étouffées par la souffrance. La panique dans le regard de mon frère et celle prête à m'étrangler. La peur glaçant mes os tout autant que le froid. La mort cognant à ma porte. Le temps filant. Le ciel noir percé d'un éclat argenté qui se noie de rouge…

— Emma ? murmure Nayden en effleurant mon épaule.

Je tressaille à son contact et me raidis d'un coup. Il laisse rapidement tomber sa main le long de son corps et je lâche mes vêtements sur la table.

— Ça va ?

— Oui.

Mes yeux glissent rapidement sur la pile de vêtements sur la table. Quel pitoyable mensonge, je ne vais pas du tout.

— On peut faire un tri si tu veux ? suggère-t-il.

J'acquiesce et m'empresse d'écarter de ma vue tout ce qui est taché de sang. D'un côté il y a donc mes bottes, mon foulard et mon jean et de l'autre mon manteau, mes gants et mon t-shirt. Je retrouve aussi mes chaussettes de laine que ma mère m'a tricotées et les ajoute à la pile de choses qui peuvent encore servir. C'est peut-être ridicule de garder des chaussettes, mais elles me rappellent la maison, ma mère tout particulièrement.

— Le reste, on en fait quoi ? lâché-je, sentant l'angoisse me gagner en regardant mes vêtements de la pile inutilisable.

— Je peux les faire disparaître exactement comme ta chemise d'hôpital.

— Fais-le.

Nayden récupère le tout et le jette à la poubelle en un rien de temps. Je serre mon écharpe dans mes mains, soulagée de sentir quelque chose de familier sous mes doigts.

— Ça te va si je passe t'acheter des vêtements demain ?

— Oui, bien sûr. Ça ne sera pas un peu bizarre pour le vendeur, par contre ? Ça ne serait pas préférable que je t'accompagne ?

Son rire secoue ses épaules et me fait sourire. Peu à peu, je chasse les images noires pour laisser place à celles qui ont plus de clarté.

— Ça ne me fait rien ce qu'il peut penser de moi, tu peux rester ici. Les gens d'ici n'en ont rien à faire de ce qu'une autre personne peut acheter. Tu as une couleur préférée ?

Le coin de mes lèvres se soulève doucement. Je peux lui nommer n'importe quelle couleur, je sais qu'il trouvera quelque chose dans ces teintes. De mon côté, la teinture coûte excessivement cher alors je n'ai toujours eu que des vêtements aux couleurs ternes ou extrêmement simples.

— J'aime bien le bourgogne. Le vert émeraude et le bleu aussi.

C'est à son tour de sourire.

— Comme tes yeux.

Sa voix n'est qu'un murmure, à peine audible, mais qui se rend tout doucement à mes oreilles. Cette fois, ce n'est pas du vert, mais toutes les teintes de rouge possibles qui me montent aux joues. Si je comptais toutes les fois où je rougis, je tiendrais un livre de compte aussi épais qu'un dictionnaire.

— Tu as faim ?

— Un peu, avoué-je en me levant, le reste de mes vêtements en main.

— Je vais commencer le souper alors, tu veux m'aider ?

— Bien sûr. Je vais aller porter ça d'abord, dis-je en désignant ma pile d'un geste.

— Oui, vas-y.

Je marche jusqu'à l'entrée et pose mes vieilles bottes de cuir tout près de l'escalier. Quant à mon écharpe et mes pantalons, je les plie soigneusement et monte à l'étage pour les déposer sur le coffre au pied du lit.

Quand je redescends, Nayden est déjà aux fourneaux. Je m'assois sur le tabouret et tire vers moi la planche sur laquelle il a déposé des légumes et un couteau. Quand il se retourne pour couper les légumes, je suis déjà affairée à la tâche. Il sourit, d'un léger retroussement de lèvres qui ne m'échappe pas. Tellement magnifique que je peindrais des dizaines de milliers de tableaux ayant pour sujet sa bouche si seulement je savais peindre.

— Ta blessure, ça va ?

— Oui. Elle guérit bien. J'ai oublié de changer le pansement par contre, mais ça ne semble pas poser problème, j'irai tout à l'heure.

— Excellent.

Je coupe une tomate dont le jus éclabousse la planche. Il me fait penser au soir où une balle a fait éclater ma poitrine. Je ferme brièvement les paupières.

— Nayden, est-ce que tu sais pourquoi on a tiré sur moi ?

Il secoue la tête.

— Non.

— Sais-tu pourquoi je suis encore en vie ? C'est mortel ce genre de blessure, non ?

Cette fois il reste coi.

— Tu sais pourquoi je suis toujours en vie, oui ou non ? répété-je.

— Je crois que je le sais. Mais je n'en suis pas sûr.

— Dis-moi pourquoi.

— Non. Pas aujourd'hui, Emma.

Je lève les yeux vers lui. J'ai tellement de questions que je ne peux me résoudre à laisser tomber tout de suite. Plus particulièrement s'il peut y répondre. Ses yeux sont rivés aux miens, à croire qu'il vient d'y plonger. Il y a tellement de choses que je voudrais lui dire, mais les mots se bousculent, si nombreux derrière mes lèvres closes. Et dans cette panoplie de mots, il me semble qu'aucun ne soit vraiment adapté à la situation, autre que celui qui parvient malgré tout à se frayer un chemin :

— Quand ?

— Quand je serai plus sûr de ce que j'avance. Je ne suis pas prêt à partager mes hypothèses tout de suite.

— Au moins, toi, tu en as, grommelé-je.

— Laisse-moi un peu de temps, Emma. S'il te plaît.

Je me renfrogne, mais ne m'oppose pas.

J'aurai mes réponses.

Je les veux et je les aurai.

Nayden se tourne vers le fourneau quelques secondes avant de revenir vers moi. Il prend une petite télécommande qui se trouve au bout du comptoir juste à côté de l'évier et appuie sur un bouton. Aussitôt, de la musique se met à jouer. D'où sort-elle ? Je n'en ai aucune idée, c'est à croire qu'elle vient de partout à la fois.

— C'est moins sinistre ainsi et ça réussira peut-être à occuper ta bouche pour que tu arrêtes de poser des questions auxquelles je ne répondrai pas, marmonne-t-il.

— Je ne trouvais pas que c'était sinistre et puis je ne connais sûrement pas ces chansons, alors je ne pourrai pas occuper ma bouche en chantant si c'est ce que tu espérais, rétorqué-je en repoussant la planche de légumes vers lui.

— C'est moins morne dans ce cas.

— Le silence n'est pas toujours synonyme d'ennui, Nayden.

Il lève les yeux au ciel un brin amusé et dépose ce que j'ai découpé dans une grande poêle de métal. Instantanément, le crépitement des aliments sur le feu emplit mes oreilles et leur odeur, mes narines.

— Tu répliques toujours comme ça ?

— Non. Pour être honnête, je ne parle jamais autant.

— Tu ne donnes jamais ton opinion ?

— Rarement et surtout pas en public !

Il se tourne brièvement vers moi, les sourcils froncés.

— Comment ça, pas en public ? Donner son opinion est pourtant un droit.

— Alors j'en suis totalement dépourvue.

Il s'arrête, pivote lentement vers l'îlot où je me trouve. Je compte le temps qu'il prend avant de reprendre la parole. Sept secondes.

— Tu veux dire que tu ne donnes jamais ton opinion ?

— Pas la mienne. Celle qu'on veut que j'aie seulement.

— Et c'est ainsi pour tout le monde ?

Je confirme d'un hochement de tête.

— Même quand je calque l'idée de quelqu'un, je me fais réprimander.

— Tu parles par expérience ?

— Tout à fait. Un jour, j'ai écopé d'un travail supplémentaire pour une raison qu'il n'est pas nécessaire de préciser. Après la remise de mon travail, je me suis fait traiter d'insoumise par mon professeur d'histoire tout juste avant qu'il dise, et je cite : *Je vous ai demandé de me donner* votre *opinion sur la République, pas de calquer la mienne.*

En le récitant de cette façon, je ricane et secoue la tête. Seulement, en relevant les yeux vers Nayden, mon sourire s'éteint instantanément. Cette fois, je crois bien le voir se décomposer sous mes yeux. Je n'ai plus devant moi que des fragments de Nayden qui se fissurent de tous les côtés possibles.

— Quoi ? que je murmure un brin inquiète.

Me suis-je trop confiée ? Ai-je dit quelque chose que j'aurais dû emporter dans ma tombe ? Tombe qui, je dois bien l'admettre, me semble bien plus près qu'elle ne le devrait. Le goût amer du regret envahit ma bouche et je déglutis avec peine.

— Arrête de te demander pourquoi on a failli te tuer, Emma. La réponse est évidente.

— Qu'est-ce que tu veux dire ?

— Ce n'est pas pour rien et c'est tellement simple que ça en est ridicule. Tu n'adhères pas à leurs idéologies, ce qui représente une insoumission de ta part.

— Je ne me prononce jamais là-dessus, Nayden. Je me conforme contre mon gré, lui fais-je remarquer.

Il secoue la tête, éteint le fourneau d'un geste.

— Je sais, mais là n'est pas le problème. Pour eux, c'est comme si tu étais née du mauvais côté de la République.

Je passe une main sur mon visage, scrute Nayden comme s'il m'était possible d'avoir des points d'interrogation dans les yeux.

— Crois-moi, je suis née exactement du côté où on voulait que je sois.

Sa mâchoire se crispe. Il tend la main vers mon poignet. Je le recule sèchement. Il doit arrêter de me toucher.

À la minute où je sens m'ouvrir, je me referme dans un claquement. C'est mon moyen de défense le plus efficace. Ça l'agace. Je le vois. Ses épaules s'affaissent. Je devrais y être indifférente, mais j'en suis incapable.

Nous mangeons en silence. La conversation s'est terminée abruptement, presque trop, mais je n'ai pas envie de la reprendre où je l'ai laissée.

Pour moi, ce n'en était pas une et j'apprécie le silence. En musique, d'ailleurs, les silences sont particulièrement importants à respecter. C'est sûrement pourquoi je les aime autant. Si seulement ce n'était pas de Nayden qui prend plaisir à briser avec seulement trois mots l'unique chose sur laquelle j'ai un semblant de contrôle, j'apprécierais davantage le silence.

— Je dois repartir, lâche-t-il en regardant l'heure.

Je hoche la tête, tâche d'avoir l'air indifférent. Il se relève, enfile ses bottes, son manteau et passe sur sa tête sa casquette ornée d'un écusson militaire. Je me tourne à peine vers lui.

— À plus tard.

Je le regarde partir sans rien dire. Il verrouille de nouveau la porte derrière lui et je sais que ce n'est pas pour m'empêcher de sortir.

Voilà bientôt une semaine que j'essaie de me convaincre que je ne suis pas en prison et je n'y suis toujours pas parvenue.

C'est une prison de verre aux dentelles givrées.

Je ne suis pas en prison.

Une prison dont la porte m'est toujours ouverte.

Je ne suis pas en prison.

Une prison dans laquelle j'ai tout ce que je veux excepté une chose.

La liberté est au bout de mes doigts, je peux presque la saisir. Elle est là, juste devant moi, à portée, loin, trop loin.

Je suis en prison.

Cinq

Cela fait deux semaines que je suis en cohabitation avec Nayden. Qu'il va et vient dans son loft. Qu'il subvient à mes besoins. Il a même réparé la bibliothèque et remis en place les tablettes que j'avais fait tomber. Il a poliment refusé mon aide même si tout était de ma faute et résultait de ma réaction en tornade. Malgré tout, pour faire bonne figure, j'ai replacé les livres moi-même. Il fallait bien que je fasse ma part… Il ne m'en a pas tenu rigueur. À dire vrai, il ne m'en a pas reparlé du tout par la suite. Je change mon pansement tous les jours et la guérison approche petit à petit. J'erre dans l'appartement, comme en cage. Je ne suis pas prisonnière, mais puis-je sortir pour autant ? Non.

Un soir, alors qu'il revenait de travailler, il avait avec lui les vêtements que je lui avais demandé de m'apporter. Il m'a également acheté un manteau, un magnifique manteau dont la valeur pourrait nourrir ma famille pour un mois entier, voire plus encore. C'est à croire qu'il n'y a plus qu'un seul pas qui me sépare de chez moi maintenant. Le hic, c'est que pour faire ce pas, il me faut enjamber un mur de presque cinq mètres. D'autant plus que si je rentre chez moi, je ne pourrai plus jamais revenir. Et ça, je ne suis pas certaine de le vouloir.

Nayden est attentionné, patient, gentil. Trop gentil. Personne n'a jamais été si gentil avec moi à l'exception des membres de ma famille. Même mes amis ne l'ont jamais autant été. D'où je viens, on a beau s'épauler, parfois, pour survivre, il faut penser à soi avant de penser aux autres. Ce que j'ai constamment omis de faire.

Quoi qu'il en soit, la porte ne cesse de me narguer par sa présence.

Je *pourrais* sortir et m'en aller si seulement il ne neigeait pas sans arrêt.

Par ailleurs, à ce que je suis en mesure de voir par la gigantesque baie vitrée, je suis dans une portion de la ville que je ne connais pas du tout considérant que d'ici, le mur qui sépare la Haute et la Basse République me semble tout petit. Sortir de ce loft ne me servirait à rien et je me perdrais assurément. Alors je me limite au couloir de l'immeuble et ne m'aventure jamais plus loin. La porte se verrouillant de l'intérieur, je pourrais très bien restée coincée hors du loft. Et puis il est toujours désert. Je me suis mise à penser qu'il n'y avait personne d'autre à l'étage.

Je veux rentrer chez moi, mais je n'ai aucun repère excepté Nayden.

Ma liberté, je peux la regarder s'envoler par la baie vitrée entre les flocons de neige. J'ignore le nombre d'heures que je passe à les regarder, à les compter, à fredonner une chanson au rythme de leur chute. Ça rend mes journées moins tristes.

Jusqu'au jour où la tristesse de la solitude a laissé place à une peur panique oppressante.

Cinq coups frappés à la porte.

Je suis seule dans un appartement où je ne devrais pas être.

Cinq coups qui me terrassent sans préavis.

Je tremble plus fort que les branches d'un arbre dans un hiver glacial. Mes muscles se contractent, mes yeux s'arrondissent, les cheveux sur ma nuque se dressent.

Je n'ai appelé personne, contacté personne. Nayden ne m'a pas dit que quelqu'un devait venir. Au moment où je me demande si je dois répondre, les coups reprennent. Plus insistants. Trois coups cette fois.

Je jette un coup d'œil à l'horloge. Nayden ne revient pas avant au moins six heures si ce n'est plus. Je suis seule face à ce problème.

Mes mains sont moites et suintent de terreur. J'en passe une dans mes cheveux après l'avoir rapidement fait glisser sur mon pantalon noir. Peut-être que l'inconnu finira par s'en aller. Peut-être qu'il partira. Oui, voyant qu'il n'y a personne, il s'en ira. Il partira. Il partira. Il…

Il ne part pas.

Je l'entends se racler la gorge de l'autre côté du large battant, cogner de nouveau, s'impatienter. J'angoisse.

Je marche jusqu'à la porte le plus silencieusement possible, faisant descendre les manches de mon pull de laine sur mes poignets. Je tends la main vers la poignée. Je dois ouvrir, sinon il ne partira pas. Il m'a sûrement entendue chanter. Il sait qu'il y a quelqu'un. Je dois me ressaisir.

Ma main glisse sur le métal froid, je déverrouille la porte. Le claquement du verrou alerte l'individu de l'autre côté. Il a arrêté de bouger. Je tourne la poignée. J'ouvre la porte deux secondes plus tard. Juste assez pour que je puisse passer ma tête dans l'entrebâillement et pour que ça ait l'air naturel. Mais surtout, pour que je puisse la refermer rapidement au moindre danger.

Un homme. Début trentaine, cheveux blonds dissimulés sous une casquette bleu marine. Il porte un uniforme de la même couleur. Son nom est inscrit sur son uniforme :

Walter. Je fronce légèrement les sourcils, scrute son visage à peine souriant. Le mien est figé dans le plâtre.

— Pardonnez mon impolitesse, Mademoiselle, j'ai un colis à livrer à cette adresse et il ne peut qu'être remis en main propre à cette date sans quoi il sera retourné à l'expéditeur.

Mes lèvres se plissent de contrariété. Mes doigts se cramponnent au bois de la porte. Voyant que je reste de marbre, il me tend le colis. C'est une petite boîte enveloppée de papier couleur sable que je récupère maladroitement. Ce n'est pas particulièrement lourd, juste étrangement balancé.

— Il me faudrait une signature, ajoute-t-il en me tendant un calepin électronique transparent sur lequel sont inscrits le numéro de la commande et diverses informations que je n'ai pas le temps de déchiffrer.

Je pose le colis au sol et me relève en récupérant l'étrange instrument. J'ai toujours eu beaucoup de mal à m'habituer à ce genre de technologie, mais je ne suis pas sans savoir ce que c'est.

Au bar de Lanz, on recevait souvent des commandes avec ce genre de document électronique à signer. Que je ne signais jamais. Mais aujourd'hui, je n'ai pas le choix de signer mon nom. *Mon nom.* Impossible. Je ne signerai pas mon nom sur un document d'ici.

Je réfléchis à toute vitesse. Je prends le stylet entre mes doigts, qui j'espère, ne tremblent pas trop, puis inscris un nom rapidement, sans vraiment porter attention à ma calligraphie. Anna Kosloff.

Une petite lumière verte approuve ma signature. J'ai eu de la chance. S'il y a vraiment une Anna Kosloff dans cette République, je viens d'usurper son identité. Je suis doublement criminelle maintenant.

Je remets le tout à Walter, un sourire crispé au coin de la bouche. Il observe ma signature, revient ensuite vers moi en acquiesçant, un sourire beaucoup plus franc que le mien.

Sans trop savoir pourquoi, je déteste ce sourire.

— Passez une excellente journée, Mademoiselle... Kosloff, achève-t-il en regardant brièvement la tablette pour y lire mon nom.

— Vous aussi, Monsieur.

Les seuls mots que je prononce depuis que j'ai ouvert la porte et qui semblent le déstabiliser légèrement. Je déglutis en croisant les doigts derrière mon dos. J'espère de tout cœur que ma voix n'a pas trop tremblé.

Je le regarde s'éloigner quelques secondes jusqu'à ce qu'il s'arrête devant l'ascenseur avant de m'adresser un petit salut de la tête.

Je referme la porte le plus lentement que mon anxiété me le permet et verrouille tout ce que je suis en mesure de barrer.

J'ai la respiration saccadée et le cœur au bord des lèvres. Je glisse le long du mur, le visage entre les mains.

Quand je tourne la tête, mes yeux se posent sur l'étrange colis. Il n'y a rien d'inscrit excepté l'autocollant qui affiche un numéro de série incompréhensible. C'est pire qu'une équation algébrique. Je pose le colis sur la table basse devant le canapé et m'assieds en face. Je le fixe sans tendre la main vers lui.

Je ne veux pas l'ouvrir sans Nayden. Je prends l'un des coussins et le serre sur ma poitrine. J'allume ensuite le téléviseur, change le canal jusqu'à celui des comédies musicales.

J'écoute distraitement. Des gens chantent sous la pluie, en éclaboussent d'autres au passage tout en ayant l'air heureux.

J'aimerais tellement que leur bonne humeur soit contagieuse.

Six

Quand Nayden entre sa clé dans la serrure et qu'il tourne une première fois en pensant qu'elle se déverrouillera, je serre le coussin si fort sur ma poitrine que je pourrais fusionner avec. Il tourne une nouvelle fois et la porte s'ouvre, mais puisque j'ai également mis la petite chaîne, cette dernière le freine dans son élan dès qu'il pousse le battant.

— Emma, tu m'ouvres, s'il te plaît ? C'est moi.

Je le vois lever les mains en l'air dans l'ouverture d'une dizaine de centimètres que permet la chaînette. Je me lève et lui déverrouille la porte d'une main tremblante qu'il attrape au vol dès qu'il pose le pied à l'intérieur.

— Pourquoi la porte était-elle barrée à double tour ? Et laisse ce pauvre coussin, tu risques vraiment de le tuer, lâche-t-il en le désignant d'un geste las.

Il retire ses bottes et laisse tomber ma main toujours papillonnante. Je ne lâche pas le coussin de l'autre malgré sa remarque. Sa blague glisse sur moi comme de l'eau sur les plumes d'un canard.

— Quelqu'un est venu aujourd'hui, Nayden.

Son manteau, qu'il posait sur la rampe, tombe dans l'escalier.

— Comment ça, quelqu'un est venu ?

Je fais un pas sur le côté pour lui laisser entrevoir le colis.

Il fronce les sourcils. Il contourne le sofa et s'assoit en prenant la boîte.

— Tu ne l'as pas ouverte ?

Je secoue la tête et le rejoins sur l'autre coussin.

— Et tu as dû signer, je présume ?

— Oui.

— Qu'as-tu signé ?

— Anna Kosloff. Excuse-moi, c'est très près de mon véritable nom, j'en suis consciente, mais c'est ce à quoi j'ai pensé en premier.

— Ça va, c'est très bien. La signature a été approuvée ?

— Oui.

— C'est parfait, cela signifie que quelqu'un porte vraiment ce nom. Tu as eu de la chance.

Il acquiesce de nouveau, un fin sourire au coin des lèvres. Il a l'air fier. Mais sa fierté ne m'atteint pas. Je suis trop tendue pour éprouver autre chose que de l'anxiété.

— Le livreur, il t'a vue longtemps ?

— Bien entendu si je lui ai ouvert, qu'il m'a remis le colis, et que j'ai eu à signer.

— OK. Alors on va devoir changer ton apparence.

Je lâche le coussin d'un coup.

— C'est bien, au moins tu as relâché ton otage.

Je le frappe sur l'épaule. Il ouvre la bouche, exagérément outré par le coup qu'il vient de recevoir, tandis que mon énervement s'atténue en voyant son sourire.

— Seulement la couleur de tes cheveux. C'est ta couleur naturelle, je sais, mais il est trop facile de se souvenir d'un blond comme le tien. J'irai te chercher une teinture brune demain. Ça passera plus inaperçu. Tu ne peux pas garder ton prénom, c'est commun, c'est trop risqué. Si on apprend que tu mens et que ton nom de famille n'est pas le bon, on pourrait te retrouver avec ton prénom et voir lequel correspond à ta véritable identité. Le nom de famille, ça par contre, c'est avec ça qu'on t'identifie et c'est primordial qu'on le change. Si on te demande comment tu t'appelles, tu réponds maintenant : Lena Pavlova.

Un pli se forme entre mes sourcils. Il se tourne vers moi, le paquet toujours entre les mains.

— C'est pour ta sécurité et je te conseille fortement d'y adhérer. Répète après moi : je m'appelle Lena Pavlova.

— Pourquoi ce nom me fait penser au tien ?

— Ils ont la même origine.

— Qui est ?

— Russe. C'est plus sûr et réputé de ce côté du mur.

J'acquiesce. Inspire un bon coup.

— Pav-lo-va, d'accord ? répète Nayden en détachant bien chaque syllabe.

— Lena Pavlova. OK.

— Bien. Tu as dix-sept ans, ça aussi ça va. Je te ferai faire des papiers et des cartes le plus rapidement possible. C'est compris ?

Je hoche la tête.

— On fait quoi du colis maintenant ?

— Ce n'est qu'un leurre, dit-il en le secouant. C'est pourquoi il ira directement à la poubelle.

— Il y a quelque chose dedans, pourtant.

— Oui. Un leurre. C'est un faux paquet, Emma, c'était probablement juste pour voir si tu étais chez moi.

Il secoue le paquet.

— Tu ne l'ouvres pas ?

— Il ne vaut mieux pas.

Il se relève et jette la boîte dans ce que je crois être la poubelle. Je n'arrive pas à voir d'où je suis.

— Comment tu t'appelles ?

— Lena Pavlova.

— Excellent.

Je réponds comme l'automate qu'on m'a appris à être et je soupire en silence les dernières traces de mon ancien moi.

C'est aujourd'hui que je comprends que je ne serais plus jamais Emma Kaufmann.

Sept

Comme convenu, le lendemain soir, Nayden revient avec une boîte de teinture en main.

— Tu sais comment ça marche ?

Je secoue la tête.

— C'est comme un shampoing. Tu crois avoir besoin d'aide ou…

J'ignore ce qu'il insinue, mais devoir m'aider semble le mettre extrêmement mal à l'aise. C'est pourquoi j'y mets rapidement fin.

— Non, ça devrait aller, le coupé-je rapidement pour éviter un éventuel moment gênant.

— Parfait. Alors je te laisse avec ça, ajoute-t-il en me tendant la boîte.

Je me tourne, fais un pas vers la salle de bain quand il pose sa main sur mon épaule.

— Attends une seconde.

Je me tourne vers lui, la boîte entre les mains. Il approche son visage très près du mien. J'arrête de respirer.

Je m'étonne de le voir aussi près, à croire qu'à tout moment il pourrait m'embrasser. Il scrute le haut de mon visage avec attention. Sa main est toujours sur mon épaule. Je serre les dents pour m'empêcher de tressaillir.

— OK. Tes sourcils sont châtains et tes cils légèrement plus foncés. Ça ne se verra pas. Étrange tout de même, étant donné la couleur très pâle de tes cheveux…

Un pli se forme entre ses sourcils. Je l'écoute sans rien dire, rendue trop fébrile par ce contact sur mon épaule et la proximité de son visage avec le mien.

Je voudrais qu'il retire sa main.

Je voudrais qu'il ne la retire jamais.

Je suis dans un éternel et pitoyable dilemme.

— Ça devrait aller dans ce cas, renchérit-il en esquissant un sourire plus confiant que le mien.

— Mes cheveux ne vireront pas au vert, quand même ? m'inquiété-je.

Il ricane en secouant la tête.

— J'espère que non.

Je glousse en baissant les yeux sur la teinture et désigne la salle de bain du pouce par-dessus mon épaule.

— J'y vais.

J'inspire un bon coup puis disparais.

Je suis les instructions à la lettre, compte le nombre exact de minutes durant lesquelles je dois laisser agir le produit avant de rincer le tout et c'est non sans nostalgie que je regarde la chaude couleur du brun qui recouvre désormais mes cheveux glisser vers le drain quand je rince, puis je ferme les yeux quand je sens les larmes monter. Maintenant que ma plaie est pratiquement toute cicatrisée, je pourrais quasiment m'immerger complètement dans l'eau. Je n'ai pas encore pris le risque de prendre un bain, mais mes douches sont beaucoup moins pénibles qu'avant.

Ma seule motivation à cette transformation, c'est qu'ainsi, je ne menacerai plus aucun membre de ma famille. J'ai un nouveau nom, pratiquement une nouvelle tête. Bon, la couleur de mes yeux reste la même et mon visage en entier aussi, mais c'est mieux que rien. Il faut croire que tout ne peut pas être teint.

Une fois que je suis certaine de ne plus rien tacher, j'essore mes cheveux pour les brosser, dos au miroir.

Tout au long du processus, je ne me suis pas regardée une seule fois. J'ai trop peur de ce que je pourrais voir.

Je me suis souvent préparée pour l'école sans miroir à la maison, ce n'est pas vraiment le problème. C'est plutôt que je ne veux *pas* me regarder *moi*. Observer ce nouveau moi. Cette personne que j'étais et qui disparaît peu à peu.

Je sens tout de même mon reflet qui me nargue et j'y fais donc encore dos quand Nayden cogne à la porte.

Cela doit faire bientôt trente minutes que je suis ici. Sans même lui répondre, je tourne la poignée pour le laisser entrer. Je ramène rapidement ma main vers mon corps, ma lèvre inférieure coincée entre mes dents.

Je fixe le plafond.

Nayden croise les chevilles, appuie son épaule contre le cadre, les mains dans ses poches.

Aussitôt, il devine.

— Tu ne t'es pas encore regardée, c'est ça ?

Je secoue la tête. Mes doigts s'entortillent tellement que quand je baisse les yeux pour les compter, j'en oublie quelques-uns.

Il tend le bras, replace derrière mon oreille la longue mèche à présent brune qui vient de glisser sur ma joue, effleurant ma peau au passage.

La sienne est chaude et j'ai l'impression de fondre quand je sens de l'eau mouiller ma joue. Jusqu'à ce que je réalise qu'il ne s'agit pas de ma peau qui fond, mais bien d'une larme qui vient de rouler sur ma pommette.

Je m'empresse de l'essuyer. Mon regard glisse un moment sur ma main papillonnante avant que Nayden ne tende la sienne pour la rattraper dans son envol.

— Hé…

Son murmure souffle sur mon visage comme la brise d'un été trop longtemps attendu après un hiver tenace. Son parfum m'emplit les narines, masquant celui du shampoing fruité. Un mélange de menthe poivrée, de lavande et d'air frais, ajouté à l'odeur saline de la mer et épicée du cèdre.

Je m'accroche à sa main, robuste dans la mienne qui m'a l'air si frêle.

— Ça va aller, Emma, m'encourage-t-il doucement. De quoi as-tu si peur ?

— J'ai déjà l'impression de ne plus être moi-même, Nayden… Je n'étais pas prête à vivre avec qui j'étais, alors imagine apprendre à vivre en étant quelqu'un d'autre.

— Tu veux que je t'avoue quelque chose ?

Je fixe le sol.

— À mes yeux, tu restes la même. La même personne, la même âme, la même fille. Pour moi, tu restes la fille aux flocons de neige.

Je tourne la tête vers lui les sourcils haussés. Il redresse le menton, confiant, beaucoup plus que je ne le suis alors que je reste accrochée à six petits mots. *La fille aux flocons de neige.* Il ne me donne pas la chance de le questionner davantage et continue sur sa lancée.

— À trois tu te retournes, OK ?

J'acquiesce fébrilement.

— OK, soufflé-je en forçant un demi-sourire.

— Un, deux, trois.

Je pivote en lâchant sa main que j'aurais souhaité ne jamais laisser tomber. J'aurais pu m'y raccrocher quand mes genoux se sont entrechoqués.

Je me pétrifie sur place.

Je fige, puis sens mes jambes se transformer en glace qui se liquéfie sur le plancher d'ardoise. Une inconnue dont les yeux hésitent entre le vert et le bleu me regarde, le visage figé d'une parfaite incrédulité.

Ma peau est encore rosée par la chaleur de l'eau chaude, mais étrangement pâle. Mes pommettes sont saillantes sans trop l'être. Ma bouche est rose, mes dents entre mes lèvres sont droites et blanches à croire que je n'ai jamais connu la misère.

Mon doigt glisse sur ma joue encore humide de cette traînée salée qui s'est échappée de mon œil. Mon visage fin, au lieu d'être encadré de cheveux blonds, est maintenant auréolé de longs cheveux brun chocolat à peine ondulés.

Mes sourcils s'arquent sous la surprise et mon reflet m'imite sur-le-champ. Nayden se poste derrière moi, les mains sur mes épaules toujours aussi frêles dont les clavicules saillent sous les longues mèches qui les couvrent.

— Ce n'est pas si mal, non? chuchote-t-il à mon oreille tandis qu'un sourire franc me donne l'impression que le soleil vient de se poser sur son visage.

Mes joues rosissent davantage et mes lèvres s'étirent d'un air gêné.

— Tu es magnifique, Emma. Avec ou sans cheveux blonds.

— C'est gentil, marmonné-je. Tu vas devoir m'appeler Lena dorénavant si tu veux que j'arrive à me l'approprier.

Il ricane puis hoche la tête.

— Je vais essayer, promis.

— Je vais m'y faire à la longue. J'imagine... On va devoir les couper, tu crois ? demandé-je.

Ses mains pressent doucement mes bras.

— Assurons-nous que ce ne soit pas nécessaire. Ça serait plus sûr, bien entendu, mais si tu n'es pas prête, on les gardera comme ça.

Je hoche la tête, les yeux perdus dans sa réflexion au-dessus de la mienne. Il a raison, je ne suis pas prête.

— Ça te dirait de sortir ce soir ?

Mes yeux s'arrondissent d'un seul coup.

— Sortir ?

Il s'esclaffe, passe une main sur sa nuque qu'il laisse retomber jusqu'à la poche de son pantalon.

— Oui, sortir. Tu n'es quand même pas pour rester enfermée dans mon loft indéfiniment ! Par contre, on y va seulement si tu me confirmes que tu te sens bien.

Je fronce les sourcils, me tourne légèrement vers lui. Ses mains retombent. Je n'aurais pas dû bouger. Et pourtant je ne devrais pas vouloir sentir ses mains sur moi.

— Ta plaie, elle va comment ?

Je baisse instinctivement le regard vers mon abdomen sur lequel s'est posée ma main.

— Presque entièrement cicatrisée, j'ai changé le pansement avant que tu arrives.

— Bien. Alors on y va ?

Je lui souris, puis hoche la tête. C'est la première fois que je vais sortir de ma prison.

Il m'a gentiment désigné la porte de la salle de bain pour sortir. Je prends la décision d'aller me changer en réalisant que je porte mon vieux jean usé du soir où je me suis fait tirer dessus et qui appartient dorénavant à ma vie d'avant.

Si je suis pour sortir, autant avoir l'air de venir d'ici. Je choisis d'en mettre un nouveau, un de ceux que Nayden m'a achetés, un bleu foncé, ainsi qu'un pull de laine couleur crème pour me protéger contre le froid à l'extérieur. Je descends en sautillant jusqu'à l'endroit où Nayden m'attend. Il s'est changé avant moi et porte un pantalon noir et une très belle chemise bleue qu'il a enfilée sous un tricot gris foncé.

Il me sourit de toutes ses dents et me tend mon nouveau manteau. C'est un trench suffisamment long pour couvrir mes fesses, très féminin, cintré à la taille et muni d'une série simple de boutons sur la gauche, le tout dans une magnifique teinte de café au lait, doublé de fourrure pour le froid, bien entendu. Il n'a pas de capuchon, mais le col est suffisamment large pour que je puisse le relever pour couper le vent glacial, sans compter que la douce fourrure est suffisamment épaisse pour que la capuche ne soit pas nécessaire.

Je me penche pour enfiler mes bottes que j'ai tenu à garder malgré la suggestion de mon hôte de m'en procurer de nouvelles. Nayden en fait déjà suffisamment pour moi, nul besoin d'ajouter un item à cette liste de choses que je lui dois.

Pendant que je lace mes chaussures, j'en oublie presque ma plaie qui me rend la vie impossible dès qu'il me faut me pencher. C'est toujours sensible et j'ai chaque fois la sensation désagréable de me faire pincer, mais j'y arrive presque sans problème. Lorsque je me relève, il balance doucement mon écharpe de laine vert foncé à la façon d'un grand pendule devant mon visage.

Je la récupère en le remerciant et l'enroule autour de mon cou. Puis il me tend de nouveaux gants, pratiquement identiques à ceux dont j'ai dû me défaire à l'exception que ceux-ci possèdent un rabat pour en faire des mitaines ; en plus, ils sont de la même couleur que mon écharpe.

Il a l'œil aux détails.

— Merci, Nayden. C'est très gentil.

Il acquiesce, puis lève l'index avant de se tourner vers le fauteuil où se trouve un accessoire qu'il ne m'a pas encore remis : un béret en tricot qu'il m'enfile sur la tête. Je me laisse aller à un doux éclat de rire et caresse le lainage.

— Tu vas en avoir besoin si tu ne veux pas mourir de froid, m'informe-t-il avec un clin d'œil.

Il retourne mon sourire puis enfile ses gants étrangement semblables aux miens, puis son trench noir également doublé pour le froid. Il pose sa main sur la poignée quand je lui prends le bras pour l'arrêter et passe son foulard de cachemire autour de son cou.

— Tu allais oublier ça, murmuré-je, tandis que ses yeux glissent tranquillement vers le bas de mon visage.

— Merci, Lena.

Le temps s'arrête. Je me sens rougir, et ce n'est pas à cause de la chaleur ambiante. Ses yeux fixent les miens sans se détourner. Je viens de me perdre dans deux océans d'émeraude et d'écume dorée qui ne regardent que moi.

Son haleine, de nouveau ce fin parfum de menthe poivrée, m'emplit les narines, me submerge, me fait chavirer, réchauffe la peau de mon visage déjà rougie. Mes mains glissent sur sa nuque où je relève son col. Je le tiens encore et j'ai beau cligner des yeux, il ne s'éloigne pas.

Je reste suspendue à ce foulard que je tiens toujours. Perdue dans son regard dans lequel je plongerais. J'ai arrêté de respirer et tout ce que j'entends, ce sont les battements sourds de mon cœur. Jusqu'à ce que ses mains se posent sur les miennes pour me faire redescendre.

Il ouvre la porte et la tient pour moi. Je sors d'un pas maladroit, manquant trébucher. Je l'attends à un mètre de la porte, qu'il verrouille derrière lui.

Je le suis jusqu'à l'ascenseur.

— Où on va ? demandé-je quand les portes s'ouvrent accompagnées d'un subtil tintement.

— C'est une surprise, souffle-t-il, son sourire plus pâle qu'il y a quelques secondes.

Nous ne croisons personne. À croire que l'immeuble est abandonné. D'ailleurs, je n'ai jamais entendu quelque voisin que ce soit, ni même quiconque passer dans le couloir excepté Nayden quand il rentre ou bien quand il s'en va. C'est impossible qu'il soit tout seul !

En digne gentleman, il m'ouvre la portière de sa voiture et j'y monte, le remerciant d'un sourire. Il met la clé dans le contact puis démarre. Nous sommes dans le stationnement intérieur, je ne suis pas encore dehors et je suis déjà fébrile à la simple idée d'y être.

Et je dois dire que pour la première fois, je n'ai absolument aucune idée de ma destination, pas plus que je n'ai l'intention de rentrer chez moi. L'idée m'effleure à peine l'esprit. Sans hésitation, je saute dans le vide.

Huit

Je crois bien que je ne cesserai de m'émerveiller devant cette ville que le jour où elle sera réduite en cendres. D'ici là, elle m'éblouira toujours.

Les grands immeubles, illuminés et scintillants comme des étoiles. Les gens heureux passant dans les rues sans se préoccuper d'autre chose que de leur petite vie. Les parcs, les trottoirs, les arbres aux branches de glace, les lampadaires givrés de dentelle.

Pas de bâtiments à l'abandon, pas de routes détruites. Pas de propagande d'une vie bourrée de faux espoirs avec un *E* en lettre capitale. Pas d'enfants qui mendient dans les ruelles pour quelques sous, juste assez pour avoir de quoi se payer une pomme. Pas d'adolescentes en pleurs, jetées à la rue par celui qui vient tout juste d'abuser d'elles, le tout pour une poignée d'argent insuffisante à racheter même leur dignité.

Ici, il n'y a rien de tout ça et c'est ce qui me pousse à croire que le rêve dont j'espérais la réalisation avec ma famille n'est peut-être pas si loin et qu'il y a peut-être une chance que je puisse m'envoler un jour vers cet espoir avec un grand « E », comme me l'a dit cet Insoumis avant de mourir. Cet homme que j'ai vu mourir pour la liberté et qui, au fond, était peut-être un peu comme moi : en quête d'une vie à chérir pour pleinement savourer le bonheur.

Nous roulons environ vingt minutes avant d'arriver à destination, et j'en ai le souffle coupé. Je me noie dans un océan de beauté glacée, un sourire béat sur mes lèvres rosies par l'excitation. Je me tourne vers Nayden qui sourit à son tour de me voir si ébahie en me désignant d'un coup de tête le parc figé par l'hiver.

— Prête à patiner pour la première fois de ta vie ?

— Patiner ? répété-je, en fronçant subtilement les sourcils.

Je le suis des yeux, trop absorbée par la vue pour faire le moindre mouvement, jusqu'à ce qu'il vienne m'ouvrir la porte. L'air froid s'engouffre dans l'habitacle. Il me prend la main et m'invite à sortir. Il referme la portière tandis que je piétine gauchement sur la neige, les yeux rivés sur ce magnifique spectacle. L'air glace mes poumons, et pourtant je voudrais pouvoir l'inspirer pour le restant de mes jours.

À l'été, rempli de fleurs et de feuilles, j'imagine que ce parc doit être tout aussi magnifique, mais en hiver, à mon avis, il l'est encore plus. Ici, tout est parfait.

Je réalise que Nayden s'était éloigné uniquement lorsqu'il revient, deux paires de bottines à lames en main et un sac de sport en bandoulière.

Une paire d'un blanc nacré pour moi et l'autre, noire pour lui.

Il verrouille les portières en appuyant sur un simple bouton puis m'entraîne sur un banc dont il balaie la neige, tout près de l'allée gelée où d'autres gens patinent déjà. Personne ne nous remarque. Pour une rare fois, je n'ai pas besoin de regarder par-dessus mon épaule. Je m'assois, dévorant du regard absolument tout ce qui est à ma portée.

Il se penche devant moi et c'est à ce moment que je reporte mon attention sur lui.

Il pose les patins tout près de mes pieds et je m'incline pour les enfiler.

Les lacer s'avère aussi simple que d'attacher mes bottes. C'est la suite qui risque de se corser, le moment où je devrai me lever sur ces lames d'acier luisantes et très coupantes.

— Prête ? me demande Nayden en se levant après avoir lui aussi enfilé ses patins.

— Je crois..., marmonné-je en souriant d'un air crispé.

— Tout ira bien, m'encourage-t-il.

Après avoir mis nos bottes dans le sac, il le passe en bandoulière et me tend les mains. Il recule avec adresse sur la glace, un grand sourire aux lèvres.

— Tu ne me lâches pas, hein ? dis-je en fixant mes pieds.

— Promis, souffle-t-il doucement.

Il m'a l'air heureux, épanoui pour la première fois depuis longtemps.

Il semble flotter au-dessus de la glace.

Quant à moi, je suis terriblement instable et je m'accroche si fort à ses mains que je crains de les lui arracher. Chaque fois que je glousse, ma respiration crée de gros nuages de condensation devant ma bouche rosie par le froid.

— Arrête de regarder tes pieds. Regarde devant toi, me conseille-t-il en relevant doucement mon menton vers le haut.

Je me retrouve donc les yeux plongés au fond des

siens. Rien pour m'aider à me concentrer sur mon équilibre. Son sourire franc s'illumine d'un seul coup tandis qu'il commence lentement à lâcher mes mains, malgré sa promesse.

— Glisse tes pieds l'un après l'autre. Oui, comme ça, sans pointer par contre, s'empresse-t-il d'ajouter quand les piques au bout de mes lames s'enfoncent dans la patinoire et que je me retrouve projetée dans ses bras.

Le froid fait virer mes joues à l'écarlate tandis que j'éclate de rire, les yeux rivés sur mes patins.

— OK. Prise deux, marmonné-je en lui tendant mes mains.

Mes doigts glissent sur ses paumes tandis que les siens se referment dessus. Je regarde toujours mes pieds quand il glisse un nouveau doigt sous mon menton pour que je le regarde.

— J'ose espérer être plus agréable à regarder que tes pieds, Lena, me taquine-t-il.

Il s'est remis à neiger et de petits flocons s'incrustent dans ses cheveux.

Nous nous éloignons de plus en plus du banc, mais je ne me sens pas plus à l'aise. Je préfère, et de loin, garder mes mains dans les siennes.

Et pendant tout ce temps, il continue de patiner à reculons comme s'il n'y avait rien de plus facile. Son élégance est sans borne et son aisance des plus enviables. Après quelques minutes, j'arrive à avancer toute seule bien qu'il soit encore devant moi et j'y prends rapidement plaisir.

Il tourbillonne rapidement puis se retrouve derrière moi en une fraction de seconde. Il glisse ses mains sur ma taille et accélère d'un seul coup. Je lâche un petit cri étouffé par un éclat de rire et tourne la tête vers lui pour voir son sourire resplendissant. Ses mains lâchent ma taille un moment et je me retrouve à glisser seule, très rapidement sur la glace.

Je jette un bref coup d'œil par-dessus mon épaule, puis reporte mon attention vers l'avant. Il y a un arbre juste devant moi et je dois tourner pour l'éviter.

Mes yeux s'écarquillent. Je n'ai aucune idée comment faire. Mon cœur s'affole et je fige sur place.

D'un simple coup de patin, Nayden me rattrape, entoure ma taille des bras et me fait faire le virage avec lui. Son souffle chaud au creux du cou. Ici, sur ce sol de glace, je ne contrôle rien du tout, pas même mes propres mouvements. Pas même tout ce que je ressens.

Et pour la première fois, cette perte de contrôle m'indiffère. Je baisse de nouveau les yeux au sol, sur ses patins cette fois, quand il déleste ma taille pour se mettre à glisser autour de moi. J'adore le son que produisent les lames à chaque coup. Un bruissement métallique quasi mélodieux suivi d'une traînée de poussière de neige. Son rire revient chatouiller mon oreille, ses bras serrer mon corps.

Je vole. J'ai des ailes. Et ces ailes s'appellent Nayden. Mes joues sont transies de froid et d'un petit quelque chose qui porte aussi son nom. Il me fait tourner dans ses bras et je me retrouve à patiner à reculons, lui de face, ses mains toujours ancrées sur ma taille marquée au fer rouge par ses doigts chauds contre le tissu de mon manteau pourtant épais.

L'une d'elles glisse jusqu'à la mienne qu'il serre puis lève à la hauteur de mon visage. De l'autre, il me plaque contre lui et se met à tourner.

Je danse sur un plancher d'hiver.

Son sourire s'est éteint pour laisser place à quelque chose de plus doux qui relâche ses traits en une expression que je ne lui connaissais pas : de la tendresse.

— Où as-tu appris à patiner comme ça, Nayden ? demandé-je en souriant, mon visage à quelques centimètres de son torse.

— Je venais tous les hivers avec Juliette, ma petite sœur. Et avant avec ma mère jusqu'à ce qu'elle disparaisse à son tour et que je n'aie plus personne avec qui patiner.

— Tu n'es plus revenu ensuite ?

Il secoue la tête. Sa poigne se relâche et je me retrouve à patiner seule, lui devant moi, les bras le long du corps, mais prêt à réagir au moindre faux pas de ma part.

— Jamais.

— C'est donc une première pour toi aussi ? m'exclamé-je en souriant.

— En quelque sorte.

Un léger rire secoue ses épaules.

Je jette des coups d'œil à droite et à gauche. Il ne semble plus y avoir personne. Ou, du moins, le peu de patineurs restants semblent passer sans faire de bruit et sans nous porter attention.

Je tire les manches de mon manteau sur mes poignets ainsi que le col pour me parer de la bourrasque qui déferle. Nayden se protège le visage en levant le bras. Une fois le vent passé, il se met à crachoter des morceaux de glace. J'éclate de rire et rajuste mon béret.

Il ralentit jusqu'à ce qu'une dizaine de centimètres seulement nous séparent.

Je lève la main vers ses cheveux, retire quelques flocons qui s'y sont logés. Puis il s'arrête d'un seul coup, sans préavis.

Je me bute à sa poitrine et il me rattrape en riant.

— On va devoir rentrer, le couvre-feu approche. Tu viens ?

Je hoche faiblement la tête.

Il me tend la main et m'entraîne jusqu'à ce même banc qu'au départ.

Je m'assois en laissant échapper un bref soupir qui s'empresse de me trahir dans l'air glacial en décrivant un petit nuage blanc nacré.

J'ignore combien de temps je passe à regarder le ciel assise sur ce banc, mais les minutes s'envolent sans que je ne les voie.

Quand j'étais petite, je croyais que la neige était formée d'étoiles qui tombaient du ciel. Sinon, pourquoi cette douce poussière blanche brillerait-elle autant ?

J'ai les yeux rivés au ciel quand Nayden s'agenouille pour délacer gentiment mon patin et renfiler ma botte excessivement froide. Il en a déjà fait de même pour les siennes et son sac est déjà sur son épaule. Lorsque je me penche pour l'aider et, du coup, me sortir de ma rêverie, mon front est à quelques centimètres à peine du sien. Un bref mouvement et ce seront mes lèvres qui prendront le goût des siennes. Il relève le menton et moi les yeux. Son nez effleure le mien.

Nos respirations se mêlent jusqu'à n'en former qu'une seule.

Il est trop près. Trop loin. Pas assez près. J'hésite. J'ignore ce que je veux et cela doit se voir dans mon regard puisqu'il prend la décision pour nous deux.

Mon cœur manque un battement, puis toute la série suivante. Respirer est superficiel à présent à part pour inspirer son parfum sans jamais expirer.

Ses mains s'attardent au bas de ma jambe.

Je n'ai qu'une envie maintenant: réduire la distance qui nous sépare. Ou plutôt m'enfuir à toutes jambes en laissant mon désir derrière. Non, je veux rester, me rapprocher et ne jamais m'en aller.

Je ferme les yeux. Sa bouche épouse la mienne, formule des vœux de bonheur que je n'ai jamais connu, que je n'ai jamais même espéré. Je brûle à en faire fondre la neige.

Nous sommes atteints de la même fièvre ardente à faire frémir les flocons. Mes mains s'accrochent à son visage, glissent sur sa nuque. Je voudrais goûter chaque parcelle de sa peau, chaque centimètre à portée, mémoriser chaque goût pour faire revisiter à mes sens ce que cela signifie d'aimer.

Mes doigts glacés font frissonner sa peau réchauffée d'une passion que j'ignorais chez lui, puis glissent dans ses cheveux où des cristaux de neige se sont perdus.

Il goûte la menthe, la neige et quelque chose qui se rapproche du bonheur.

Je suffoque.

Je me consume d'un feu ardent. Sans jamais m'éteindre.

Je brûle de désir, je suis en combustion spontanée. Mon cœur vient d'exploser pour laisser place à un feu d'artifice que je n'espérais plus. Si grand, qu'il est prêt à jaillir hors de moi.

Ses mains courent dans mes cheveux, sur mon corps trop emmitouflé pour ce que je désire en faire. Je m'approche, il me soulève, une main au creux du dos.

Je n'ai plus ni bras ni jambes, je ne suis qu'un tourbillon d'émotions qui hurlent, crient, chantent et dansent en même temps. Son corps se fond contre le mien, m'insuffle sa force. Son cœur bat à tout rompre sous ma main.

Je l'entends presque, à moins que ce ne soit le mien qui bourdonne à mes oreilles, je l'ignore. Tous les deux s'assemblent dans une mélodie parfaite que je chanterais pour l'éternité.

J'ai oublié de respirer. Je m'étouffe d'une envie que j'aimerais faire durer pour toujours. Si c'est le prix à payer pour qu'il continue de m'embrasser, je le paierai sans hésiter. Il s'éloigne l'espace d'une seconde pour murmurer contre mes lèvres :

— Depuis le temps que j'en rêvais.

— Nayden…

Il se remet à m'embrasser. La culpabilité me ronge tandis que ma bouche reprend le goût de la sienne. Je n'ai qu'un pied qui touche le sol et c'est celui qui me rappelle durement à quel point j'ai le cœur brisé.

Ses bras autour de moi me rappellent que ce n'est pas ceux-là qui devraient être sur ma taille. Que ce goût sur mes lèvres et sur ma langue n'appartient pas à celui qui devrait encore me connaître. Et que ce garçon que j'embrasse n'est pas Caleb Fränkel.

Ce en quoi je m'étais liquéfiée atteint le point de congélation en moins de temps qu'il ne faut pour le dire. Je détache mes lèvres des siennes dans un ultime effort. Son front contre le mien, je me refuse à ouvrir les yeux.

Je voudrais être morte ce soir où on voulait que je le sois.

J'ai honte. Honte de ce laisser-aller que je me suis permis en sa présence. Honte de ce désir que j'ai laissé s'enflammer en moi. Je n'y ai jamais eu droit, pourquoi cela changerait-il du jour au lendemain? J'avoue avoir partagé cette envie de le sentir près de moi. J'avoue avoir voulu la douceur de ses lèvres sur les miennes. J'avoue avoir eu autant envie de lui qu'il a eu envie de moi. Et c'est sûrement ce qui réussit à me faire exploser la poitrine une fois de plus à cette seconde où j'étire un silence qui fait sans doute danser mille questions dans ses yeux.

— Je suis désolée...

Il effleure du pouce mes paupières étroitement closes, embrasse l'espace entre mes sourcils avant de me reposer.

Je me laisse tomber sur le banc, étouffée par un silence que je ne suis pas prête à trahir. Mon cœur palpite de douleur et d'une affliction dont Nayden ne connaîtra probablement jamais la cause. Je suis en morceaux et j'hésite à lui laisser la chance de me reconstruire. Probablement parce que j'ai peur de ce que je serai une fois entière.

Un faisceau de lumière se braque sur nous. Nayden lève le bras pour nous en soustraire tandis que je plisse les paupières.

— Le couvre-feu est sonné, jeunes gens. Je vous prierais de bien vouloir rentrer.

— Du calme, Sergent. Vous vous adressez à votre supérieur.

Le faisceau de lumière bifurque sur le visage de Nayden, qui fronce les sourcils tout en levant une main pour le tamiser un peu, manifestement aveuglé.

Le militaire s'empresse de se redresser et de se mettre au garde-à-vous devant son lieutenant-général.

— Pardonnez-moi, Lieutenant-général Prokofiev. Je ne voulais pas vous manquer de respect.

— Ça va. Repos, Sergent ! Et retirez cette lumière infernale de sur nous, grands dieux ! Nous rentrions justement.

Ce dernier obtempère et fait demi-tour non sans m'avoir jeté un regard en biais tandis que je fixe ostensiblement le sol.

Je me penche vers mes pieds, enfile ma seconde botte et tends le patin à Nayden sans le regarder. J'en suis incapable.

Je suis stupide.

Je suis misérable.

Je souhaiterais ne plus jamais le voir du tout et effacer cette soirée trop magique pour être en paix avec ma propre trahison.

— Rentrons, souffle-t-il en me tendant la main, formulant le seul et unique mot qui conclura cette soirée sans lendemain.

Neuf

Je ne sais pas comment, ou du moins je refuse d'accepter l'évidence, mais je suis dans le lit de Nayden ce matin plutôt que sur le plancher où je me suis endormie. Je m'extirpe lentement du lit et jette un coup d'œil à l'escalier.

Nayden est là. Assis à fixer la fenêtre en face de lui, une tasse fumante à la main et une autre sur la dernière marche.

Je m'arrête près de l'escalier. Il tourne brièvement la tête vers moi avant de me faire signe de m'asseoir près de lui. Ce que je fais. Je prends place sur la plus haute marche, le dos reposant sur la contremarche, tout en prenant soin de ramener mes jambes à ma poitrine. Il me tend la seconde tasse dont le contenu fume encore. Je la récupère entre mes mains glacées, sans pour autant le remercier de vive voix, mais plutôt d'un faible sourire.

Pour être franche, j'aurais voulu ne pas le croiser du tout ce matin. Et pourtant, je suis assise à sa gauche en ce moment même. Dans l'escalier que je devais inévitablement descendre d'une façon ou d'une autre. *Ingénieux, Nayden.*

Je prends une gorgée, sans rien dire. Ça a un goût sucré caractéristique du chocolat, l'amertume du café, la douceur du lait et l'onctuosité de la crème.

C'est lui, bien entendu, qui brise le silence le premier. Je serais incapable de briser quoi que ce soit.

— Que laissais-tu derrière toi tous les soirs en venant de ce côté, Lena ?

Mes doigts sont si serrés autour de la céramique chaude que je pourrais la faire éclater.

J'hésite. Je ne sais pas quoi répondre et pourtant j'aurais dû m'y préparer.

— Tout ce dont je m'ennuie en restant ici, que je riposte en cherchant son regard fuyant.

— C'est-à-dire ?

Je pensais m'en tirer. J'ai eu tort. J'arrête de me défiler et rétorque franchement.

— Une famille que j'aime. Mon piano, seul bien dispendieux que ma famille et moi ne posséderons jamais où toutes les chansons que je joue et chante semblent prendre leur sens. Je laisse Effie, ma petite sœur, dans un mensonge qui a éclaté il n'y a pas si longtemps. Noah, dans une incompréhension totale et Adam, dans la peur de ne jamais me voir rentrer. Je laisse ma mère qui craint sans doute un peu plus chaque minute qu'il me soit arrivé quelque chose. Je laisse mon père habité d'une appréhension à la fois dirigée vers la peur de me perdre et celle concernant le danger auquel j'expose ma famille en traversant… Et je laisse un amour qui m'a oubliée…

Mes mains se sont mises à trembler en même temps que Nayden reporte son attention sur mon visage. Cette dernière phrase se coince au creux de ma gorge. J'ai beau tenter de déglutir, rien n'y fait. Je m'étrangle avec l'amertume de la nostalgie au fond de la bouche.

— Un amour qui t'a oubliée ? répète-t-il doucement.

J'acquiesce sans rien ajouter. La peine contenue dans ces quelques mots soufflés me coupe la respiration.

— C'est évident, dans ce cas.

— Qu'est-ce qui est évident ?

— Que celui que tu défends et qui t'aide à traverser est le même que celui qui t'a oubliée et qui te permet de t'accrocher à un potentiel retour chez toi. Je me trompe ?

Je voudrais qu'il ait tort. Je voudrais avoir tort. Je secoue faiblement la tête. La peine qui transparaît sur son visage me plante un poignard en pleine poitrine. Elle est serrée dans un étau de fer rongé par la rouille de mes émotions.

Je me noie encore et encore dans un torrent de douleur dont je ne sortirai jamais, et qui dure depuis la première seconde où ses yeux ont croisé les miens.

Il vient de comprendre pourquoi je me refuse à l'aimer comme il m'aime peut-être. Et ça me fait si mal que je voudrais ne plus rien ressentir du tout.

— Ce serait donc légitime que j'arrête de le traquer, n'est-ce pas ?

— Le feras-tu ?

Il hausse les épaules.

— Ça reste à voir. Mais dis-moi... Comment peut-on éprouver des sentiments pour quelqu'un dont on n'a plus aucun souvenir ?

— Ce n'est pas moi qui l'ai oublié, Nayden. C'est lui.

— Je sais. Ma question ne t'était pas destinée.

— Alors je te répondrai que je ne le sais pas. Et que bien que ce ne soit pas moi qui ai eu la mémoire effacée, j'ai laissé une partie de ma vie derrière ce mur simplement à cause de lui. Une page de mon histoire que je ne suis pas prête à tourner.

— Lui, il l'a pourtant fait, sans quoi il ne t'aurait pas oubliée.

— Il ne l'a pas tournée, cette page, Nayden. On la lui a arrachée.

Je déglutis avec la sensation d'avaler un désert. C'est la seule arme, si c'est possible d'appeler cela ainsi, qui me permette d'empêcher les larmes de couvrir mes joues d'un voile humide et c'est bien parce que j'en ai assez de pleurer sans arrêt. Je dois me ressaisir.

Il prend une gorgée en acquiesçant, non sans d'abord m'avoir jeté un coup d'œil intrigué. Il regarde sa montre et se lève prestement.

— À plus tard, Lena.

Mon regard se perd dans le blanc du mur dès que Nayden descend. Ses pieds foulent les marches à un rythme régulier qui semble assourdi à mes oreilles. Il empoigne son manteau sur la rampe et sort sans m'adresser un seul mot de plus.

Mes doigts tremblent et je dois poser ma tasse pour m'empêcher de la renverser. J'enfouis mon visage dans la paume de mes mains comme si elles pouvaient effacer tout ce qui me trahit chaque fois que je parle de Caleb à Nayden.

Et pourtant, j'ai l'impression que pour la première fois loin de lui, loin de Caleb, je me sens bien auprès de quelqu'un d'autre. Que parmi toutes ces émotions qui m'assaillent, je ne me suis jamais sentie aussi vivante de toute ma vie.

Jamais auparavant je n'avais autant senti que mon existence pouvait avoir un sens qui n'appartient qu'à moi et qui ne dépend que de moi.

C'est donc ça, vivre ? Passer son temps à tomber, à se relever et du moment où on parvient à reposer le genou au sol, on se fait de nouveau renvoyer au tapis ?

Non. Ça ne peut pas vraiment être ça, la vie. Sinon, cela signifierait que je n'aurais pas seulement grandi dans un mensonge, mais bien que j'en suis également un.

Je soupire à en faire éclater la baie vitrée ; une autre journée où l'ennui sera à son comble, je le devine à voir la monotonie qui m'entoure.

Alors sans trop savoir pourquoi, je me mets à chercher dans le loft. Quoi ? Je ne sais pas. Quelque chose de compromettant peut-être ? Quoi qu'il en soit, je cherche. Je scrute toutes les étagères, fouille toutes les armoires, regarde sous chaque meuble jusqu'à regarder sous les marches de l'escalier.

Et qui m'aurait préparée à ce sur quoi je tombe ?

Là, sous l'escalier, le colis que je pensais si naïvement jeté à la poubelle, mais que je reconnais aussitôt.

Le colis qui contient sans doute plus qu'un leurre sans quoi il ne serait pas si bien dissimulé sous les marches.

Dix

Je tends les doigts vers le colis que je pousse bien malgré moi plus loin sous la marche. Je m'étire un peu plus et, dans un ultime effort, referme mes doigts dessus pour le tirer hors de sa cachette.

Je me relève en prenant soin de ne pas me cogner la tête contre l'escalier et me laisse tomber sur le canapé, les jambes étendues de tout leur long, la tête contre l'appuie-bras.

Je tourne le colis entre mes mains quelques minutes avant de me décider à l'ouvrir, bien que ce soit déjà fait. L'emballage en est un éloquent témoignage, il est déchiré sur toute sa longueur, mais Nayden a pris soin de le remettre sur la boîte. Pourquoi ? Je l'ignore, mais il est toujours là.

Je retire donc ce qui reste du papier kraft et le jette par terre. Une boîte blanche toute lisse, munie d'un couvercle que je soulève. À l'intérieur, une sphère noire légèrement lustrée avec une base plate pour la faire tenir une fois posée sur une surface plane.

Je la prends dans mes mains et la tourne sous toutes ses coutures, les sourcils froncés. Et c'est dans mon inspection de cet objet insolite que j'appuie au passage sur une touche qui l'allume d'un seul coup.

De la même façon qu'une fleur qui éclot, les parois s'ouvrent pour dévoiler une petite lumière argentée en son centre.

Aussitôt, toutes les lumières du loft semblent s'éteindre et une image se projette par le petit appareil que je m'empresse de poser sur la table basse en un sursaut.

Je me lève, complètement abasourdie, examinant l'image dans ses moindres détails. J'ignore ce que c'est jusqu'à ce que je reconnaisse les bâtiments tout près de la frontière.

C'est la vidéo d'une caméra de surveillance.

Le blizzard est terriblement épais et la lentille peine à capter toutes les images. La plupart sont d'ailleurs en intermittence jusqu'à ce que la tempête se stabilise quelque peu. Malgré tout, entre le rideau de flocons de neige et les nombreuses coupures, je distingue une silhouette.

La mienne.

Je regarde à droite et à gauche puis traverse une rue au pas de course. La caméra suit le moindre de mes mouvements jusqu'à ce qu'elle me perde derrière un second mur. On me voit à peine plus de cinq secondes et pas assez clairement pour être en mesure de m'identifier. Encore moins de voir mon visage, dissimulé sous ma capuche.

J'éprouve un bref sentiment de fierté. J'ai beau ne pas échapper à toutes les caméras, je peux quand même me soustraire suffisamment à leur radar pour passer incognito… ou presque.

Aussitôt que je disparais du cadre, l'image change. Cette fois, je suis de l'autre côté du mur.

De *mon* côté du mur.

Je me vois tendre le cou puis marcher dans la rue d'un pas pressé, me glissant aussi efficacement que possible dans le peu d'ombre qu'offrent les réverbères sur ma route.

La caméra zoome sur moi puis recule et se soulève légèrement vers le chemin devant moi. Quelque chose a décidément capté son attention. Quelqu'un vient à ma rencontre.

Je me vois ensuite relever la tête vers lui. Je le regarde, le vois se diriger vers moi, dans le sens inverse. Je ne m'arrête pas. Je continue de marcher et c'est sans doute pourquoi je ne le vois pas sortir le pistolet de son manteau pour me tirer dessus. Mes yeux croisent les siens, du moins, il ne quitte pas mon visage du regard une seule seconde et c'est sans scrupule qu'il appuie sur la gâchette.

Le coup résonne avec force entre les murs, alors que dans mes souvenirs il semblait assourdi. Je sursaute autant dans l'image qu'en réalité.

Je suis parcourue de longs tremblements : revivre ce moment de manière encore plus concrète que dans mes cauchemars me terrifie.

Je me vois me pétrifier sur place, puis porter une main en coupe sous ma blessure. Mon visage sur la vidéo, plutôt que de se tordre de douleur, ne semble que se figer dans une expression d'incompréhension la plus totale. Je tourne de quelques centimètres la tête vers mon assaillant puis me concentre sur la route devant moi. Je titube légèrement, les paupières papillonnantes, comme si je refusais de croire ce qui vient de m'arriver et j'aimerais tant dire à ce moi du passé que je ne comprends toujours pas ce qui m'est arrivé.

Les souvenirs embrumés de cette soirée s'assemblent à tour de rôle dans ma tête.

D'un seul coup, mais presque trop lentement, je tombe à la renverse sur ce lit de neige où la mort était prête à m'attendre. Les secondes s'écoulent. Le tireur semble s'être volatilisé tandis que, moi, je suis toujours là, à attendre un je ne sais quoi qui ne viendra jamais. Attendre que les flocons de neige me recouvrent, peut-être ? Je ne sais pas.

Les yeux fermés, j'attends. La tempête se calme d'un seul coup et il n'y a plus que de minuscules flocons qui tombent. Après quoi je me dis que c'est à cet instant qu'on a dû me découvrir. Or, dans la seconde suivante, je me vois plutôt m'arc-bouter contre le sol. D'un seul coup si inopiné que je lâche un hoquet de surprise étouffé sous mes mains.

Mon dos retombe lourdement et ma poitrine recommence à se soulever à un rythme presque inexistant. Trente-neuf secondes plus tard très exactement, je vois un soldat s'arrêter à quelques mètres de moi puis accourir d'un seul coup. Adam.

Mon regard se couvre de larmes que je chasse d'un simple battement de cils. Je dois savoir ce qui s'est passé ensuite.

Les autres soldats, alertés par le hurlement désespéré que lâche mon frère en s'agenouillant, m'encerclent à leur tour. C'est à ce moment que l'alarme se met à sonner et que tous les projecteurs sont braqués sur moi. Puis, je vois Caleb – à ce moment mon cœur se serre – retenir mon frère qui panique de plus en plus à cause de tout ce sang qui afflue autour de moi. Deux soldats me soulèvent délicatement et un autre, qui vient d'arriver, appose un masque à oxygène sur mon visage.

Puis, la vidéo s'arrête.

Mes jambes flanchent et je me laisse tomber sur le canapé, tremblant de toute part. L'éclairage semble revenir à la normale et l'appareil s'est éteint. Je passe mes deux paumes sur mon visage, incapable d'assimiler ce que je viens de voir.

J'ai la mâchoire tombante de stupéfaction et d'un traumatisme encore à vif. J'ai les yeux rivés sur cette boule noire qui est loin de n'être qu'un leurre.

Cette vidéo est la preuve de mon infraction et de la personne qui a bien plus que simplement souhaité ma mort. Mais, encore plus, de mon retour à la vie. De cet arc-boutement incongru qui me laisse la tête pleine d'interrogations. Et sans trop savoir pourquoi, je remets la vidéo en marche.

Je trouve un moyen d'accélérer le petit film afin de me rendre au moment où je me fais tirer dessus. J'appuie sur pause, dans l'espoir de voir le tireur, en vain. Il reste impossible à identifier, d'autant plus qu'il fait dos à la caméra et que sa silhouette est tout aussi méconnaissable. Sa démarche, je ne la reconnais pas. Son allure, elle m'est inconnue. D'un autre angle peut-être, mais de celui qu'offre cette caméra de surveillance, c'est impossible.

Je remets la vidéo en fonction et accélère jusqu'au moment où je m'arc-boute contre le sol. Je fronce les sourcils, appuie sur la marche arrière puis la fais de nouveau jouer pour repasser en boucle à plusieurs reprises le moment où je reprends vie. Parce que oui, c'est exactement ce que je fais. Je reprends vie puisqu'elle m'avait quittée l'espace de longues secondes avant que quelque chose ne fasse battre mon cœur à nouveau.

Sur la vidéo, je suis secouée comme… comme par une décharge électrique.

Oui. C'est exactement ça. Je suis secouée d'une décharge, mais comment ? D'où vient cette électricité qui permet à mon cœur de reprendre ses battements ? J'ai beau scruter l'image, je ne vois aucune source qui puisse faire quoi que ce soit de ce genre. Si ce n'est qu'elle semble venir de moi. C'est ça. Cette décharge électrique vient de moi. Mais d'où en moi ?

Je bats des paupières et j'éteins l'appareil. Je le prends dans la paume de ma main avant de le remettre dans la boîte et de glisser le tout dans l'emballage. Je me relève et pose le paquet à l'endroit exact où je l'ai trouvé.

Je m'allonge sur le canapé, un coussin serré sur la poitrine et des questions valsant au plafond. Ce colis a, finalement, beaucoup plus d'importance qu'un simple leurre. Nayden m'a menti.

Onze

Nayden ne rentre pas avant que le soleil se soit couché pour laisser place à mon astre préféré. J'ai déjà soupé et j'écoute une énième comédie musicale en fredonnant la mélodie. *Les parapluies de Cherbourg*. Il s'assoit donc à ma droite, le restant du repas que j'ai préparé en main. Je me suis improvisée cuisinière pour une soirée et ça n'a pas trop mal tourné, heureusement. Malgré sa présence, je me mets à chantonner sur le rythme de la chanson dont je n'ai réussi à retenir que le refrain.

Je fredonne parce que mon envie de chanter m'étouffe autant que le Soleil qui vient de s'éteindre pour faire place à la Lune. Et que j'en ai assez d'être constamment en manque d'oxygène.

Nayden me jette régulièrement des regards du coin de l'œil, mais sans oser dire quoi que ce soit. C'est à peine s'il m'a saluée en rentrant et moi, trop absorbée par mon film, je n'ai fait que brièvement tourner la tête vers lui.

J'ai presque peur d'ouvrir la bouche. Je crains que ce que j'ai découvert aujourd'hui ne s'échappe d'entre mes lèvres et me trahisse d'une quelconque façon. Les garder soudées l'une à l'autre en ne laissant échapper qu'un mince filet de voix de temps à autre pour chantonner, c'est tout ce que je me permets pour l'instant. Jusqu'à ce que le film s'achève et que je me surprenne à verser une larme, que je m'empresse d'essuyer le plus subtilement possible.

Je me cale contre le dossier. Mon regard glisse jusqu'à Nayden dont le visage est tourné vers mes mains qui s'entortillent d'elles-mêmes.

— Excuse-moi, Nayden.

Il fronce les sourcils, redresse le menton vers moi.

— T'excuser pour quoi ? lâche-t-il en posant le coude sur l'accoudoir.

— Si je t'ai fait du mal, j'en suis vraiment désolée, ça n'a jamais été mon intention. Je…

Il m'arrête en secouant la tête, puis frotte ses paupières du pouce et de l'index.

— Arrête. Lena. D'abord, c'est moi qui devrais m'excuser. Je me comporte en idiot avec toi et je… au fond, c'est moi qui te fais du mal en te gardant ici alors que tu pourrais rentrer chez toi. En fait, non. Tu ne peux pas et c'est là le problème. Je m'embrouille encore. Excuse-moi.

Il passe une main sur son visage et se presse la nuque en claquant la langue, agacé.

— Pourquoi est-ce que je deviens si maladroit avec toi ?

Je suis tentée de sourire, mais mon visage se fige. Je hausse les épaules comme une petite fille qu'on réprimande.

— Je ne sais pas…

Il soupire longuement, pose le haut de sa pommette contre son poing fermé, m'observe. Je me perds de nouveau dans deux collines verdoyantes sous un lever de soleil doré. Je me tourne, accote mon dos contre l'appuie-bras et pose ma tête contre le dossier en repliant mes jambes vers ma poitrine, les chevilles croisées.

Nous nous toisons sans rien dire. Dans un silence troublé uniquement par les battements de mon cœur que je compte et du nombre d'expirations qu'il pousse auquel j'additionne toutes les pulsations que j'ai pu dénombrer. J'apprécie ces moments de silence bien qu'à l'instant, trop de paroles se bousculent derrière mes lèvres closes. Il m'a menti. Pourquoi m'a-t-il menti ? Il attendait ce colis, c'est évident. Sans quoi il n'aurait pas autant insisté sur le fait que ce paquet n'était qu'un leurre.

Sur ma gauche, un autre film reprend. *Le fantôme de l'Opéra.*

Mon genou effleure le sien et je sens comme une décharge me traverser des pieds à la tête quand je me replace sur le canapé. Cet écho de tempêtes trop différentes pour ne pas produire autre chose que de l'électricité entre elles me frappe encore. Ce même effet que le soir au bar où il m'a semblé qu'il était une tempête de sable et moi, un blizzard.

Pour camoufler mon malaise, je poursuis sur une nouvelle voie.

— Nayden ? Il y a quelque chose que tu ne m'as pas dit, je crois.

Mes lèvres s'étirent en un bref sourire avant même que je ne lui pose la question, la nervosité sans doute.

Il incline légèrement la tête sur le côté.

— Quoi donc ?

— Où est-ce que tu dors ?

Il éclate d'un rire franc qui éclaire son visage déjà sublime, le rendant encore plus beau. Le soleil dans ses yeux vient de s'épanouir sur son visage et j'en oublie presque la nature de ma question.

Je souris moi aussi et insiste en rebondissant légèrement sur le canapé.

— Alors ? Où est-ce que tu dors ?

Il désigne le sofa d'un geste.

— Ici même.

Mes yeux s'arrondissent.

— Vraiment ? Non, tu plaisantes ! Franchement, comment peux-tu t'abaisser à dormir ici alors que ton lit gigantesque est un million de fois plus confortable ?

Il se remet doucement à rire, manifestement amusé par ma réaction. Il se repositionne à son tour.

J'évalue la distance qui nous sépare. Moins de trente centimètres. Deux couches de tissus : sa chemise et mon chandail.

— Ça me convient parfaitement, rétorque-t-il humblement.

— Alors tu te contentes de bien peu, m'étonné-je en haussant les sourcils.

— Ce n'est pas parce que tu as grandi de l'autre côté d'un mur que je ne dormirai pas sur le plancher de mon appartement quand tu te mets à hurler. J'ai vécu bien pire dans l'armée, crois-moi.

Je fronce les sourcils et souffle :

— Ça arrive souvent ?

Il hausse les épaules, une petite moue désinvolte sur le visage.

— Trois à quatre fois par semaine. Tu revis la même soirée sans arrêt, j'imagine. Tu n'as pas crié ce soir-là, c'est sans doute pourquoi tu le fais maintenant.

— Comment sais-tu que je n'ai pas crié ? répliqué-je du tac au tac, pensant lui faire cracher le morceau.

— J'ai parlé aux soldats qui t'ont trouvée, Emma. Tu n'as pas dit un seul mot. Tu n'as pas crié non plus quand on t'a tiré dessus. C'est ton frère qui t'a vue au sol, alerté par le coup de feu plutôt que par un quelconque cri de détresse de ta part.

Mon cœur s'emballe.

— Tu as parlé à Adam ?

Ma voix se perche un peu dans les aigus le temps que l'espoir m'emplisse d'un vent de mille et une possibilités qui s'envolent dès que Nayden secoue la tête en signe de négation.

Je me reprends en un quart de tour. Je ne m'attarde pas, préférant laisser le sujet de côté. Si je pose trop de questions, il risque de se douter de quelque chose.

— Quoi qu'il en soit, je refuse de te laisser dormir sur ce canapé ou sur le plancher plus longtemps, d'autant plus que c'est moi l'Inférieure ici et que...

Il passe une main sur son visage dans un mélange d'agacement et d'exaspération. Lorsqu'elle retombe, je la saisis au passage.

— Retire ce que tu viens de dire.

— Quoi ?

— Retire ce que tu viens de dire, répète-t-il en insistant bien sur chaque mot.

— Qu'est-ce que j'ai dit ? demandé-je, les joues de plus en plus rosies par le simple contact de sa peau contre la mienne, de ses doigts entre les miens.

Je m'attarde sur ce contact. Principalement de sa peau contre ma peau, celle de sa main, robuste et légèrement rêche dans la mienne, lisse et pâle.

Je me demande si le reste de sa peau est douce. J'aimerais sentir ses muscles tendus sous mes doigts, sentir l'effet de le savoir si près de moi que rien ne pourrait nous séparer l'un de l'autre.

Je m'arrête en me mordant la langue.

Je le dévisage encore, la tête pleine de quoi me faire mourir de gêne s'il venait à apprendre le fond de ma pensée, quand il reprend :

— Tu n'es pas une Inférieure. Crois-moi, Lena, tu vaux bien plus que la plupart des gens d'ici. Je refuse de t'entendre dire ça et je me refuse à le prononcer aussi. Si c'est à cause de moi que tu t'es rentré ça dans la tête, excuse-moi. Ce mot ne devrait même pas exister pour qualifier qui que ce soit. C'est compris ? Arrête de te considérer comme inférieure. Tu ne l'es pas.

Il presse ses doigts contre les miens lorsqu'il prononce cette dernière phrase.

Je fonds, je me liquéfie de l'intérieur, je me cale contre le dossier ; je suis incapable de me tenir.

— Je ne peux pas désapprendre du jour au lendemain ce genre de choses, tu sais.

Il fronce les sourcils, se rapproche subtilement de moi. Je poursuis, malgré sa proximité qui me fait réaliser à quel point nous sommes encore loin tous les deux.

— J'ai grandi, Nayden, en me disant que je n'aurais jamais d'enfants de peur de les faire vivre dans le même monde que le mien. De peur de ne pouvoir leur offrir mieux que ce que mes parents se sont détruits à nous donner à mes frères, ma sœur et moi. Je n'ai pas envie que mes enfants rêvent d'un monde meilleur par-delà un mur qu'ils ne pourront jamais franchir, comme je l'ai fait, malgré tout ce que mes parents ont pu faire pour nous. Je leur en serai éternellement reconnaissante, mais ce genre de vie n'est bon pour personne.

Je secoue la tête. Il serre ma main, comme s'il craignait que je ne fonde sous ses doigts. S'il savait à quel point il est trop tard.

Ses yeux ne quittent plus les miens, comme s'il avait peur que je ne m'évapore d'un seul coup et qu'il ne puisse garder de moi qu'un souvenir bien éphémère.

Dans ses yeux, le désir s'enflamme.

Comme j'aimerais que la douceur de ses lèvres puisse chasser à coups de baiser tous les maux qui m'oppressent.

Il se rapproche jusqu'à ce que nos nez se touchent. Je n'ose plus bouger. Je ferme les yeux, bien consciente de ce que pourrait devenir la suite de cette proximité que j'ai ardemment souhaitée. Une bouffée de chaleur monte du creux de mon ventre jusqu'à mon visage.

— Il a de la chance, murmure-t-il.

Son haleine de menthe poivrée se pose avec douceur sur mon visage et mes lèvres de plus en plus tremblantes.

— Qui a de la chance ?

— Celui à qui tu penses en mc regardant.

Je dégringole, me fracasse au sol. Je n'ai ni ailes ni souffle de vent pour me porter au loin. Je n'ai rien de plus que des sentiments piétinés qui glissent dans le cratère formé par ma chute.

Il prend mon visage entre ses mains, caresse mes joues de ses pouces en pressant son front contre le mien. Je suis à deux doigts de craquer ; je pose mes mains sur ses poignets et, sans trop savoir pourquoi, je décide de me confier à lui.

— N'est-ce pas un peu de sa vie qu'on laisse derrière, Nayden ? Quand on aime quelqu'un à s'en faire mal et qui pourtant n'a plus aucun souvenir de soi ? On parvient à la tourner, cette page de sa propre histoire ? Tu crois qu'on y arrive un jour ? Ou bien faut-il relire chaque ligne jusqu'à ce qu'elles aient un sens dans la tête de l'autre; celui pour qui on a écrit cette histoire ? Autrement, à quoi sert-elle si cette page n'est destinée à aucun autre ? Doit-on la laisser intacte ? Continuer d'écrire dessus et combler chaque blanc ou bien faut-il l'arracher parce qu'elle ne vaut plus la peine qu'on s'y attarde ?

— Tu ne l'as pas écrite que pour lui cette page, Flocon de neige, mais aussi un peu pour toi. À toi de choisir si tu en as encore besoin.

Le bout de son nez effleure le mien quand il secoue doucement la tête.

— Elle n'en tient qu'à Emma, cette page, pas à la Lena d'aujourd'hui.

Il relève le menton puis dépose sa bouche sur mon front qu'il embrasse pendant de longues secondes.

Je ferme les yeux.

C'est la première fois depuis des lustres que le mot tendresse reprend tout son sens.

Je le redécouvre aujourd'hui même, sous ses mains fortes, mais aussi douces qu'un battement d'ailes. Sous ses lèvres chaudes et ses baisers tendres qui effacent toute trace de cette page que je m'efforçais de tourner.

J'ai enfin trouvé une raison de le faire : son amour pour moi.

Je me réveille, blottie dans les bras de Nayden sur ce même canapé qui me semble servir de reliure à ce livre plein de pages qu'il me faut tourner.

Nous avons trouvé le sommeil, simplement, quelques minutes à peine après que notre discussion se soit achevée en un soupir tremblant de ma part. La télévision s'est éteinte d'elle-même et jamais au monde je n'avais mieux dormi.

Je me redresse légèrement et je pose le menton sur sa poitrine qui se soulève doucement au rythme de sa respiration.

Je sens les doux battements de son cœur sous son sternum résonner contre ma mâchoire.

Il dort encore, la tête appuyée contre le dossier, ses bras bien calés au creux de mes reins tout juste sous mes côtes. Le visage étonnement serein, calme et magnifique à en faire tomber même les plus inaccessibles.

Je dégage l'une de mes mains posées contre son ventre ferme.

Le moins brusquement possible, je la porte à son front où une petite mèche brune est retombée et je l'écarte d'un tout petit geste qui suffit à le réveiller.

Il ouvre les yeux et il me semble aussitôt que jamais je n'ai vu de couleur aussi pure que celle-ci de toute ma vie.

— Bonjour, murmure-t-il.

— Salut...

— Tu as une idée de l'heure qu'il est ?

Je secoue la tête, regarde par l'énorme baie vitrée. Le soleil est caché par de gros nuages blancs qui ne laissent rien tomber ce matin. Aucune troupe de danseurs pour laquelle chanter aujourd'hui.

Mes doigts se languissent des touches d'un piano et se crispent sur sa chemise froissée dont j'ai sans doute encore les plis imprégnés sur la joue.

Nayden l'effleure d'ailleurs du bout des doigts et se redresse, m'entraînant avec lui du même coup d'un mouvement souple. Il jette ensuite un coup d'œil à l'horloge accrochée au mur: 9 h 11. Il soupire en passant ses deux mains sur son visage, un léger grognement se mêle à son expiration.

— Je suis en retard. Je ne suis jamais en retard!

Il se lève d'un bond, monte les marches quatre à quatre afin de récupérer un nouvel ensemble, puis il s'éclipse vers la salle de bain. Je me dirige vers la cuisine où je nous verse chacun un verre de jus de fruits tandis que l'eau de la douche se met à couler dans la pièce d'à côté.

J'insère ensuite deux tranches dans le grille-pain auquel j'ai affectueusement donné le nom de *sursautoir automatique* et pendant qu'il fait son travail, je prends la confiture du réfrigérateur.

Nayden sort de la salle de bain d'un pas pressé, une chemise gris anthracite impeccable et son veston sur le bras, assorti à son pantalon couleur charbon. Je lui tends un verre de jus avant de sursauter immanquablement quand les rôties jaillissent de l'appareil.

Je les tartine de confiture, tandis que Nayden est déjà près de la porte de sortie. Je le rejoins en deux grandes enjambées, déçue de le voir partir si vite.

— Mange au moins quelque chose! m'exclamé-je.

Alors qu'il se penche pour lacer ses bottes, je lui tends la modeste rôtie. Mon geste le fait doucement sourire et mon visage s'empourpre. J'ai peine à croire que ce sourire m'est adressé et que je suis la seule à le voir. Il est si lumineux qu'il serait visible de la Lune. Il croque dans la tranche de pain grillé à ma santé, puis sort de la pièce en me lançant un bref clin d'œil.

Mes épaules s'affaissent légèrement, mais le simple souvenir de son visage qui flotte derrière mes paupières closes ravive instantanément mon sourire. Je pivote vers la cuisine quand la porte se rouvre promptement.

Je fais rapidement volte-face.

Deux doigts sous mon menton.

Une paume sur ma nuque.

Cinq doigts dans mes cheveux.

Une bouche contre la mienne.

Mes paupières qui se ferment doucement.

Une fraction de seconde que je saisis au passage pour l'enfouir au fond de ma poitrine.

Ma première seconde volée.

Des ailes. Des ailes. J'ai des ailes.

— Merci, Lena. À ce soir.

Sa voix est si douce que je crois avoir rêvé. Ses lèvres si légères que je cherche encore leur contact contre les miennes.

Le battant se referme.

Mon cœur vient de s'évader par la porte. Il galope encore pour rattraper Nayden quand je me laisse tomber sur le canapé, un sourire béat fendant mon visage rosi de ce bonheur fugace pourtant si beau.

Douze

Deux jours plus tard, en revenant du travail, Nayden entre légèrement essoufflé en criant mon nom dans le loft d'un air si paniqué que je sors de la salle de bain vêtue uniquement de mon pantalon et d'une serviette sur le haut du corps.

Les cheveux dégoulinants, je m'appuie contre le cadre le cœur au bord des lèvres, les yeux agrandis par les interrogations qui passent dans ma tête.

Il soupire, vaguement soulagé, puis il retire ses gants en les lançant sur le bureau.

— Qu'est-ce qui se passe ? J'ai cru que quelqu'un était mort à t'entendre crier ! lâché-je en le dévisageant.

Je vois le soulagement gagner tout son corps.

— J'ai eu peur qu'il te soit arrivé quelque chose.

— Pourquoi me serait-il arrivé quoi que ce soit ? Je ne sors pas d'ici, réponds-je en haussant les épaules.

— Les soldats à la base ont parlé d'une jeune fille qui avait été prise en dehors des frontières. J'ai pensé que c'était toi.

— Au-delà des frontières, ou du mur ?

— Non, *des frontières*, elle a essayé de traverser les clôtures.

Ses yeux descendent alors sur ma tenue légère et il passe une main sur son front, la mine basse et un sourire au coin des lèvres gros comme la lune.

Il fait mine de gratter son arcade sourcilière pour m'octroyer un peu d'intimité.

— Je te laisse te changer. Je vois que tu étais occupée avant que j'arrive. On en parlera quand tu auras terminé.

Je suis son regard en dégoulinant de pourpre avant de m'éclipser dans la salle de bain. Je balbutie mon embarras et ferme la porte en soupirant. Je finis de m'habiller et reviens vêtue d'un chandail de coton vert foncé à col bateau et d'un pantalon noir à coupe étroite.

Je rejoins Nayden à la table, les mains enfoncées dans mes poches.

— Qui c'était ? demandé-je d'un ton un peu trop sec.

J'ai trop peur qu'il s'agisse de quelqu'un que je connais. Ariane par exemple, bien que cette hypothèse me semble peu probable. Mon amie ne traverserait jamais la frontière pour quelque raison que ce soit. Elle a beaucoup trop peur. J'aurais sans doute eu peur moi aussi.

Il secoue la tête.

— Je ne sais pas, j'ai entendu ça tout à l'heure et bien que je sois lieutenant-général, je n'ai pas eu accès à cette information.

— Que ce soit moi ou pas, ça n'a pas d'importance Nayden. Dans tous les cas, c'est grave. Cette fille encourt la peine capitale… à moins qu'ils ne lui trouvent une fichue de bonne excuse, ce qui risque fort peu d'être le cas considérant qu'elle était hors de la ville et pas seulement de l'autre côté du mur.

— Je sais, dit-il en baissant brièvement les yeux. Tu as raison. Excuse-moi, je ne l'avais pas vu de cette façon.

Je l'arrête en expirant sèchement.

— Faisons un compromis, d'accord ? Arrête de t'excuser et j'arrêterai de le faire aussi. Assume et ferme-la. Point barre.

La surprise étire ses traits de tous les côtés. Je crois même voir sa mâchoire tomber avant qu'il ne se ressaisisse en un éclair, une lueur amusée dans le regard, mêlée à un charme qui n'a d'égal que l'infini.

Je frissonne devant ce sourire séducteur et ce visage parfait.

Je me demande encore comment c'est possible que je ne sois pas passée par-dessus l'îlot pour l'embrasser quand il reprend :

— Serait-ce là un ordre, Mademoiselle Pavlova ?

Je repousse mes cheveux derrière mon épaule d'un geste qui se veut sûr de moi. Je darde mon regard dans le sien, satisfaite de le voir se remettre à nager.

J'acquiesce.

— Si tu crois que c'en est un, alors c'en est un.

Un rire silencieux secoue ses épaules tandis qu'il passe son pouce et son index sur l'arête très droite de son nez avant qu'ils ne descendent de chaque côté de sa bouche encadrée d'une mince repousse de barbe qui le rend plus *sexy* encore.

Il pose les coudes sur le comptoir entre nous deux.

Quelques secondes passent. Ça ne me fait rien. Avec lui, le temps n'est jamais perdu. Ses mains se croisent à quelques centimètres des miennes.

— J'ai quelque chose à te proposer, moi aussi… Ou plutôt une demande à te faire.

Un léger pli se forme entre mes sourcils que je fronce d'un air intrigué.

— Je t'écoute.

— J'allais voir Juliette. Tu… Tu veux venir avec moi ? me demande-t-il d'un ton hésitant.

Je recule jusqu'au dossier de ma chaise. Mes mains glissent sur mes cuisses où je les entortille, mal à l'aise, mais flattée par sa proposition. Alors j'accepte.

Il me sourit, une fossette de gêne au bord de ses lèvres magnifiques.

Une chaleur indéfinissable fait tourbillonner un essaim de papillons dans mon estomac et remonte jusqu'à ma tête pour m'empêcher de penser clairement.

Je me lève pour le suivre jusqu'à l'entrée. Une fois mon manteau enfilé, mon béret en place, mes mitaines en main, mon foulard sur ma nuque et mes bottes lacées, nous sortons du loft.

Quand les portes de l'ascenseur s'ouvrent, je sens une légère pression au bas de mon dos. Je suis électrifiée d'un seul coup par ce contact. Ses doigts remontent vers mes omoplates qu'il effleure, puis sa main retombe.

Dans son sillage, il a laissé une traînée de frissons que même le froid le plus intense ne pourrait induire.

Je serre les poings. Respire. Ce que je sens, ce n'est que son parfum. D'un seul coup, il appuie sur un des boutons de l'ascenseur pour le faire arrêter.

Je me tourne vers lui, agrippe son manteau à deux mains et le plaque contre le mur de l'ascenseur avec une force que je ne me connaissais pas.

Un bref gémissement glisse d'entre ses lèvres et je souris une fraction de seconde avant qu'elles ne s'écrasent sur ma bouche nourrie d'un désir que ses mains font naître en me courant sur tout le corps.

Tout ce que je veux, ce sont ses lèvres. Sa bouche sur ma peau. Ses mains aux mille caresses, sa passion dévorante, son envie brûlante.

Je brûle, je m'enflamme, je m'embrase. Et pourtant je suis couverte de chair de poule, d'un torrent glacé qui me secoue les entrailles confrontées à une chaleur, à un amour, à un désir qu'il ravive par sa simple présence.

Je veux le débarrasser de ses vêtements pour qu'il n'y ait que sa peau contre la mienne et rien d'autre entre nous que ce sentiment qu'est l'amour et que je croyais si naïvement avoir oublié. Ses doigts glissent sous mon manteau que je n'avais pas fermé. S'infiltrent sous mon chandail. Palpent le bas de mes hanches, remontent à ma taille pour me serrer contre lui. Près, toujours plus près.

Il n'y a que lui et moi. Moi et lui. Qu'un feu ardent. Je ne suis plus qu'un éclair qui vient de mourir dans ses bras en touchant le sol avant de s'embraser dans un dernier soupir.

Je tonne, je gronde, je pourrais tout détruire rien qu'avec lui. Rien qu'avec cette force qu'il instille en moi par son toucher, par ses baisers, par cette tempête qui fait rage entre nos deux corps électrifiés.

J'ai le souffle haletant, le cœur qui palpite à un rythme effréné, prêt à exploser au moindre contact supplémentaire de ses lèvres entrouvertes, de sa langue dansante contre la mienne.

Sa respiration est saccadée quand il me soulève brièvement pour inverser les rôles et me plaquer au mur en levant mes bras au-dessus de ma tête, ses hanches soudées aux miennes. Ses doigts glissent sur mes poignets, jusqu'à mes paumes où ses doigts s'entrelacent aux miens.

L'ascenseur est toujours hors service. Il ne risque pas de se remettre en marche de sitôt à moins qu'il ne s'élève jusqu'au septième ciel par notre faute.

Je l'embrasse comme je n'ai jamais embrassé personne. Je le désire comme je n'ai jamais désiré personne. Et je me rends compte que je l'aime comme je ne pensais plus jamais aimer.

Je suffoque puis m'embrase, puis m'éteins quand il s'éloigne avant de me rallumer d'un seul coup. L'oxygène ne me sert plus à rien si ce n'est que pour contribuer à ma combustion spontanée.

Mon cœur vient de s'envoler.

Toute ma vie j'ai espéré, j'ai rêvé d'un amour qui me ferait cueillir les étoiles pour les cultiver dans une serre jusqu'au jour où je devrais les *lui* offrir en guise de prix à payer pour profiter de son existence.

Est-ce donc ça ? Ce dont j'ai tellement rêvé ? *Ce rêve* ? Est-ce bien lui ? Celui qui me fait prendre conscience qu'à chaque seconde qui passe, je respire un peu moins, m'affole un peu plus ? Si ce n'est pas le cas, je ferai en sorte qu'il devienne ce rêve parce que je n'ai jamais rien connu d'aussi merveilleux.

Je brille, je scintille, je m'illumine. Je suis une étoile de la puissance du soleil qui vit sa seconde existence.

Ses lèvres couvrent encore chaque parcelle de ma peau quand il appuie son front contre le mien.

Je le presse contre moi dans l'espoir qu'il s'y fonde pour l'éternité. Aucun vent, aucune marée, aucune éruption ne viendraient à bout de moi en cet instant ni ne réussiraient à m'éloigner d'entre ses bras. Parce qu'avec lui, j'ai la sensation d'être invincible. Quoi qu'en pensent les autres, quoi qu'en pense l'univers entier, avec lui, je réalise que je ne suis nullement inférieure. Je préférerais mourir dans la seconde qui suit plutôt que de penser ne plus jamais revivre pareilles sensations.

Pour la première fois, je suis envahie d'un sentiment qui ne surpassera jamais cette raison que je me suis imposée depuis que j'ai compris dans quel monde je vivais. Aujourd'hui, mes sentiments ont échappé à son joug impartial.

Il murmure, si bas que les battements de mon cœur à mes oreilles le couvrent presque:

— Je t'aime.

Cette raison pour me faire enfin tourner la page, la voilà.

Je réalise que je pleure quand il récupère la larme qui vient de couler sur ma joue d'un lent baiser qui me fait ramollir. Heureusement qu'il me tient encore, sans quoi il y a longtemps que je me serais effondrée au sol.

Il efface toute trace de ce passage sur mon visage en décrivant un chemin sur ma joue jusqu'à ma paupière close.

Le soupir que je laisse échapper frémit dans l'air chargé de l'électricité qui émane de nos deux corps. Je tremble comme une feuille et ce n'est pas à cause du froid. Je n'ai jamais eu aussi chaud de toute ma vie.

J'ouvre finalement les yeux, croise deux billes aux couleurs d'émeraude constellées d'étoiles dorées. Ce que j'y vois me terrifie au point de me faire chavirer dans un océan de bonheur qu'il tient dans la paume de ses mains.

Il est on ne peut plus sincère. Il m'aime.

Est-ce quelque chose que je suis prête à m'avouer, à moi ?

Non. Pas encore. Je ne suis pas prête. Trop de souvenirs affluent dans ma tête. Trop de questions restent sans réponse. Trop de craintes qui m'empêchent de m'abandonner.

Et pourtant, il n'attend pas de réponse de ma part. Ou du moins, s'il en attend une, il ne me le fait savoir d'aucune façon. Il attendra. Je le sais.

L'une de ses mains quitte mon visage pour remettre l'ascenseur en service tout comme pour m'accorder un moment de répit. Les lumières se rallument et la cabine pousse un petit grondement avant de redescendre, en même temps que moi.

Je tâche de remettre de l'ordre dans mes cheveux et de camoufler tous les baisers qui doivent encore faire rougir mon visage d'un mélange de ma passion et du passage de Nayden. Il ne m'a pas quittée des yeux et ne le fait qu'une fois que les portes s'ouvrent.

Je prends sa main et nous sortons de l'ascenseur dans le stationnement encore une fois désert à l'exception de toutes ces voitures de luxe que les locataires de l'immeuble possèdent.

Il m'ouvre la portière et je m'assois, les jambes en coton. Elles se mettent pratiquement à pousser des soupirs de soulagement lorsqu'elles n'ont plus à soutenir mon poids de plus en plus lourd et à la fois tellement plus léger. La voiture démarre. Il change de vitesse et se remet à jouer avec mes doigts tout en conduisant.

Une vingtaine de minutes plus tard, nous nous arrêtons devant l'hôpital où j'étais il y a bientôt trois semaines.

Treize

Dans le stationnement de l'hôpital, je porte instinctivement une main à ma blessure presque entièrement cicatrisée. Une fine ligne rose a remplacé la plaie jadis très profonde et recousue avec soin. Les points de suture ont d'ailleurs fondu. Nayden m'a dit que c'est un procédé médical qui fait en sorte que le corps élimine lui-même les points quand le système peut lui-même reprendre la cicatrisation.

Nous restons plusieurs minutes sans bouger.

J'ai peur. Il le sait.

Mes mains glacées sont glissées entre mes genoux.

— OK, lâche Nayden en hochant la tête. J'entre d'abord. Il est préférable qu'on ne nous voie pas ensemble. Au parc, ça n'avait pas d'importance, les gens ne nous connaissaient pas. Ici, tout le monde me connaît et sait que je viens régulièrement voir Juliette. Si j'entre seul d'abord, ça n'éveillera pas les soupçons. Compte jusqu'à soixante à partir du moment où j'aurai passé la porte. Une fois que ce sera fait, entre et passe devant l'administration. Si tu l'évites, ils se douteront de quelque chose. Ensuite, prends l'ascenseur au fond du couloir, dans l'aile est. C'est au quatrième étage. Chambre 476.

Je me répète tout ce qu'il vient de dire. Compter jusqu'à soixante. Devant l'administration. Ascenseur de l'aile est. Quatrième étage. Chambre 476.

Je fixe la porte du bâtiment.

Je suis terrifiée.

— Nayden… je ne suis pas certaine que ce soit une bonne idée. Je peux t'attendre ici. Ça ne me fait rien.

Il secoue la tête.

— Il y a des patrouilles dans les stationnements. Ils se demanderont ce que tu fabriques dans ma voiture. C'est pourquoi tu dois attendre, mais juste un peu, avant de marcher jusqu'à l'entrée. Tu peux le faire. Et puis si on te demande comment tu t'appelles, tu réponds...

— Lena Pavlova. Et si on demande à voir mes papiers ?

Il lève l'index en l'air, détache sa ceinture et se penche vers le coffre à gants devant moi pour l'ouvrir. Il en ressort une petite carte avec mon nom – mon nouveau nom – et diverses informations, dont un code d'identification: 45-HR29658.

HR pour Haute République. Quelque chose d'indéfinissable me serre la poitrine.

— Essaie de l'apprendre par cœur au cas où on te le demanderait pendant qu'un sergent examine ta carte. On procède de plus en plus à des vérifications maintenant qu'on sait que beaucoup de gens traversent d'un côté comme de l'autre, enchaîne-t-il. Compris ?

— Compris.

Je tourne la carte entre mes mains en soupirant. Il s'incline vers moi en glissant un doigt sous ma mâchoire. Il tourne mon visage vers le sien, plonge en apnée dans mon regard.

— Tout se passera bien. Fais-toi confiance.

J'acquiesce en silence tout en baissant les yeux vers la carte plastifiée. Il embrasse mon front puis sort de la voiture en verrouillant sa portière. Détail que je ne dois pas omettre en la quittant moi-même dans un peu plus de soixante secondes.

Je le regarde s'éloigner puis passer à côté de deux gardes qui s'empressent de le saluer formellement. Nayden hoche froidement la tête et passe les portes coulissantes. Je commence à compter.

Les deux soldats se remettent à bavarder, non sans pousser un soupir de soulagement une fois leur lieutenant passé, mais d'un air beaucoup moins détendu qu'il y a quelques secondes.

J'oublie souvent à quel point l'influence de Nayden est puissante ici, à quel point les gens le craignent. Sûrement parce que, moi, je ne le crains pas. J'aurais bon nombre de raisons de le faire, mais il n'en est rien. Peut-être qu'il ne m'a pas donné de raisons suffisantes de le faire ou, du moins, ses sentiments pour moi les effacent.

Trente secondes viennent de s'écouler. Trente autres restent à filer.

Je glisse la carte dans la poche de mon manteau en me répétant le code d'identification: 45-HR29658... 45-HR29658... 45-HR29658. Les secondes sautent sur mes doigts avec lenteur pendant que je répète le code encore et encore. Quand la dernière seconde s'élance du haut de mon auriculaire, je sors de la voiture et verrouille la portière.

Il ne neige pas, mais il fait terriblement froid. Je replace mon béret ainsi que mes mitaines et marche en espérant que mes jambes ne tremblent pas trop. Les gardes sont toujours près de la porte. Je passerai donc à leur gauche.

J'ai le réflexe ou plutôt la forte envie de baisser la tête, mais je combats cette envie en me mordant l'intérieur de la joue. C'est donc le regard droit devant moi que je passe les portes.

Les deux hommes me portent à peine attention à part pour m'adresser un hochement de tête que je leur rends le plus naturellement possible.

Je soupire de soulagement et m'arrête à l'entrée pendant quelques secondes. Mon regard couvre l'accueil jusqu'à ce que j'aperçoive le couloir dont m'a parlé Nayden. Je m'y engouffre sans attendre, passe devant l'administration. La secrétaire ne bronche pas, beaucoup trop occupée avec son téléphone coincé entre l'épaule et la joue ainsi que la pile de dossiers sur son bureau.

Quand j'arrive aux ascenseurs, ils sont tous occupés. J'attends en pianotant du bout des doigts contre ma cuisse. Un ding retentit et les portes s'ouvrent sur un groupe de médecins ; ils ne bougent pas. Je reconnais le médecin qui s'est occupé de mon cas il y a trois semaines.

Manifestement, ces médecins n'ont pas l'intention de descendre à ce niveau.

Ils sont en pleine discussion et voyant que je ne bouge toujours pas, l'un d'entre eux porte son regard sur moi ; je fige des pieds à la tête.

— Mademoiselle ? Vous ne montez pas ?

Sa voix me tétanise plus encore que ses yeux. Je crois avoir perdu ma langue. Mes doigts se croisent dans mes poches tandis que je prie pour qu'il ne me reconnaisse pas. J'ouvre la bouche, mais aucun son ne s'en échappe.

Le médecin qui m'a adressé la parole retient la porte qui s'apprêtait à se refermer et me dévisage d'un air insistant. Manifestement, je lui fais perdre son temps et cela ne l'enchante guère.

— Alors ? Vous montez ou pas ?

— Oui, oui. Pardonnez-moi.

Je m'engouffre dans l'ascenseur la tête basse, les mains créant une gymnastique impossible dans mes poches.

— Quel étage ? me demande une femme au sarrau blanc et à l'uniforme bleu denim.

— Quatrième, s'il vous plaît. Merci.

Du coin de l'œil, je peux voir ses sourcils se froncer.

— Le quatrième étage est réservé à la pédiatrie…, souligne-t-elle.

— Je sais, la coupé-je un peu trop brusquement et surtout, beaucoup trop sèchement.

Je pince les lèvres en la voyant me dévisager avec plus d'ardeur.

— Je vais visiter ma nièce, mens-je dans les secondes qui suivent.

— Il n'est pas un peu tard pour une visite ? remarque le médecin qui s'est occupé de mon cas en regardant sa montre.

Je commence à me lasser de leurs questions qui ne les concernent aucunement.

— Oui, je sais. Seulement j'ai reçu un appel et je me suis déplacée aussi rapidement que j'ai pu. Vous comprendrez que je ne pouvais attendre au matin étant donné qu'il s'agissait d'une urgence.

Il acquiesce lentement, sceptique. Ses yeux me font penser à un serpent qui m'épie. Perçants et teintés d'un soupçon d'hypocrisie. J'ai fini par être capable de déchiffrer le regard de ceux qui me toisent avec un peu trop d'attention. Ils ne doivent pas m'identifier. S'ils le font, je ne crois pas être en mesure de m'en sortir. Pas seule. Pas sans Nayden. Mon cœur tambourine. Je délaisse son visage anguleux pour le tableau où les numéros d'étages que nous franchissons sont inscrits et réprime un soupir quand les portes s'ouvrent sur le quatrième étage plongé dans la pénombre.

— Bonne soirée, Mademoiselle. Je souhaite un prompt rétablissement à votre nièce.

— Ma ni... oui, merci, bafouillé-je. Bonne soirée à vous aussi.

Je me retourne légèrement avant que les portes ne se referment pour leur adresser un mince sourire qui aurait sans aucun doute tremblé si mes lèvres n'avaient pas été si serrées.

Je pivote dès que l'ascenseur se remet en marche et c'est pratiquement au pas de course que je rejoins la chambre 476.

J'entre dans la pièce, fébrile, et manque m'effondrer dans la chaise libre, mais le regard inquiet que me lance Nayden m'en empêche. Il ferme la porte de la chambre et baisse tous les stores intégrés aux fenêtres qui donnent sur le couloir heureusement désert par lequel je suis passée.

Coupés de la lumière tamisée du couloir, nous sommes rapidement plongés dans une obscurité quasi totale à l'exception bien sûr d'une petite lampe d'appoint que Nayden a pris la peine d'allumer.

Mon corps est couvert d'une mince pellicule de sueur et je laisse échapper un soupir après de longues secondes de silence. Je retire mon béret en forçant un sourire crispé.

— Excuse-moi, j'ai eu un petit pépin dans l'ascenseur.

— Ce n'est rien. Tu vas bien ?

Je hoche la tête en passant une main dans mes cheveux et me penche discrètement sur le côté pour voir Juliette. Je suis tout de suite frappée par sa ressemblance avec Nayden. Il effectue d'ailleurs un pas latéral pour me laisser passer quand j'approche de sa petite sœur endormie.

Elle est tout simplement magnifique : svelte, un visage ovale encadré par une longue crinière brune bouclée, un nez retroussé, une peau claire, une bouche aux lèvres pulpeuses et les battements réguliers d'un cœur enregistrés par une machine qui bipe à chaque pulsation. Je tire la chaise tout près d'une commode de bois peint en différentes couleurs et m'assieds. Nayden en fait de même, tout en s'asseyant beaucoup plus proche de la fillette que moi.

— Elle n'a montré aucun signe d'éveil ?

Il secoue tristement la tête.

— Non. Aucun depuis trois mois. Mais j'ai réalisé que la musique la fait réagir.

Un sourire fend mon visage jusqu'aux oreilles faisant craquer toute la crainte et la nervosité que je ressentais il y a de cela quelques secondes. Je comprends pourquoi il voulait que je vienne, mais il n'ose pas poser la question, c'est pourquoi je lui facilite la tâche.

— Tu veux que je chante pour elle ? demandé-je en me penchant légèrement vers l'avant pour capter son attention fixée sur sa petite sœur.

Sa tête pivote vers moi et son regard se couvre d'un voile humide qu'il chasse d'un clignement de paupières. C'est une proposition de mon propre gré, pas un reproche et il le sait. Il acquiesce quasi imperceptiblement.

— Ça ne te dérange pas ?

Je secoue la tête.

— Je chante des berceuses à Effie et Noah depuis leur naissance. Alors non, ça ne me dérange pas. Bien au contraire, cela me fait très plaisir, Nayden.

Un sourire se loge au coin de sa bouche.

— Nous t'écoutons dans ce cas.

Je serre doucement ses doigts puis m'éclaircis un peu la voix. Il y a longtemps que je n'ai pas chanté. Fredonné, oui. Chanté, non. Et j'ai incroyablement peur de fausser.

J'ai le trac d'une fillette au jour de son premier spectacle et l'angoisse de l'échec qui me serre la poitrine. Puis je me dis que je n'ai pas à m'inquiéter puisque j'ai ce soir l'un des meilleurs publics qui soient.

Alors je chante pour Juliette. Une chanson du *Magicien d'Oz* qui m'a tellement marquée que je n'ai pu que la mémoriser en repassant en boucle cette scène du film.

En plus, elle me semble drôlement appropriée pour la petite protégée de Nayden.

Somewhere over the rainbow.

Je chante doucement, sans me presser. Mes notes sonnent juste et ma voix semble coulante à mes oreilles. J'espère seulement que c'est aussi le cas pour mes deux spectateurs.

Un bref coup d'œil à Nayden confirme ma pensée. Il est étrangement ému et me remercie du bout des lèvres. J'incline la tête pour lui dire qu'il n'y a pas de quoi et me tourne vers Juliette. Après tout, c'est à elle que je dédie cette chanson ce soir. Puis, d'un seul coup, je vois sa main bouger, faiblement, mais assez pour que je le réalise et Nayden aussi semble s'en être aperçu puisqu'il se précipite vers sa main qu'il porte à ses lèvres.

Ses doigts bougent par intervalle presque avec timidité. Comme s'ils craignaient de déplacer l'air autour d'eux. Alors seulement je réalise qu'elle bouge, qu'elle réagit oui, mais qu'elle ne se réveille pas. Pas encore.

Une envie de pleurer me fracasse tel un ouragan et je refoule mes larmes en fermant les paupières si fort qu'elles m'en font mal.

Je termine ma chanson en murmurant la dernière syllabe et cette fois, c'est une larme, bien réelle, qui glisse sur ma joue.

— Merci. Tu n'as pas idée de ce que ça représente. Merci. Merci mille fois.

Je suis trop émue pour dire quoi que ce soit. Les mots sont restés coincés dans ma gorge et coulent sur mes joues sans un interprète pour lire les lignes qu'ils y tracent.

— C'est la première fois qu'elle réagit autant. C'est incroyable. Ta voix est miraculeuse, Lena.

Je pose ma main sous sa mâchoire et caresse sa joue à l'aide du pouce. Il cale son visage dans ma paume en fermant les yeux. Assez de mots ont été échangés pour ce soir, je crois.

Quatorze

Sur le chemin du retour, Nayden me prévient qu'il doit s'arrêter parce qu'il a une course à faire. Il stationne la voiture en bordure de la route et sort du véhicule pour se rendre jusqu'à une petite boutique qui m'a tout l'air d'un bureau de poste. Je l'attends dans la voiture, toujours aussi nerveuse à l'idée qu'un passant puisse m'identifier. Je ne crois pas que ma tête soit mise à prix au point que des affiches placardent les murs de la ville, les autorités veulent certainement garder l'enquête confidentielle ou, à tout le moins, s'assurer que rien ne s'ébruite. Sans quoi, j'imagine sans problème l'émoi que cela provoquerait au sein de la population. Je suis quand même la preuve que leur barrière entre les deux côtés n'est pas parfaitement étanche.

Mes yeux voguent entre l'endroit où il est entré et le reste des vitrines. Bien qu'il soit quand même tard, mon regard s'accroche à celle d'un magasin d'instruments de musique qui m'a l'air d'être encore ouvert. Mes doigts se replient d'eux-mêmes. Depuis quand n'ont-ils pas frappé les touches d'un piano ?

Je me mordille la lèvre. Je ne peux pas y aller. Ce serait irresponsable et puis Nayden serait terriblement inquiet de revenir à la voiture et de voir que je n'y suis plus. C'est pourquoi j'attends qu'il soit de retour au véhicule, une grande enveloppe très épaisse sous le bras, pour sortir dans l'air glacial.

— Lena, qu'est-ce que tu fais ? me demande aussitôt Nayden.

— J'ai une course à faire moi aussi. Tu m'accompagnes ?

— Bien sûr. Où tu vas comme ça ?

— Viens, dis-je en lui tendant la main, tout en laissant planer le mystère.

Je suis tentée de lui demander ce que contient l'enveloppe, mais je m'en abstiens. Je fais taire ma curiosité et avance de quelques pas en direction de la boutique.

Il fourre les clés dans sa poche, me rejoint et glisse sa main dans la mienne. Nous traversons la rue au pas de course en évitant les voitures et une petite clochette tinte lorsque nous entrons dans la boutique. Il y a des instruments de toute sorte. Des instruments à cordes, d'autres en cuivre, bref, l'attirail complet du parfait mélomane. Or, aucun n'a la forme singulière de celui que je cherche.

— Non, non, non, je suis navré, mais la boutique est fermée ! Je vous demanderais de bien vouloir… Lieutenant-général Prokofiev ! Pardonnez mon impolitesse ! Je suis terriblement navré. C'est seulement que je n'étais pas encore allé tourner l'affiche dans la vitrine, je…

— Il n'y a pas de mal, Monsieur ; vous ne faites que votre travail. Nous ne sommes que de passage et nous quitterons dans quelques minutes si c'est ce qui vous inquiète.

— Aucun problème, prenez tout votre temps, je ne suis pas pressé. Comment puis-je vous être utile ce soir ?

— Vous avez un piano ? que je demande en parcourant les instruments du regard, mes doigts effleurant les cordes d'une magnifique contrebasse au passage.

— Bien sûr ! C'est par ici, suivez-moi, Mademoiselle.

Nayden me jette une œillade intriguée, mais n'ajoute rien pendant que nous suivons le propriétaire jusqu'au centre de la boutique. Il me présente un magnifique piano à queue couleur acajou.

— Je peux ? dis-je timidement en désignant le banc.

— Oui, oui ! Allez-y, Mademoiselle ! Le siège est à vous. Si vous avez besoin de quoi que ce soit, je serai à l'avant.

Je le remercie, retire mes gants et les tends à Nayden, qui les met dans ses poches. J'observe la partition qui a, de toute évidence, été posée en guise de décoration seulement. Mon regard croise celui de Nayden.

— Tu as déjà joué ça ?

— Non, mais ça ne m'a pas l'air trop difficile.

— Moi, je n'y comprends rien du tout…

— C'est parce que tu ne lis pas avec assez d'attention, le taquiné-je. Prêt ?

— À toi de me le dire.

Je souris et inspire un bon coup. Mes doigts laissent libre cours à leur désir de jouer. La partition me vient naturellement. À croire que j'en suis l'auteure, les notes jaillissent de sous mes doigts avec cette même passion que je me suis toujours connue pour la musique. Nayden prend discrètement place à ma droite, un peu comme Noah avait l'habitude de le faire, et suit mes mains dans leur marathon musical avec attention, manifestement impressionné. Puis, la partition terminée, j'improvise quelques notes pour transiter vers un morceau que je connais par cœur. Je laisse donc les jolies notes de cette partition qui s'intitule *Clair de lune* pour un des nocturnes en mineur de Chopin.

Je sens la chaleur de son regard sur moi. Tendre, amoureux et doux tout à la fois. Et je ne peux m'empêcher de lui sourire. Parce que je me sens bien ici. Parce que j'ai l'impression que c'est ça, la vie. Parce que je me dis que c'est possible de vivre ici.

À quoi aurait ressemblé ma vie si j'étais née de ce côté ? Elle aurait été complètement différente. Aurais-je rencontré Nayden ? Je l'ignore. Probablement pas puisque c'est au café concert Blues Haus qu'il m'a rencontrée. Les circonstances auraient été tellement différentes. Aurais-je même eu à protéger Noah ? La condition des autistes est-elle la même ici ? Probablement pas. Nous aurions été libres, beaucoup, beaucoup plus libres. Or, c'est en croisant ce regard d'un mélange d'été verdoyant et d'automne flamboyant alors que je lève brièvement les yeux des touches que je me dis que je ne voudrais être nulle part ailleurs que dans ces yeux-là, avec ce piano sous les doigts. L'égoïsme de la chose me frappe autant que les marteaux sur chacune des cordes de cet instrument magnifique, mais il n'en demeure pas moins que cette parcelle de bonheur, je la vis et j'y ai droit. Peut-être que si j'arrivais à faire traverser tout le monde, tout irait pour le mieux. Mais comment ? Comment les faire traverser ici ? Avec Nayden peut-être. Il pourrait m'aider, mais en même temps, pourquoi risquerait-il autant pour ma famille et moi ? Je laisse filer les dernières notes sous mes doigts et abaisse le couvercle.

— C'était incroyable, Lena.

— Merci. Ça me manquait.

— Je t'achèterais bien ce piano, mais j'ignore où je pourrais le mettre dans mon appartement.

— Je refuse que tu m'achètes un piano, Nayden. Ça m'a fait du bien de jouer, c'est tout.

— Tu étais magnifique. Tellement… paisible.

Je serre doucement sa main dans la mienne.

— Un jour, je t'achèterai un piano, murmure-t-il à mon oreille avant d'embrasser ma tempe.

Je me laisse aller à un rire léger.

— Rentrons, il est tard et nous avons retardé la fermeture, dis-je en indiquant la porte d'un coup de tête.

Il hoche la tête à son tour et nous nous dirigeons vers la sortie non sans avoir salué le propriétaire d'abord et l'avoir chaleureusement remercié.

En rentrant dans le loft, je m'écroule de fatigue dans le lit de Nayden. Malgré tout, au beau milieu de la nuit, je me réveille en raison de légers bruits au rez-de-chaussée. Normalement, ce genre de sons ne devrait réveiller personne, mais j'ai le sommeil tellement léger que les gouttes d'une bruine coulant le long d'une fenêtre suffiraient à me réveiller.

Je n'entends que des bribes, mais assez claires pour deviner ce dont Nayden parle. Avec qui ? Ça, je n'en ai pas la moindre idée.

Une voix féminine assez monocorde, que je n'ai jamais entendue auparavant.

Seulement, je suis totalement réveillée maintenant et je réalise peu à peu que je n'aurais sûrement pas dû l'être si j'en crois la suite. Je me lève lentement, en faisant le moins de bruit possible tout en tâchant de m'approcher dans l'embrasure de l'escalier, dans l'espoir d'avoir un visuel quelconque sur le rez-de-chaussée, mais plus encore, pour donner une image à ce que j'entends. Je n'en obtiens qu'une maigre, mais c'est amplement suffisant.

Nayden arpente le salon, la main sur le menton, tantôt dans la poche de son pantalon, puis le long du cou et enfin contre sa nuque.

Il fait toujours ça quand il réfléchit.

J'ignore à qui il s'adresse, je ne vois personne d'autre que lui dans le salon, quand il demande :

— Montre-moi la vidéo une nouvelle fois, Ezra. Il y a sûrement un détail qui m'a échappé. Assure-toi de baisser le volume d'abord.

— Bien sûr, Monsieur. Je me connecte à l'instant.

Je fronce les sourcils, intriguée par cette voix à la fois douce et synthétique qui émerge de je ne sais où.

Puis mon regard se pose sur le boîtier argenté – dont j'avais pratiquement oublié l'existence – et mes sourcils se haussent.

Pas un boîtier, non. Un ordinateur. C'est la première fois que j'en vois un et j'ai du mal à dissimuler ma surprise. Je n'ai pas la chance de m'y attarder que la vidéo se projette sur tous les murs.

Je sursaute comme toutes les fois que j'entends et que je vois le coup de feu partir dans ma direction. Heureusement pour moi, le bruit de la détonation, bien que fortement assourdi, voire inexistant, camoufle le moment où je tressaille moi-même contre le mur derrière lequel je me suis cachée.

— Avance jusqu'au moment où elle tombe, s'il te plaît.

— Tout de suite, obtempère la dénommée Ezra.

— OK. Là. Arrête.

L'image fige et on me voit, à quelques centimètres du sol, la poitrine vers le ciel, mais les bras toujours contre le sol et les yeux clos. Je me penche un peu plus dans l'escalier.

La vidéo ainsi projetée empêche Nayden de me voir et son attention y est complètement rivée.

— Il faut savoir ce qui a provoqué ça. C'est la cause de son retour, Ezra, et pas qu'un simple soubresaut. Peux-tu l'analyser ?

— Négatif. Il s'avère qu'aucune donnée dans mes dossiers ne correspond à ce type de réaction de la part d'un sujet.

J'accroche sur le mot *sujet*. Un sujet ? Comment ça, un sujet ? Je ne suis pas un objet tout de même !

Mes muscles se tendent. Mes sourcils se froncent. Je continue d'écouter, au pied des marches.

— D'accord, dans ce cas recule un peu… Bon, remets-la en marche maintenant.

Il repasse en boucle le moment où je tombe, les secondes qui passent, puis le moment où je reprends vie. Il arrête de nouveau la vidéo.

— Je ne comprends pas…, grommelle Nayden en passant ses deux mains sur sa bouche, étouffant sa voix du même coup. OK. J'y reviendrai plus tard. Peux-tu m'identifier le tireur ?

— Non, Monsieur. Il n'y a aucun autre angle de vue disponible, et ce, d'aucune autre caméra de surveillance active ce soir-là. Ce qui démontre à coup sûr que le tireur avait l'intention de s'en prendre à mademoiselle Kaufmann à cet endroit précis et nulle part ailleurs.

— Quelles sont les probabilités de cette hypothèse, Ezra ?

— Elles sont sûres à 98,8 %, Monsieur.

— OK… Quelles autres informations avons-nous à son sujet ? enchaîne-t-il tout en fouillant dans une pile de papiers que je devine être ceux qu'il est allé chercher au bureau de poste ce soir en apercevant l'enveloppe sur le coin de la table.

Ces papiers qui sont en grande majorité des photos des caméras de surveillance en Haute tout comme en Basse République et qui ont pour unique sujet… moi.

— Analyse en cours, lui répond Ezra.

Nayden éteint la vidéo après l'avoir visionnée une dernière fois puis se remet à faire les cent pas, papiers en main. Ça semble l'aider à réfléchir.

— C'est étrange. À dire vrai, je ne comprends pas. Il semble y avoir un problème.

— Que se passe-t-il ? questionne-t-il.

— Les seules données auxquelles j'ai accès sont celles que vous avez déjà archivées quand vous me l'avez demandé, il y a de cela près d'un mois. Le reste semble introuvable. À croire que son dossier a été détruit des archives informatiques de la République.

— Peux-tu approfondir ?

— C'est comme si toutes les informations de sa puce avaient été supprimées.

Nayden se fige, se tourne vers l'ordinateur. Je serais prête à parier qu'un muscle s'est contracté dans sa mâchoire. Quant à moi, j'ai de nouveau arrêté mon attention sur un mot. *Puce*. Qu'est-ce que cela signifie ?

— Sa puce ? répète-t-il alors.

Aussi étonnant que cela puisse paraître, l'ordinateur semble mal à l'aise dans les phrases qui suivent. Comme si Ezra était pourvue d'émotions et de quelque chose qui puisse teinter sa voix d'intonations différentes.

Puis je me rappelle que ce n'est qu'une machine. Les machines n'ont pas d'émotions.

— Information top secrète, Monsieur Keyes, à laquelle je ne devrais pas avoir accès. Je m'en excuse. J'ai commis une faute irréparable puisque les chances que vous me demandiez d'éclaircir ma méprise sont sûres à 99,6 %. Afin d'éviter que cela se reproduise, je vous suggère fortement de me formater. Les lapsus de ce genre m'arrivent de plus en plus régulièrement, cela doit être en raison de la nature de vos recherches. Je peux enclencher le formatage de mon système à l'instant si vous le désirez ?

Nayden claque la langue en grommelant :

— Ezra, tu m'es beaucoup plus utile sans formatage parce que tu penses presque par toi-même et c'est ce dont j'ai besoin dans le cas présent. Continue sur ta lancée. De quoi parlais-tu ?

— Je disais que les informations de sa puce étaient introuvables.

— Définis *puce*.

— Pour cela, Monsieur, il me faudrait pirater le système gouvernemental. Aucune donnée ne correspond à ce mot dans mon système, c'est d'ailleurs pourquoi j'ai fait un lapsus, je m'y suis automatiquement…

— Abrège Ezra…

— Dois-je poursuivre le processus de recherche ?

— Quelle question ! Bien sûr que tu poursuis. Assure-toi seulement d'effacer l'historique de visite et de remettre tous les pare-feu en fonction une fois l'opération terminée. Crée une fausse piste si jamais on tente de te repérer. Est-ce dans tes capacités ?

Là, je ne capte qu'un charabia sans queue ni tête. Ce sont des termes que je n'ai jamais entendus et le jargon informatique m'est aussi méconnu que la carte du monde.

— Vous m'avez programmée vous-même. Bien sûr que je suis en mesure de le faire.

— Dans ce cas, vas-y.

— Tout de suite, Monsieur.

S'ensuivent de longues minutes de silence où Nayden continue de faire les cent pas en se prenant la tête.

— Je confirme : aucune donnée n'est compatible avec une dénommée Emma Kaufmann de la Basse République. Par ailleurs, désirez-vous toujours que je définisse *puce* ?

— C'est étrange… Il n'y a vraiment rien ?

— Rien du tout, Monsieur. Désirez-vous toujours que je définisse le mot *puce* ?

— Oui. Qu'as-tu comme fichier correspondant ?

— J'obtiens quatre résultats. Par lequel voulez-vous que je commence ?

— La définition.

Trois secondes plus tard, Ezra enchaîne :

— Puce: *aussi appelée* circuit intégré, *est une composante électronique émulant une, ou plusieurs, fonction informatique. Ce type de système intègre souvent plusieurs types de composantes de base dans un volume réduit, rendant le circuit facile à déployer à grande échelle de par sa petitesse et sa rapidité d'exécution tout en le rendant idéal à l'intégration de tout contexte.* La suite concerne le programme mis en œuvre.

— Je t'écoute.

De nouveau, trois secondes plus tard, Ezra poursuit son exposé.

— *Le programme consiste à implanter dans chaque membre de la Basse République une puce électronique rendant tous ses déplacements connus auprès des autorités. Cette puce a aussi pour but d'influencer les prises de décision des sujets afin de les soumettre davantage à l'autorité. Ce faisant, ils deviennent plus maniables et beaucoup plus influençables. La puce renferme en chaque individu une quantité importante de données dont le nom, le sexe, l'âge ainsi que le jour de sa mort.*

— Quoi ? Comment ça, le jour de sa mort ?

— La puce est munie d'un sous-programme qui, lorsqu'il est mis en marche, causera impérativement la mort du sujet.

Je plaque une main à ma bouche pour étouffer le cri qui menace de s'échapper d'entre mes lèvres. Je ne peux retenir les larmes qui coulent à présent à flots dans un silence le plus complet. Quant à Nayden, il semble complètement abasourdi. Il se laisse tomber sur le canapé, sans rien dire avant de longues secondes.

— Que concerne le troisième résultat ? lance-t-il d'un ton glacial.

— Le dossier comprenant l'ensemble des informations de tous les sujets, tous classés par famille.

— Et le quatrième ?

— Ceux qui ont démontré une résistance à la puce et à la propagande forcée qu'elle fait passer. En d'autres mots, ceux qui ne se conforment pas au programme et sur qui les amnésies et conformations au programme ne fonctionnent pas.

— Comment s'appelle ce dossier ?

— *Les Insoumis*, Monsieur.

Mon cœur a clairement arrêté de battre. Je me laisse glisser au sol en me mordant le haut de la paume pour étouffer les sanglots qui tempêtent au bord de mes lèvres.

Est-ce pour ça qu'on aurait souhaité ma mort ? Parce que je refuse de me conformer ? Parce que je suis une *Insoumise* ? Comme cet homme. Celui qu'on a assassiné dans la Galerie des cendres, celui sur qui on a craché ce mot dont on m'étiquette aujourd'hui. Je suis comme lui ?

Je ferme les yeux en me mordant l'intérieur de la joue jusqu'à ce que la douleur me rappelle que ce que je fais, c'est pour m'empêcher de crier et non pour me faire hurler de douleur.

— Et qu'a-t-on à propos d'Emma Kaufmann dans ces dossiers, Ezra ?

— Rien du tout. La famille Kaufmann possède son dossier, mais son nom n'apparaît nulle part excepté une fois dans celui des Insoumis. Je confirme qu'il a été entré manuellement.

— Peux-tu m'affirmer qu'il était dans celui de la famille Kaufmann avant d'être transféré à ce dossier ?

— Je peux rechercher dans l'historique.

— Très bien. Fais-le.

— Il me reste peu de temps avant que le pare-feu ne se referme automatiquement, j'ignore si j'aurai le temps d'accéder à l'historique.

— Continue tes recherches, je me charge des protections.

— J'ignore si mon processeur tiendra le coup, Monsieur.

— Je le réparerai, grommelle Nayden.

Il tourne l'ordinateur vers lui et s'empresse de taper sur les touches. J'ignore ce qu'il fait et ce qu'il tape si rapidement, mais je n'en ai rien à faire. J'attends le coup de grâce qui viendra sous peu, je le sens.

— Tu l'as ?

— Pas encore, lui répond Ezra.

— Je l'ai retardé de cinq minutes. C'est suffisant ?

— Oui, lâche-t-elle d'un ton égal.

Exactement 2 minutes 56 secondes plus tard, Ezra reprend d'une voix presque enthousiaste :

— La dernière preuve du dossier existant remonte au 21 décembre, Monsieur. Le jour où mademoiselle Kaufmann a été victime d'une tentative d'assassinat.

— À quelle heure sont les dernières traces du dossier ?

— À 1 h 21 du matin, Monsieur. Soit 1 minute et 7 secondes avant que mademoiselle Kaufmann reprenne vie.

— Est-ce que les temps concordent avec la vidéo ?

— Affirmatif, Monsieur. Je dois vous informer qu'il ne reste à présent que 47 secondes avant la fin du prolongement du pare-feu.

— Efface l'historique d'abord. Tout l'historique. Je ne veux plus qu'il y ait aucune trace de l'existence de son dossier. Ultérieure ou pas. Efface tout, partout.

Il y a un minuscule moment de silence.

— Monsieur, ce genre d'effacement provoquera sa suppression permanente.

— Je sais. Et c'est exactement ce que je veux faire. Fais-le maintenant, puis efface toute trace de notre passage. Camoufle tout du mieux possible. Sème des pistes ailleurs si c'est nécessaire pour qu'on ne retrouve pas mon adresse IP au cas où la sécurité interne s'apercevait d'une intrusion. Puis sors du système.

— C'est déjà fait pour ce qui est de la protection de votre adresse, Monsieur.

Il se rassoit en posant les coudes sur ses genoux. Ses doigts passent dans ses cheveux auxquels il s'agrippe en soupirant. Ezra revient deux secondes avant que son ultimatum ne se termine.

— Historique effacé, Monsieur. Puis-je faire quelque chose d'autre pour vous être utile ?

— Oui… Quelle est la probabilité que la puce ait subi un court-circuit le soir du tir ?

Il y a un bref moment de silence, le temps que l'ordinateur calcule ce que Nayden lui a demandé.

— La chance est de 43,6 %, Monsieur. La puce est censée être inactive au moment où le cœur cesse de battre.

— D'accord, mais si la sienne n'avait pas arrêté ?

À combien se chiffre la probabilité concernant la réanimation cardiaque par un court-circuitage d'une puce électronique ?

— La probabilité est très faible, proteste aussitôt Ezra.

— Le choc causé par le court-circuit de la puce serait-il suffisant à réanimer quelqu'un ?

— Tout dépend de sa morphologie.

— Ezra, c'est d'Emma dont je te parle ! Pas d'un homme de cent kilos ! lâche Nayden d'un demi-ton plus haut, manifestement exaspéré.

— Dans le sien, la décharge serait suffisante, oui.

— Repasse-moi une dernière fois la vidéo et analyse-la en fonction des derniers critères que nous avons déterminés.

— Très bien.

La vidéo repasse. Le tir qui me fait encore sursauter. Je le sens presque se loger sous mes côtes avant de me voir tomber au sol pour une énième fois.

J'ai l'impression de revivre en boucle cet évènement, seulement en y repensant. Le revoir en vrai semble pire encore que de simplement voir des souvenirs défiler sous mes paupières closes.

D'ici, j'aurais aimé voir l'expression de Nayden. Malheureusement, il me fait dos et son expression restera à jamais un mystère.

Il se lève alors d'un bond, en claquant des doigts quand, à l'écran, je tressaute contre le sol avant de lourdement retomber contre la neige déjà largement rougie par mon sang.

— Là ! Une décharge ! C'est exactement ça, renchérit-il. Qu'en dis-tu, Ezra ?

— Je ne peux en dire grand-chose. Les conclusions que je peux tirer ne sont qu'à titre indicatif et ne devraient en aucun cas influencer votre décision si ce n'est que pour apporter un côté rationnel à vos prises de décisions.

— Ezra, grogne Nayden en se claquant le front du plat de la main. Ton analyse, s'il te plaît ?

— Votre hypothèse est plausible à 91,7 %, Monsieur.

— Et que concerne le 8,3 % restant ? demande-t-il d'un air sceptique.

— Les facteurs pouvant faire en sorte que cette hypothèse soit logiquement improbable. Il y a toujours une part d'erreurs, Monsieur. Il est mathématiquement impossible d'être sûr à cent pour cent, vous savez.

— Eh bien, moi, je le suis. Merci, Ezra.

— Je n'ai fait que mon travail.

— Éteins-toi maintenant, lâche-t-il d'un ton légèrement irrité.

— Bonne nuit, Monsieur.

— C'est ça…

Il laisse échapper un bref soupir et s'étend sur le canapé où je lui ai pourtant interdit de dormir.

Je me recouche les yeux rivés au plafond et ne les ferme qu'une fois toute lumière éteinte au rez-de-chaussée. Les informations que je viens d'acquérir tournent tel un carrousel dans ma tête. Chaque pièce manquante s'assemble ensuite pour former un casse-tête où il manque si peu de pièces qu'il pourrait sembler complet.

Selon la République, je n'existe plus. Selon eux je suis invisible, inatteignable, inexistante. Une menace latente, muette, qui s'échappera en silence.

Je suis gonflée d'espoir, prête à m'envoler au moindre signe, plus haut, toujours plus haut par-delà les nuages, par-delà le mur.

Parce que demain, je rentre chez moi.

Quinze

Le lendemain matin, je me réveille au contact d'une douce pression sur mon front, d'un parfum de menthe poivrée qui m'emplit les narines mêlé à l'odeur caractéristique d'un vêtement fraîchement lavé et repassé.

Nayden.

Je tente de me lever, mais il pose sa main sur ma joue et je retombe instantanément comme ramollie par son contact et son odeur parfaite qui m'enivre les sens.

— J'étais simplement venu te souhaiter bonne journée, Flocon de neige. Rendors-toi. Il est trop tôt, le soleil n'est pas levé.

Je hoche faiblement la tête, enveloppée dans les brumes du sommeil. Je me tourne sur le côté, sans lui faire dos par contre, et glisse une main sous ma joue. Je me rendors presque aussitôt, comme si rien ne s'était produit la veille.

La seconde fois que je me réveille, c'est la douce caresse du soleil plutôt que celle de ses lèvres qui fait en sorte que j'émerge du sommeil. Je me soulève d'un geste lent, bouffie de sommeil. Je m'étire puis sors du lit sur la pointe des pieds bien que je n'aie aucune raison de le faire. C'est une habitude que j'ai prise il y a très longtemps et j'ignore pourquoi je le fais encore. Je n'ai plus de raison d'être silencieuse maintenant.

Je descends les marches en passant les doigts dans mes cheveux. Je me rends à la salle de bain où je prends une longue douche et je ressors, vêtue uniquement d'une serviette autour du corps. Je monte à la chambre pour m'habiller.

Je redescends vêtue d'un pantalon noir ajusté à coupe étroite et d'une chemise vert émeraude en chiffon.

Mon regard tombe sur la boîte argentée que je sais, maintenant, être un ordinateur et m'arrête au centre du salon, tournée vers le bureau. L'appareil contenant la vidéo n'y est pas, par contre. Ça m'est complètement égal, je l'ai suffisamment vue. C'est à Ezra que je veux parler parce que j'ai encore des questions qui restent sans réponse.

Je me rends à l'ordinateur d'un pas rapide et soulève l'écran aussi délicatement que me le permet ma nervosité.

Parce que oui, je suis terriblement nerveuse.

Je me penche vers le clavier et cherche le bouton qui l'allumera. Je jette un coup d'œil à la télécommande et cherche le même symbole. Dès que je l'ai en tête, j'appuie dessus.

L'écran s'illumine et le système semble pousser un petit soupir lorsqu'il se met en marche. Je sursaute légèrement tout en laissant échapper un mince filet de voix suffisant pour que l'ordinateur réagisse, bien qu'il soit encore en train de s'allumer.

— Identification vocale en cours.

Comment ça, identification vocale ? Elle a ma voix enregistrée je ne sais où dans son système ? Je fronce les sourcils en voyant l'écran devenir blanc, puis légèrement ombré par la présence d'un visage féminin. Un ensemble de petits points qui se déplacent à la façon d'un être vivant.

Je sursaute malgré moi quand la voix d'Ezra reprend :

— Bonjour, Emma. Je pensais justement à vous.

— Vous ne pouvez pas penser. Vous n'êtes qu'une machine, répliqué-je d'un ton sec.

— C'est vrai.

Son ton égal me semble chevrotant, affecté par ma riposte sèche. Je me secoue. C'est une machine, elle n'a pas d'émotions, c'est moi qui lui en donne. On dirait bien que Nayden ne l'a pas informée de mon nouveau prénom. Maintenant qu'elle ne m'appelle que par celui-là, mon ancien me paraît désuet. Comme détaché de ma vie d'aujourd'hui.

— J'ai des questions, Ezra.

— Comme tous les humains.

— J'ai des questions *différentes* et j'aimerais que vous y répondiez.

— Je n'ai pas l'autorisation d'obtempérer à vos ordres ni à vos demandes, Mademoiselle, veuillez m'excuser.

Je pouffe d'un rire sans joie pour manifester mon agacement.

— Pourquoi cela ?

— Parce que je ne suis autorisée à accepter que les ordres de monsieur Prokofiev. Pour éviter un éventuel piratage informatique de mon système comme vous tentez de le faire actuellement.

— Ce n'est pas un piratage, Ezra. Je veux seulement des réponses.

— Le mensonge pointe dans votre voix à 82,5 %. Ce n'est pas une très bonne chose d'obtenir un taux aussi élevé, Mademoiselle.

Je serre les poings. Décidément, cette discussion va mal finir.

— Si je me fie à ce que je sais, un ordinateur est dans l'obligation de se conformer aux demandes d'un humain. Je me trompe ?

— Vous ne vous trompez pas. Or, j'ai été programmée différemment et je peux aisément contourner ces règles si la sécurité du demandeur s'en voit menacée. Comme c'est le cas pour vous à cet instant.

— Pourquoi s'en voit-elle menacée ?

— Parce que vous êtes une menace pour vous-même…

Elle s'arrête, et dans l'écran, sur cette image synthétisée d'elle, je peux presque la voir sourire.

— Astucieux, Mademoiselle. J'allais presque répondre à votre question, mais la logique m'a coupée au milieu de mon explication.

Je croise les bras en soupirant. Je peux réussir à la déjouer. Oui. C'est sûrement possible. Si seulement je savais comment elle fonctionne !

Ce n'est qu'en discutant que je réussirai et je compte bien y parvenir. Je veux savoir ce qu'ils font aux autistes avant de rentrer chez moi. Je veux connaître la menace qui pèse sur mon petit frère, savoir de quoi je dois le protéger. De quoi je peux le protéger maintenant que je suis en mesure de le faire. Maintenant que je n'existe plus aux yeux de ma République.

— Quel âge avez-vous, Ezra ? demandé-je en m'asseyant dans la chaise de bureau.

— Je n'ai pas d'âge particulier. Je suis à la fois intemporelle et immuable. La seule chose qui puisse me faire vieillir serait une avancée technologique surpassant mes capacités actuelles, ce qui ne pose pas problème puisque je suis reprogrammable à tout moment.

— Depuis quand existez-vous alors ?

— J'ai été créée il y a de cela cinq ans par monsieur Keyes et constamment améliorée depuis.

— C'est lui qui vous a créée ?

— Oui, Mademoiselle.

— Impressionnant, dis-je d'un ton sans réelle admiration.

Mes doigts se mettent à pianoter sur le bras du fauteuil.

— Que savez-vous de moi, Ezra ?

— Tout ce qui se trouve dans mes dossiers. Entré manuellement par Nayden ou automatiquement lors de mes recherches, dit-elle tandis que je tique sur le fait qu'elle l'appelle tout à coup par son prénom et non pas par son nom de famille comme elle le faisait la veille.

— Donc vous savez ce qui m'est arrivé dans la nuit du 21 décembre ?

— Oui, Mademoiselle.

— Moi, je ne le sais pas, mens-je en haussant les épaules. C'est fâcheux, vous ne trouvez pas ? C'est à moi que ça arrive et je ne sais pas ce qui s'est passé.

— On a tiré sur vous.

— Oui. Ça, je le sais. J'en garde encore la cicatrice.

— Elle prendra environ un autre mois avant de n'être qu'une mince ligne blanche, m'informe-t-elle alors.

— Oh… donc ce n'est pas si mal.

Je continue de pianoter. Comment contourner son système ? Comment la forcer à répondre à mes questions ? Peut-être qu'il y a un mot de passe pour me permettre d'y avoir accès ? Je n'ai pas entendu Nayden le dire hier… peut-être que lui n'en a pas besoin puisque Ezra reconnaît sa voix. Bien qu'elle reconnaisse aussi la mienne et c'est ce qui pose problème.

Tout ce que je veux au fond c'est une réponse, une seule avant de pouvoir rentrer chez moi. Je peux lui poser directement la question, on ne sait jamais.

— Ezra, que font-ils aux autistes ?

Je suis certaine que si elle avait pu secouer la tête elle l'aurait fait.

— Je ne peux malheureusement pas répondre à cette question.

— Et si je vous disais que sans cette information la vie de quelqu'un est en danger ?

Son image se brouille légèrement dans l'écran. Je la trouble, on dirait.

— Est-ce normal si je ne perçois aucun mensonge dans votre voix ? me demande-t-elle alors.

— Tout à fait, parce que je suis très sérieuse, Ezra. Il me faut cette information. Il me la faut parce que j'ai quelqu'un à protéger.

Elle semble hésiter.

— Ezra, je vous en prie.

— Les supplications n'ont, malheureusement pour vous, aucun effet sur moi. Je ne suis qu'une machine, vous l'avez dit vous-même.

— Dans ce cas, prouvez-moi le contraire et faites preuve d'un peu d'humanité ! m'écrié-je en me levant d'un bond.

Elle ne produit plus aucun son. J'ai l'impression qu'elle réfléchit, ou plutôt qu'elle pèse le pour et le contre de ce que je lui demande.

— Qui souhaitez-vous protéger, Emma ?

— Je n'ai pas à répondre à votre question.

— Pas plus que je n'ai à répondre à la vôtre.

— La mienne est légitime. La vôtre ne changera en aucun cas votre réponse face à ma demande.

J'argumente avec une machine. *Incroyable.*

— Perspicace. Vous êtes extrêmement intelligente, Mademoiselle. C'est sans doute pourquoi monsieur Keyes vous apprécie autant… Dans ce cas puis-je vous demander à quel point cette personne compte pour vous ?

— Énormément.

— Un membre de votre famille dans ce cas. Dans mes dossiers, il n'y a que votre famille qui compte à ce niveau et dans votre voix, je perçois énormément d'appréhension. Comme si quelque chose pouvait lui arriver à tout moment.

— Vous allez répondre ou pas ? m'emporté-je.

— Je vais répondre. Parce que c'est dans votre intérêt tout comme dans le mien.

— Vous n'êtes pas censée vouloir satisfaire quelque idée que ce soit, Ezra, mais uniquement répondre à nos besoins.

Est-ce qu'elle vient de pouffer ? Non, c'est impossible. Qu'est-ce que Nayden a créé, bon sang ? Le démon en personne ?

— C'est exact. Ne croyez pas que c'est dans mon intérêt personnel que je le fais, car je n'en possède aucun.

Je fronce les sourcils, muette pour un petit instant. Elle le fait pour Nayden.

— Alors ? Que font-ils aux autistes ?

— Monsieur Keyes a déjà répondu à cette question.

— C'est votre réponse que je veux, Ezra ! Faites une recherche, ce que vous voulez, mais venez-en aux faits !

— Très bien. Recherche en cours.

Je soupire en passant une main sur mon visage. Elle me revient quelques secondes plus tard. Sept pour être exacte.

— J'ai un dossier correspondant dans les archives auxquelles j'ai accès.

— OK et que dit-il ?

— Analyse en cours. Très bien, j'y suis. *Les autistes n'évoluent que d'un seul côté de la République. Ils sont retirés de leur famille dans un but bien précis : exploiter leurs capacités au maximum.*

« *C'est entre autres à eux que nous devons les micropuces intégrées aux sujets de la BR (Basse République) ainsi que la majorité de nos travaux dans les domaines tels que les sciences, l'informatique et les mathématiques.*

« *Malheureusement, ces sujets présentent des malformations génétiques et ont un passé familial qui les empêchent d'appartenir à la HR (Haute République). Ce faisant, nous devons continuer de les laisser grandir de l'Autre Côté jusqu'à ce qu'ils puissent nous être d'une quelconque utilité. Les sujets présentant une résistance au programme qui leur est imposé seront…*

Elle s'arrête. Je m'avance vers l'ordinateur en posant mes mains sur le bureau de chaque côté.

— Seront quoi, Ezra ? Les sujets présentant une résistance au programme seront quoi ?

— Éliminés, Mademoiselle. Il est aussi mentionné qu'en général, un sujet sur deux démontre une résistance due aux difficultés d'adaptation sociale dont ils sont atteints. Maintenant, vous savez ce qu'ils feront à votre frère si vous ne l'éloignez pas d'ici.

Je relève la tête vers Ezra, le cœur battant si fort à mes oreilles que tout autour semble assourdi.

— Pourquoi mon frère plus particulièrement, Ezra ? Je n'ai pas mentionné quoi que ce soit à son propos.

J'ai les mains qui tremblent et la respiration saccadée. J'ai de la difficulté à assembler les pièces manquantes. Non pas parce que je ne les ai pas, mais parce que je ne veux pas compléter ce puzzle.

— Cette affirmation est positive à 94,2 %. Et à votre réaction, ce pourcentage augmente considérablement frôlant les 100 %.

— Efface toutes les données que tu as sur moi.

— Vous n'avez pas l'autorisation de cette demande étant donné que vous n'êtes ni l'administratrice de mon système d'exploitation ni sa créatrice.

— Dans ce cas j'ai terminé, la coupé-je sèchement. Éteins-toi avant que je ne le fasse moi-même.

Elle s'exécute dans un dernier soupir, et je fais claquer l'écran contre le clavier en me prenant le visage à deux mains.

S'ils découvrent Noah, il y a une chance sur deux qu'il n'en ressorte pas vivant et cent pour cent des chances que nous ne le revoyions jamais.

Puis je réalise que j'ai oublié un détail capital, une question importante à laquelle je peux finalement répondre moi-même en y resongeant.

Pourquoi Caleb ne se souvient-il pas de moi, mais que chaque fois qu'il me regarde, je vois danser au fond de ses yeux ce qu'il ressentait jadis pour moi ?

Il y a quelque chose que la République n'a pu lui enlever: ses sentiments à mon égard. Serait-ce à cause de sa puce ? Ce serait donc ça qui lui aurait effacé la mémoire ? Ce serait donc ça, la raison pour laquelle tous les soldats ne rentrent jamais chez eux ? Parce qu'ils ne se souviennent pas de ceux qui les ont aimés ? Parce qu'on les fait oublier ?

Je pivote vers l'horloge accrochée au mur. Déjà 14 h 20. Je ne peux pas rentrer chez moi en plein jour et puis il y a quelque chose qui m'en empêche.

Quelque chose de fort, de puissant.

Quelque chose qui me donne l'impression que tout est à portée, que tout est accessible, que tout est possible.

Quelque chose qui me fait sentir belle, vivante et désirée. Quelque chose dont je pourrais difficilement me passer une fois que je serai partie.

Nayden.

Seize

Vers 19 h, le téléphone sonne. Je sursaute aussitôt. C'est la première fois que je l'entends. Je ne sais pas si je dois décrocher. Je ne sais pas si j'ai envie de décrocher. J'ignore tout ça et j'ai la main sur la poignée de la porte, prête à saisir ma liberté.

La tête entre les mains, j'ai passé l'après-midi à chercher. À réfléchir. À me demander si c'était véritablement ce que je voulais. Si je souhaitais vraiment partir. J'ai fait les cent pas dans tout le loft, l'estomac noué et le cœur au bord des lèvres.

J'en suis venue à la conclusion que oui. Je *veux* et je *dois* partir. Il n'est plus question de volonté ou de possibilité, mais de devoir maintenant.

Il le faut.

Il le faut pour ma famille et pour mon petit frère plus particulièrement. Il a be… non, *j'ai* besoin de lui.

Je suis finalement montée dans la chambre de Nayden pour fouiller dans la garde-robe à la recherche d'un sac. J'en ai trouvé un, tout au fond du placard. Un sac de sport en nylon noir, avec une bandoulière de la taille de deux ballons côte à côte. Je l'ai pris et j'ai fourré tous mes vêtements dedans.

Après quoi je me suis mise à chercher pour de l'argent. Je dois absolument prendre un taxi jusqu'au café de Lanz. De là, j'aurai un repère et je pourrai traverser sans trop de problèmes.

Du moins, je l'espère.

Je me souviens que Nayden m'a une fois laissé quelques billets pour commander quelque chose si l'envie m'en prenait. Je pars donc à la recherche de cette petite liasse d'argent. Une fois que je l'ai retrouvée, dans un tiroir du bureau, je la glisse dans l'une des petites poches du sac.

Après quoi, je le fixe pendant tout près d'une heure en attendant que la soirée vienne. La nervosité me serre les entrailles. Avant cette heure perdue à me poser des questions, j'ai nettoyé toute trace de mon passage dans le loft de Nayden. Sans savoir pourquoi, je me suis dit que ne plus rien laisser de moi dans cet appartement lui rendra peut-être mon départ plus facile.

Et puis j'ignore pourquoi mon départ serait difficile… je veux dire, il me connaît à peine, non ? Je ne suis rien pour lui. Je n'ai pas à représenter quoi que ce soit non plus.

Dans ce cas, pourquoi est-ce que, moi, je sens quelque chose se détacher de ma poitrine pour rester ici, malgré mon envie de ne rien laisser derrière ?

Pourquoi est-ce qu'il me semble que je laisse bien plus que des souvenirs entre ces murs, mais également une part de moi ?

Pourquoi cet au revoir qui n'en est pas réellement un me déchire-t-il à ce point ?

Pourquoi la nuit dernière, je n'ai rêvé que d'une seule chose et c'est de sa présence tout près de la mienne ?

Sans doute parce que je l'aime, oui. Oui, je l'aime. Je l'aime lui et tout ce qui porte son nom, de près ou de loin. Lui et tout ce qui l'entoure.

Certains disent qu'il y a du bon dans les adieux, de ce que j'y connais, les miens n'ont jamais rien connu d'heureux. Je ne vois pas pourquoi ceux-ci seraient différents. Ils me semblent d'ailleurs plus douloureux encore.

J'ai tenté, vainement d'ailleurs, d'avaler quelque chose quand Nayden est rentré pour souper. Je n'ai réussi qu'à fixer une assiette à moitié pleine. Chose qu'il m'a d'ailleurs reprochée et j'ai eu peur qu'il devine ce que je prépare ; qu'il voie ce sac que je me suis empressée de dissimuler quand je l'ai entendu rentrer, et qu'il devine mon intention de partir d'ici dans chaque éclat de rire que je me permets ce soir ne serait-ce que pour lui cacher la vérité.

Il reste un bon moment d'ailleurs, plus que nécessaire. Je vois à son regard qu'il se doute de quelque chose, mais il fait quelque chose que je ne mérite pas : il me fait confiance. Il m'effleure ensuite la pommette de ses lèvres douces et chaudes et tellement parfaites sur ma peau que ce simple contact suffit à me faire douter encore plus.

L'heure d'après, je valse entre deux envies. Celle de courir à sa suite pour le supplier de ne pas me laisser partir et celle de fouler le pas de la porte sans jamais me retourner. Je passe cette heure à me prendre la tête, tout en priant pour que Nayden ne pose pas la main sur la poignée pour rentrer avant plusieurs autres heures, voire plusieurs jours si c'est possible.

Et malgré toutes les contradictions qui ricochent dans ma tête, je prends ma décision. Celle de partir.

Ce qui me ramène impérativement à cet instant précis. À 19 h 02. Là où le téléphone n'a cessé de sonner alors que j'avais la main sur la poignée, prête à rattraper cette liberté si longtemps volée, mais au fond, étais-je vraiment privée de cette liberté ?

Non. Bien sûr que non. Au contraire, j'avais des ailes avec lui. Alors pourquoi est-ce que je sentais encore le besoin de partir ? Sûrement parce que ces ailes, je ne les assumais toujours pas.

Il a fallu que je réponde sans quoi je l'aurais inquiété – parce que ça ne pouvait être que lui qui appelait – et mon plan serait tombé à l'eau. Je me suis donc élancée vers le téléphone de crainte que la sonnerie ne s'arrête et j'ai décroché en le plaquant à mon oreille, sans rien laisser entendre d'autre pour la personne à l'autre bout du fil qu'un soupir entrecoupé.

— Lena ? m'a demandé Nayden à l'autre bout du combiné.

Mes doigts se sont serrés autour du téléphone quand je l'ai entendu murmurer mon nom. Sa voix chaude, pareille à un ronronnement fauve, parvenait à mes oreilles avec tant d'amour que j'ai manqué tomber sur la chaise tout juste derrière.

J'ai dit d'une voix étranglée :

— Oui ?

— Que se passe-t-il ? Est-ce que tout va bien ?

— Oui, ai-je répondu un peu trop vite. Je viens de terminer une autre comédie musicale, excuse-moi de n'avoir pu décrocher plus tôt.

J'ai plaqué silencieusement une main sur mon front, me trouvant pitoyable d'inventer un tel mensonge.

— Oh…, a-t-il chuchoté. Donc tout va bien ?

— Oui, oui. Pourquoi tu m'appelais ?

— Je voulais te dire de ne pas m'attendre ce soir. Je risque de rentrer tard. Je vais devoir aller faire une ronde de plus pour récupérer les rapports des supérieurs de milices… enfin. Bref, ne m'attends pas, d'accord ?

— C'est d'accord.

J'ai soupiré, pianotant nerveusement contre le bureau.

— Tu seras là, n'est-ce pas ?

Mes yeux se sont couverts de larmes et j'ai étouffé un sanglot. Il devait forcément se douter de quelque chose. Il l'avait vu plus tôt. En fait, il ne m'appelait que pour s'assurer que j'étais encore ici.

Il y avait bientôt une semaine entière qu'il n'avait pas abordé le sujet de mon potentiel départ. Et rien au monde dans la dernière semaine ne m'aurait donné envie de partir.

Qu'aurais-je donné pour l'embrasser une dernière fois avant de partir ? J'aurais tellement voulu qu'il me dise de quoi me convaincre de rester. Surtout, je m'en suis voulu de le laisser me faire confiance alors que je lui racontais un tissu de mensonges.

— Oui, bien sûr, quelle question !

Ma voix n'était qu'un filet tremblant. Je faisais de l'ironie maintenant ! Ce que je pouvais être lamentable.

J'ai croisé les doigts pour qu'il croie à ce que je disais tout en me maudissant d'être aussi odieuse avec quelqu'un qui avait été si gentil avec moi, mais d'autant plus cruelle de savoir ce que je lui faisais là, maintenant.

— À plus tard dans ce cas, Flocon de neige, a-t-il dit avec candeur.

J'ai hésité. Je n'étais pas prête à lui dire au revoir, à partir et pourtant je le faisais quand même alors que je venais tout juste de lui promettre indirectement que je serais là.

— Au revoir, Nayden.

J'ai fermé les yeux et raccroché avant qu'il ajoute quoi que ce soit. Je me suis effondrée contre le sol en laissant le combiné tomber par terre.

C'était sans doute la dernière fois que je l'entendais. La dernière fois que je lui parlais. La dernière fois qu'il m'appelait *Flocon de neige*… Et j'avais aussi mal que si on venait de m'arracher le cœur à mains nues.

J'aurais voulu rester ici, attendre qu'il arrive en trombe dans le loft pour me prendre dans ses bras. Sentir ses lèvres chasser à coup de baisers tous mes doutes. Goûter chaque parcelle de sa peau pour l'immortaliser à tout jamais. L'entendre me dire qu'il m'aimait encore et encore pour que si j'avais à mourir dans la minute suivante, je puisse partir le cœur léger plutôt que lourd de regrets.

Mais je ne méritais rien de tout ça.

Je me suis relevée en essuyant mon visage du revers de la manche. Je me suis rendue à la salle de bain, ciseaux en main. C'était le moment de dire au revoir à mes cheveux longs. D'une main que je souhaitais assurée, mais qui tremblait tout de même, j'ai coupé mes cheveux à la hauteur de mes épaules. Les mèches sont tombées une à une sur le comptoir. Avec cette teinture et cette nouvelle coupe, je risquais moins de me faire identifier. Du moins je l'espérais. J'ai jeté mes cheveux à la poubelle et quitté la salle de bain.

J'ai récupéré mon sac et marché jusqu'à la porte de l'entrée avant de me raviser. Pas question de passer par là. Je risquais d'éveiller davantage ses soupçons si, en rentrant, Nayden découvrait que la porte n'était pas verrouillée comme à son habitude puisque je n'avais pas la clé pour la barrer une fois sortie.

Je me suis arrêtée près de la table de la cuisine. Il méritait au moins que je lui laisse un mot. Rien qu'un message pour que les derniers souvenirs qu'il garde de moi ne soient pas qu'un au revoir étouffé au bout du fil et quelques mèches de cheveux dans la corbeille.

J'ai donc arraché la page de garde d'un roman de sa très grande bibliothèque, sans égard au livre déniché. Tout ça avait bien peu d'importance. Le titre ne m'apparaissait d'ailleurs que comme une succession de voyelles et de consonnes qui ne faisaient aucun sens dans ma tête. Je ne connaissais pas cette langue. J'ai remis le bouquin à sa place et déniché un stylo dans un des tiroirs du bureau.

Je me suis arrêtée, la pointe du crayon à quelques millimètres à peine de la feuille. J'avais tant de choses à dire qui ne pouvaient être résumées sur un si petit bout de papier. Cette plume était mon dernier moyen de lui laisser une toute petite parcelle de moi et pourtant il me semblait qu'elle était vide entre mes doigts. Sans doute parce que je n'avais rien au creux de la poitrine. C'est probablement pourquoi je n'ai trouvé que ces mots: *Pardonne-moi.*

J'ai posé la feuille sur la table, le stylo tout près. Sans un regard par-dessus mon épaule de peur d'y laisser, en plus d'un mémo, toute cette honte qui m'envahissait. Sans plus attendre, je me suis engouffrée dans l'escalier de service.

Dix-sept

Je descends les marches si rapidement que le contact de mes bottes sur le béton se fait à peine sentir. Je pousse la porte de sortie à la volée et émerge dans l'air glacial en haletant de douleur, de peine et de mélancolie.

Je regarde à gauche et à droite, dans l'espoir de me situer, mais je n'ai aucune idée où je suis. Je parcours le stationnement du regard avant de trouver le chemin jusqu'à la rue et marche d'un pas pressé sur le trottoir couvert de neige.

Ici, le couvre-feu ne sonnera pas avant au moins quatre autres heures. Ce n'est donc pas le temps qui manque de ce côté. C'est celui du mien qui m'inquiète. D'autant plus que j'ignore qui se trouvera derrière la brèche quand je passerai et, surtout, si je réussirai à passer.

Je ne croise pratiquement personne dans les rues et le peu de gens que je rencontre ne s'intéressent pas ou peu à moi. Je ne relève les yeux du sol que pour m'assurer d'être sur la bonne voie. Même si j'ignore où est la bonne voie. Je scrute l'obscurité percée de réverbères dans l'espoir d'apercevoir une voiture noire au-dessus de laquelle il est inscrit le mot TAXI.

Je marche au moins dix minutes avant de pouvoir enfin faire signe à l'une d'entre elles.

J'ai les pieds frigorifiés et les joues rougies par le froid quand je claque la portière en jetant un dernier coup d'œil aux alentours.

Un homme dans la cinquantaine se tourne vers moi, un vague sourire sur son visage couvert d'une barbe de quelques jours.

— Où est-ce que je vous emmène, Mademoiselle ?

— Au Blues Haus, s'il vous plaît.

— Oh ! Vous allez écouter le concert ?

— Oui. Henry sera là ce soir, n'est-ce pas ? dis-je comme si je ne le savais pas déjà.

— Exactement. Cet homme est un fou du piano ! Il est tout à fait incroyable, les gens l'adorent.

— C'est ce que tout le monde dit, oui.

Je lui offre un mince sourire et le laisse se concentrer sur la route. Il s'est remis à neiger et le chemin risque d'être glissant. Je me cale contre la banquette, le regard tourné vers la fenêtre.

Le trajet me semble interminable. Soit mon impatience est à son paroxysme, soit je suis terriblement plus loin de la frontière que je ne l'aurais cru. Le compteur tourne et je mordille ma lèvre inférieure plus les minutes passent et plus les kilomètres s'allongent. Ma mâchoire est contractée par l'angoisse. Je tâche de ne pas trop soupirer non plus et ne cesse de me mordre les lèvres pour m'en empêcher.

Le chauffeur tente d'entretenir la conversation, mais je ne suis pas d'humeur très loquace ce soir. Je ne réponds que par monosyllabes quand l'occasion se présente.

Heureusement, cela ne semble en rien altérer sa bonne humeur et je m'en réjouis presque. Si seulement je n'étais pas si anxieuse, je pourrais lui être d'une compagnie plus agréable. Si ce n'est que le stress m'a volé la langue et qu'il n'est pas près de me la rendre.

Quand il s'arrête finalement devant le café, je manque pousser un cri de joie. Je jette un coup d'œil au compteur. J'ai juste assez d'argent et je lui tends les billets en lui disant de garder la monnaie s'il y en a, ça m'est complètement égal.

Il me remercie chaleureusement et je ressors dans l'air glacial quand il me souhaite une bonne soirée. Je claque la portière et le laisse démarrer.

J'attendrai qu'il ait complètement disparu de mon champ de vision pour me mettre en marche. Il ne doit pas savoir que je n'avais nullement l'intention de rentrer dans le Blues Haus.

Je fais tout de même volte-face vers le bar avec une vague envie d'y entrer histoire de me sentir à nouveau familière avec quelque chose d'ici, mais j'ai trop peur de me faire reconnaître en y posant le pied.

D'ailleurs, voilà beaucoup trop longtemps que je m'y attarde: derrière le petit lutrin sur lequel se trouvent toutes les cartes des boissons, le regard de Frieda vient de croiser le mien. Elle ouvre la bouche de surprise, descend de son poste et se faufile entre les clients. Le bar est bondé, j'ai de la chance, cela ralentit sa progression jusqu'à moi. Je ne dois pas la laisser me voir plus longtemps.

Je jette un regard à droite et à gauche puis traverse la route en courant. Une voiture me klaxonne, je saute sur la gauche et zigzague jusqu'à la ruelle entre les quelques voitures stationnées.

Je me faufile dans l'obscurité, presque reconnaissante de retrouver ce chemin que j'ai si souvent foulé, et me dissimule un moment dans l'ombre d'un bâtiment tout en conservant un visuel sur le bar.

Frieda vient de mettre le pied dehors et scrute les environs dans l'intention de m'apercevoir. Elle sait que c'était moi. Ce n'est pas parce que j'ai les cheveux bruns et vaguement plus courts que cela l'empêchera de m'identifier. Considérant le nombre de soirées que j'ai passées avec elle, je suis certaine qu'elle m'a reconnue. Elle s'attarde encore un petit peu avant de fermer les bras sur son corps et de rentrer à l'intérieur. Je soupire de soulagement.

Je suis plus nerveuse que jamais et, pourtant, j'ai dû faire ce trajet des centaines de fois.

J'accélère quand il y a plus d'ombre et ralentis au moindre réverbère qui croise ma route. Je redouble de prudence à chaque milice que j'entends passer dans une ruelle trop près et remercie le ciel de laisser la neige se charger d'effacer mes traces.

Quand je vois enfin le mur, mon cœur s'arrête: j'ignore si la brèche est toujours là. Cachée dans l'ombre, j'expire de petites bouffées de chaleur qui se condensent devant mon visage.

J'avance d'un pas. Le chemin est entièrement éclairé à ce stade et les caméras sont absolument partout. Il est interdit d'être si près de la frontière, même pour les gens d'ici. Mais j'ignorais à quel point la sécurité avait été renforcée jusqu'au moment où un projecteur se braque sur moi et que l'alarme retentit, plus bruyante encore que dans mon souvenir.

Je cours, me faufile dans la brèche. Un soldat que je ne connais pas et qui n'est pas Caleb me fait dos. J'ai beau ne pas l'avoir revu depuis un mois, je le reconnaîtrais les yeux bandés dans une foule de mille personnes.

Je pousse le soldat de toutes mes forces et il bascule contre le mur de brique à sa droite, déstabilisé par cette force venue de derrière.

Je cours et cours encore. Je cours à en perdre haleine. J'ai les poumons en combustion et la gorge glacée par l'air ambiant. Mes oreilles bourdonnent, assaillies d'un essaim d'abeilles sans pareil.

J'ai peut-être une chance de m'en sortir, une toute petite chance et si elle est là, il me faut absolument la saisir. La neige accumulée au sol ralentit ma progression, je glisse. Ma chance s'éloigne, galope devant moi à une vitesse qu'il m'est impossible d'accoter.

J'ai échoué. J'ai échoué. J'ai échoué.

On sonne l'alarme de mon côté aussi. Une milice déboule autour de moi, aboie des ordres. Je peux l'entendre, mais surtout, je vois les lampes torches qui se braquent sur moi.

Je m'arrête en battant l'air des bras.

Mon cœur ne palpite plus, il explose à chaque battement. Je tente vainement de faire demi-tour, mais une troupe d'au moins dix soldats m'en empêche. On me crie de m'arrêter, de lever les mains en l'air et de ne pas tenter quoi que ce soit. Je reste paralysée, tétanisée.

J'ai échoué. J'ai lamentablement échoué. *Pardonnez-moi tout le monde, je vous en prie.*

Je suis aveuglée par une douzaine de faisceaux de lumière blanche qui se braquent sur mon visage. Je plisse les paupières, trop aveuglée pour regarder qui que ce soit en face.

Je tourne un peu la tête vers la droite. Je ne peux pas m'enfuir. Je suis prise au piège, pire qu'en cage.

Je voudrais qu'on m'achève dès maintenant, qu'on me fusille sur place, ça m'est complètement égal. J'ai envie de leur hurler de le faire, mais j'ai la tête prise dans un étau. Mes mots se pressent les uns contre les autres dans ma gorge qui prend feu.

Je recule d'un tout petit pas comme si c'était suffisant pour les faire disparaître tous. J'aurais dû me douter que le contraire se produirait. Je ne devais pas bouger. On me l'avait pourtant ordonné.

On m'assène un violent coup de crosse sur la nuque.

Je plonge dans un océan de noirceur et de bruits étouffés.

J'ai échoué. Pardonnez-moi. J'ai échoué. Je vous en prie, pardonnez-moi. Je vous en prie. Je vous en prie. Je vous en prie.

Dix-huit

Je sens mes pieds glisser contre un sol étrangement lisse. La lumière m'aveugle malgré mes paupières closes. Je suis d'autant plus éblouie quand j'essaie d'ouvrir les yeux afin de comprendre ce qui se passe. Mes oreilles sillent et un goût ferreux me roule en bouche.

On murmure sur mon passage, j'aperçois des silhouettes me pointer du doigt et s'écarter le long des murs. Les bottes de la milice qui m'escortent martèlent le plancher à un rythme régulier. Les mains des deux soldats qui me traînent me font mal. Leurs doigts s'enfoncent dans ma chair, marquent ma peau au fer rouge.

Qu'est-ce que j'ai fait ? À quoi j'ai pensé ?

À rien du tout.

Voilà le problème.

Je voudrais me dégager de leur poigne, mais le simple fait d'y penser me donne la migraine. Ils ne semblent pas avoir réalisé que j'ai repris connaissance. Je préfère les laisser croire que je suis toujours évanouie. J'ignore ce qu'ils me feraient s'ils savaient que je suis éveillée, alors je préfère feindre l'évanouissement. En plus, c'est beaucoup plus facile vu mon état actuel.

On m'a sans doute frappée au visage en plus du coup que j'ai reçu à la nuque. Je sens mon pouls contre ma pommette sans doute éclatée.

Je me suis peut-être débattue ? Je n'en ai aucun souvenir.

Je ne sais pas depuis combien de temps ils marchent, mais je ressemble à un poids mort entre leurs mains quand quelqu'un s'arrête juste devant nous.

— Un instant ! ordonne une voix aux hommes qui s'arrêtent brusquement. HÉ ! Arrêtez-vous !

Je reconnaîtrais cette voix, même sourde.

J'identifierais ce visage, même aveugle.

La douceur de sa peau sous mes mains, même gantées.

Mais plus encore, je discernerais ce parfum au centre d'un volcan de soufre.

Nayden.

Ils s'exécutent et effectuent un salut solennel. Les deux hommes qui me soutiennent doivent lâcher l'une de leurs mains autour de mes bras et je m'affaisse contre le plancher. Aussitôt, leur poigne se fait plus ferme et je dois serrer les dents pour éviter qu'un gémissement ne glisse d'entre mes lèvres.

Il ne doit pas me regarder. Je ne veux pas qu'il me regarde. Je ne veux pas. *Retourne-toi, Nayden. Pars. Cours. Ne me regarde pas. Ne m'adresse pas la parole. Va-t'en ! S'il te plaît. S'il te plaît. Ne m'accorde pas ton pardon, je ne le mérite pas, bien que ce soit ce que je souhaite le plus au monde, je n'en vaux pas la peine malgré tous les espoirs que tu as pu placer en moi ces derniers temps. Je ne suis rien, rien du tout. Va-t'en. Va-t'en…*

— Qu'est-ce que vous faites ? leur demande-t-il.

— Pardonnez-nous, Lieutenant-général. Nos ordres viennent de votre supérieur immédiat.

Il prend une seconde avant de répliquer :

— Quels sont vos ordres ?

— Nous devons transporter l'Insoumise dans une cellule en vue de son interrogatoire, Monsieur. Nous ne pouvons vous en dévoiler davantage. Nos directives nous l'interdisent et…

— Général Prokofiev ou Tchekhov ? le coupe sèchement Nayden.

— Général Tchekhov, mon Lieutenant-général. Sauf votre respect, nos instructions nous empêchent de vous obéir. Il nous faut emmener la détenue dans les plus brefs délais.

Il ne m'a pas reconnue. À moins qu'il feigne la surprise à merveille. Bien que j'aie toujours la tête rejetée vers l'avant, ce qui l'empêche peut-être de m'identifier. Non, ne sois pas ridicule, Lena, tu es sans l'ombre d'un doute l'Insoumise la plus recherchée de toute la République.

Il se refuse peut-être à l'évidence.

Après tout, je porte le manteau qu'il m'a acheté. J'ai les cheveux teints par cette couleur qu'il a choisie pour fausser mon apparence. J'ai le physique exact de la criminelle qu'il gardait dans son loft et qui donnerait absolument tout à cette seconde pour y être restée.

Je l'entends qui s'approche. Mon cœur bat plus rapidement et je voudrais le supplier à genoux de me pardonner. Si ce n'est que j'ai perdu toute envie de parler pour les cinquante prochaines années.

Il se fige, je le vois à la posture, à la position de ses pieds. Mes dents se referment sur ma lèvre inférieure. Ma tête mollement rejetée vers l'avant me le permet tout comme mes cheveux qui tombent de chaque côté de mon visage.

Ne les laisse pas voir que tu me connais, Nayden. Tu ne me connais pas. Je ne suis qu'une inconnue à tes yeux. Dis-leur que tu ne me connais pas. Tu ne me connais pas. Tu ne peux pas me connaître. Tu n'as pas le droit de me connaître et tu le sais. Tu vas te mettre en danger si tu leur fais savoir que tu me connais.

Ses doigts glissent sous mon menton qu'il lève vers le haut. Mes paupières papillonnent sous l'effet intense de la lumière qui me tape jusqu'au fond de l'orbite. Mon visage se crispe quand la pression de son index sur ma mâchoire se fait plus forte. Je croise son regard une seconde. Une seule et c'est suffisant pour qu'il me relâche d'un air dégoûté.

J'essaie de me redresser, mais je reçois immédiatement un coup qui me ramène au sol.

— Emmenez-la dans ce cas, conclut-il.

— Tout de suite, Lieutenant-général.

Ils se remettent en marche tout en raffermissant leur poigne autour de mes bras. Un virage à gauche, puis un second et finalement, une porte qui s'ouvre en trombe. Une chaise que l'on racle sur le sol et sur laquelle on me lance presque. On arrache mon manteau et me dépouille du pull que j'avais enfilé pardessus ma chemise avant de partir.

On ne me laisse que ma chemise, mes pantalons et mes bottes.

Frigorifiée sur une chaise de métal encore plus froide, on me laissera probablement attendre.

Je veux voir ce qui se passe. Je veux voir ce qu'ils vont me faire. Je ne réussis qu'à m'aveugler davantage; la lumière est éclatante, insupportable. Sur ma gauche, le mur est couvert d'un grand miroir qui couvre la moitié de la surface. Ou plutôt, un miroir sans tain. Dans les quatre coins de la pièce, des caméras. On me surveillera constamment.

Un soldat tire rudement mes bras vers l'arrière pour les attacher si serré, à croire qu'ils veulent me les arracher.

Le deuxième des trois – parce qu'ils sont trois pour m'attacher dans cette cellule – se penche vers mes pieds pour les attacher à la chaise. C'est plus fort que moi, je ne peux rester là sans rien faire. Je donne un coup de pied vers l'avant… et l'atteins directement sur la mâchoire.

Il attrape ma bottine, la repousse violemment et se lève en crachant au sol un filet de sang dont je reçois quelques éclaboussures.

Il m'a l'air furax. Je crois que je lui ai cassé une dent.

Je suis dans la merde.

Le revers de sa main s'abat sur mon visage et fend ma lèvre, qui se met à saigner. Une fois, deux, puis trois jusqu'à ce que l'un des deux autres soldats le retienne de me frapper à nouveau.

— Salope, me crache-t-il au visage avant de quitter la pièce suivi de l'un de ses coéquipiers.

Les larmes envahissent rapidement mes yeux. Pourtant, je ne suis pas sans savoir que je pourrais verser un océan entier de larmes que ça ne changerait absolument rien au châtiment qui m'attend.

Celui qui est encore avec moi se penche vers mes pieds et retire prudemment mes bottes qu'il balance au fond de la pièce. Il resserre les liens au maximum et sort à son tour sans un regard par-dessus son épaule. Après quelques minutes, on me plonge dans une obscurité des plus totales.

Je me secoue sur ma chaise dans l'espoir de me défaire de mes nœuds beaucoup trop serrés. Je gémis, je pleure, je me débats contre des liens impossibles à défaire. Après tout près de quinze minutes, je ne réussis qu'à me brûler la peau des poignets. Les larmes coulent abondamment sur mes joues et je n'en ai pas honte.

Quand, après ce qui me semble une heure d'attente, on ouvre la porte, c'est bien sûr en sursautant que j'accueille le nouvel arrivant.

Un homme dans la cinquantaine entre en faisant pratiquement exploser la pièce de lumière. Je cache rapidement mon visage dans mon épaule avant de rediriger toute mon attention sur mon visiteur.

Il a les cheveux blancs et gris très courts, rasés sur les côtés. Il porte un t-shirt gris anthracite glissé dans ses pantalons noirs et il a un pistolet dans un holster attaché à sa ceinture. Ses bottines noires cirées reflètent la lumière des néons. Je peux presque me voir dedans. Il est étonnement musclé pour un homme de son âge et sa carrure à elle seule réussit à me faire frissonner sur ma chaise. On ne pourrait pas vraiment le qualifier de baraqué, mais sa prestance est telle qu'il en semble aussi imposant physiquement.

Ses traits sont rudes, inexpressifs, terriblement froids. Ses yeux d'un bleu glacial incroyablement perçants me scrutent à la loupe. Jamais je n'aurais cru qu'une telle teinte de bleu, si pâle, puisse exister.

Je suis intimidée. Je soutiens son regard de peine et de misère. Le mien doit lui sembler tellement misérable.

Il récupère la chaise posée près de la porte et la traîne devant moi. Elle racle lentement le sol. Il ne me quitte pas des yeux une seule seconde. Quand il fait claquer les pattes sur le sol de béton, je sursaute sur mon siège.

Il s'assoit et me dévisage, le corps relâché vers l'avant et les bras contre le dossier qu'il a placé face à moi. J'aimerais en faire de même si seulement la lumière ne faisait pas exploser mon crâne.

Malgré tout, il est si près que ses traits se découpent encore plus finement. Une cicatrice d'un blanc nacré barre en diagonale ses deux lèvres d'un trait inégal et imprécis.

Je fronce légèrement les sourcils et me demande, malgré toutes les circonstances qui me prédisposeraient à penser autre chose, comment il s'est fait cette cicatrice.

— Comment tu t'appelles ?

Je reste coite. Ma bouche est sèche et j'ai un goût horrible qui y tourne depuis beaucoup trop longtemps. Un mélange de sang et d'âpreté écœurante. Sans se départir de son flegme, il me repose la question. Sa voix est grave, presque douce et trop coulante.

Je la déteste.

— Comment tu t'appelles ?

Je me décide à lui répondre. Je n'ai rien à perdre. Il ignore mon véritable nom et il ne le saura jamais. Tout comme je ne saurai jamais pourquoi il a une cicatrice qui lui barre les deux lèvres.

— Lena.

— Lena… Et ton nom de famille, ma jolie ?

— Pavlova.

Il attend, une, deux, trois, quatre secondes, puis me gifle. Ma tête tourne vers la droite, je vois des étoiles qui devraient retrouver leur place dans le ciel et non devant son visage qui se brouille quand je cligne les paupières. Il frappe beaucoup plus fort que le soldat de tout à l'heure qui, pourtant, m'a frappée à trois reprises.

— Comment tu t'appelles ?

— Lena Pavlova.

Ma voix ressemble de plus en plus à un marmonnement incertain.

— Tu n'as pas compris, je crois. Comment tu t'appelles ?

— Lena Pavlova.

Sa main droite s'abat une fois de plus sur mon visage, au même endroit. Ce n'est clairement pas la réponse qu'il attend, mais c'est la seule que je lui donnerai. Mes larmes coulent sans retenue. Quand je croise son regard, je n'y vois ni pitié ni haine.

Rien qu'un profond ennui.

— Je peux être gentil, *Lena*, mais pour ça il faut que tu me dises la vérité.

— C'est ce que je fais.

C'est la plus longue phrase que j'ai faite jusqu'à présent et elle me demande un effort surhumain. Ma langue pâteuse se couvre d'un goût métallique désagréable. Du sang.

— C'est un diminutif peut-être ? Celui de Svetlana ? Ou d'Elena ?

— Non. Juste Lena.

Il soupire.

— Ce n'est pas bien mentir. Quatre fois de suite en plus, me reproche-t-il en levant quatre doigts en l'air.

J'ai l'impression d'être une enfant qu'on réprimande. Pas une criminelle qui risque la peine capitale. Non. Rien qu'une enfant pitoyable qu'on a surprise à voler dans le pot de biscuits.

Je le déteste.

— Vérifiez mes papiers dans ce cas.

Il me frappe. Trois fois en l'espace de deux minutes. C'est beaucoup, je trouve. Je risque de retomber inconsciente.

— Je n'ai pas d'ordre à recevoir de toi, tient-il à me rappeler d'un ton égal. Comment tu t'appelles ?

— Lena Pavlova. Mon code d'identification est le 45-HR2…

Je n'ai pas le temps de finir. Cette fois ce n'est pas sa main ouverte qu'il offre à mon visage, mais son poing fermé en entier qui s'abat sur ma joue. C'en est trop. Je tourne la tête vers lui aussi rapidement que mon état me le permet et je lui crache au visage.

J'en ai assez. Voilà. C'est fait.

Il reçoit un mélange de sang et de salive qui pigmente sa peau de petites gouttes rougeâtres.

Mon cœur a arrêté de battre. *Qu'est-ce que j'ai encore fait ? Ce que je peux être stupide.* Je voudrais que le sol s'ouvre sous mes pieds.

Il se lève sans rien dire et se dirige vers la sortie. Me laissant là. Je pleure encore. Je n'ai sans doute pas fini de le faire non plus, alors aussi bien commencer maintenant. Il compte vraiment me laisser ainsi ? Attachée à cette chaise ? Après tout, c'est ce que je mérite pour avoir craché au visage d'un général de la République, pas vrai ?

— Non ! Vous ne pouvez pas me laisser comme ça ! S'il vous plaît, détachez-moi ! S'il vous plaît ! criée-je tandis que la porte s'ouvre sur le couloir et qu'il me laisse seule, attachée, sans possibilité de me défaire de mes liens.

Il se tourne lentement, presque trop, et lâche avec mépris :

— Je fais ce que je veux.

Il cogne contre le battant et la porte se déverrouille avant qu'un soldat ne lui ouvre et qu'il s'éclipse dans la lumière incandescente du couloir. La porte se referme dans un claquement assourdissant et je bondis sur ma chaise dans l'espoir de me défaire des liens qui m'entravent.

D'un seul coup, les lumières se ferment à nouveau. Les néons se taisent et il n'y a plus que l'obscurité pour me faire plonger. Je relâche la tête vers l'avant. Mes larmes tombent une à une sur mes cuisses. Je sanglote et laisse retomber mon visage vers le bas. Mes larmes coulent, la douleur est lancinante, insupportable et ce n'est que le début.

Alors je me demande pourquoi je ne suis pas restée chez Nayden. Pourquoi je n'ai pas attendu qu'il me vienne en aide le jour où je devais rentrer chez moi, exactement comme il me l'avait proposé. Pourquoi j'ai fait tout ça seule, comme si j'étais en mesure de le faire. Mais je ne peux pas. Je ne peux pas parce que je ne suis qu'une pauvre adolescente aux espoirs dérisoires.

Pire : j'ai échoué. C'est pourquoi je recommence à m'excuser entre mes sanglots.

— Je suis désolée… tellement désolée. Pardonnez-moi, s'il vous plaît. S'il vous plaît.

Les caméras doivent sans doute enregistrer tout ce que je dis. Ils penseront que je m'excuse auprès du soldat qui vient de sortir et qui est fort probablement le général Tchekhov, celui que les soldats ont mentionné tout à l'heure à Nayden, mais mes excuses ne lui sont aucunement destinées.

Elles s'adressent à tout ce que je tente de protéger. À tous ceux pour qui j'écope de tous ces coups, quitte à mourir pour les sauver.

Et sans vraiment savoir comment, je m'évanouis.

Dix-neuf

C'est un raclement de gorge tout près de mon visage qui me réveille. J'ai une terrible douleur à la nuque et la tête aussi grosse qu'un ballon gonflé à l'hélium à deux doigts d'exploser.

Je voudrais bouger, reculer, échapper à ce visage trop près du mien, mais j'en suis incapable. J'en suis incapable parce que je suis toujours attachée à une chaise.

Mes poignets me font souffrir le martyre et mes jambes sont toujours ligotées et endolories. Malgré mes chaussettes, jamais au monde je n'ai eu plus froid aux pieds. Les responsables de ma cellule doivent avoir baissé la température pendant la nuit.

Les cordes auraient pu se trouver par-dessus mes bottes si j'avais eu la brillante idée de ne pas frapper au visage le soldat qui m'attachait… Je souffrirais sans doute moins.

Ma tête relâchée vers l'avant crée une tension dans toute ma colonne et mes cheveux me tombent sur le visage où certaines mèches sont restées collées contre mes joues et mes lèvres ensanglantées. Je suis ankylosée de toute part.

Mes paupières papillonnent et je soulève lentement le menton pour regarder mon interlocuteur. Le miroir sur ma gauche renvoie encore plus de lumière qu'il n'y en a déjà – à moins que ce ne soit ma migraine qui s'aggrave.

Je peux presque sentir le regard sévère des hommes derrière. Si seulement je pouvais croiser leurs yeux pour qu'ils voient toute la haine que je ressens à leur égard maintenant que j'ai découvert la vérité sur leur mascarade de République.

J'ai la gorge sèche et ma bouche l'est plus encore. J'ai même le goût âpre du sang collé aux coins des lèvres. Tous les coups que j'ai reçus la veille m'explosent au visage. J'ai tout un côté du visage enflé, j'en suis sûre rien qu'à la douleur que je ressens.

Je dois avoir une mine affreuse.

Le sourire goguenard que mon visiteur affiche aujourd'hui sur son visage me donne envie de vomir. Si seulement je n'avais pas les mains liées, je lui retirerais ce sourire écœurant pour le lui enfoncer au fond de la gorge.

Je le déteste.

— Bonjour, princesse ! Bien dormi ?

Je ne dis mot. Je risque encore de lui cracher au visage si j'ouvre la bouche.

— Tu te demandes sûrement où tu es, pas vrai ? enchaîne-t-il en inclinant la tête sur le côté.

Je m'abstiens de tout commentaire et de toute réaction. Je reste de marbre, à le regarder fixement dans ses yeux bleu glace. Je crois que le silence sera mon plus précieux allié aujourd'hui.

— Tu es dans une cellule, ma chérie. Tu sais pourquoi ?

Je ne réagis toujours pas, ce qui ne l'empêche pas de poursuivre le monologue qu'il semble prendre un malin plaisir à débiter.

— Tu es dans une cellule parce que tu as enfreint la loi. Tu sais de quelle loi il s'agit, je n'ai pas besoin de te le dire, je crois ?

De marbre, reste de marbre. Tu es un bloc de pierre, Lena. Il prend mon mutisme pour une affirmation et poursuit sans se lasser.

— Pour l'instant, je serai gentil. Je peux même être ton ami si tu veux, mais pour ça, tu dois répondre à mes questions et surtout *parler*. Un vilain chat semble pour l'instant avoir avalé ta langue.

Il s'amuse de sa blague, je m'enrage à l'entendre me parler comme si je n'étais qu'une gamine. Il plisse légèrement les paupières et joint ses mains contre son genou passé par-dessus son autre jambe.

— Je te préviens, ne t'avise surtout pas de me faire perdre mon temps aujourd'hui. Tu m'en as déjà suffisamment fait perdre hier. Je dois ajouter que notre petite conversation est loin de s'être très bien terminée.

Sur ce, il tapote ma joue et je contracte la mâchoire en me dégageant aussi sèchement que possible. Il laisse retomber sa main.

— Tu sais qui je suis ? me demande-t-il en plissant les paupières.

Il a retrouvé son sérieux; je vois maintenant un militaire prêt à me faire la peau.

Aucune réaction de ma part. C'est sans doute pourquoi la gifle qu'il m'assène me fait tourner la tête vers la droite. Mes yeux se révulsent sous mes paupières qui se sont closes sous l'impact. Le goût du sang envahit de nouveau ma bouche. J'ai dû me mordre l'intérieur de la joue quand il m'a frappée. Je ramène mon visage vers le sien en le fusillant du regard.

Lui qui voulait être mon ami, je ne vois pas ce qui pourrait me donner même la vague impression qu'il le sera.

Je n'ai qu'une envie: lui arracher les mains.

— Sais-tu qui je suis ?

Je relève le menton sans rien dire. J'ai une forte envie de lui cracher le filet de sang qui s'accumule sur ma langue pour qu'il s'en aille. Au lieu de quoi j'encaisse la gifle suivante sans rien dire.

— Notre relation commence mal, ma chérie. Je pensais que tu allais être plus coopérative ce matin. Je te le répète encore, et espérons pour toi que ce soit la dernière. Sais-tu qui je suis ?

Qu'est-ce que ça change que je vous connaisse ou pas ? ai-je envie de lui dire, mais je me retiens et lâche seulement:

— Non.

Je sais qui il est. Je l'ai deviné. Je ne lui enlèverai pas son plaisir de se présenter par contre. Tant qu'il parle, ça me préserve de ses coups. À moins qu'il ne se décide à faire les deux en même temps.

Il tape dans ses mains. Je sursaute. Il est ravi par la petite trace de voix rauque qui s'est échappée d'entre mes lèvres rougies d'hémoglobine et ses traits se détendent peu à peu.

— Tu parles aujourd'hui ! Fantastique ! Je me présente donc: général Tchekhov. C'est moi qui mènerai à bien ton interrogatoire. Derrière ce miroir, ce sont mes collègues et subalternes qui enregistreront tout ce qui se passera ici. Tu veux les saluer ?

Je secoue la tête. Il me sourit de toutes ses dents et je me sens presque aveuglée par la blancheur qui en émane.

Je les lui casserais toutes si je le pouvais.

Il me tend la main puis se ravise.

— Je te serrerais bien la main, mais elles sont liées dans ton dos.

Il s'esclaffe. Manifestement, il se trouve amusant et sympathique. Deux qualités que je n'emploierais pas pour le décrire.

— Comment t'appelles-tu, ma belle ?

Mes yeux se ferment tout seuls malgré toute ma volonté de les garder ouverts. C'est pourquoi il tapote à nouveau ma joue, à trois puis quatre reprises. Il claque des doigts devant mes yeux. Ce bruit seul parvient à me donner des envies de meurtre.

Cette fois, j'aurai une raison valable de subir la peine capitale et non uniquement parce que je rentrais chez moi. Rectification : je *tentais* de rentrer chez moi et j'ai échoué.

— On se concentre chérie, on reste avec moi. Je sais, ce n'est pas facile. Bien !... Alors, tu es décidée à me dire la vérité ou devrai-je me contenter de ton affreux mensonge de la veille ?

Il se penche vers l'avant, les coudes posés sur les genoux. Ses avant-bras se découpent finement et ses biceps saillent sous sa chemise noire.

— Ton nom ?

Sa carrure est toujours aussi imposante et il n'est qu'assis. Ce n'est donc pas un effet de ma commotion.

Il attend toujours ma réponse.

Je m'éclaircis la gorge.

— Lena Pavlova.

Une vague envie de sourire me submerge. Si je n'étais pas si amochée, je rirais de la situation. Seulement, la terreur m'en empêche, m'oppresse la poitrine, me prend à la gorge. Il recule contre le dossier de sa chaise et me toise de toute sa hauteur.

— C'est un joli nom. Lena. Ça pourrait être le tien en effet. Je te l'accorde. Mais ce nom de famille…

Il grimace.

— Ce n'est pas celui que je veux entendre. Donne-m'en un autre.

Je ne suis plus qu'un bloc de pierre veiné d'arrogance.

— Kosloff, Andropov, Krause, Trotsky, Orlov, Zueva… Tchekhov.

Ce dernier nom, je le lâche avec tellement de hargne qu'il aurait été préférable que je lui crache au visage pour une seconde fois plutôt que de le dire. J'ai pris garde à ne dire aucun nom qui pourrait venir de mon côté de la République, si je l'avais fait, je me serais aussitôt vendue. Ces noms, je les ai entendus au bar à l'occasion et ils me servent drôlement aujourd'hui.

Il pouffe en redressant le menton.

J'ai perdu tout sens de la raison.

— Amusant. Très amusant ton petit jeu. Tu es plus dure que je ne l'aurais cru… Comme tu n'as pas cessé de pleurer, je pensais que ça rendrait les choses plus faciles. Il semblerait que non.

Je le fusille sur place. À trois, quatre, cinq, six reprises, mes balles imaginaires se logent dans sa poitrine et dans son crâne que je transforme en passeoire.

— Quel âge as-tu ?

— Dix-sept ans.

— C'est jeune pour mourir.

C'est de plus en plus difficile de rester de glace. Mon armure s'effondre malgré moi et je peine à soutenir les morceaux qui en restent.

— Vous avez l'intention de me garder ici longtemps ?

Mon crâne menace d'imploser par le simple effort que cette phrase me demande.

J'ai certainement une commotion. Sans quoi les murs valseraient moins devant moi et ma tête ne serait pas si lourde. J'ai la bouche pâteuse, le cerveau en compote, les émotions en charpie et c'est peu dire. Sans oublier que… ce n'est que le début d'un très long acte dont je crains ne jamais être en mesure de voir la fin.

— Si tu réponds à mes questions, ça ne devrait pas être long. Il n'en tient qu'à toi.

Il se lève et tourne exactement quatre fois autour de moi avant de s'arrêter derrière ma chaise pour me serrer les épaules.

J'en ai le tournis.

Il exerce un point de pression au-dessus de mes clavicules, ce qui me fait gémir de douleur, et je me crispe sur ma chaise.

J'essaie de bouger, de me soustraire à la douleur, mais mes liens m'en empêchent.

Sa bouche est à deux centimètres de mon oreille quand il y murmure :

— Seulement, ça irait plus rapidement si tu pouvais arrêter de me mentir.

Il serre encore. Mon pied tape contre le sol malgré mes liens et je gémis de nouveau. Mes paupières se ferment et je les serre pour empêcher les larmes de couler à flots sur mon visage. Il manque me briser les clavicules à mains nues.

Il me relâche d'un seul coup, mais la douleur m'élance à présent dans tout le côté droit. Il reprend sa place devant moi et se rassoit sur la chaise en posant sa cheville sur son genou.

— Comment tu t'appelles ?

— Lena Pavlova.

Il secoue la tête d'un air las.

— Tu commences à m'ennuyer, fais attention. Comment tu t'appelles ?

Je répète le même nom. Cette fois ce n'est pas à une gifle que j'ai droit, mais à un autre coup de poing gigantesque. La douleur explose dans ma pommette et je dois cligner plusieurs fois des yeux pour garder conscience. Mes larmes se mêlent à mon sang qui ruissèle sur mon menton.

— J'y suis peut-être allé un peu fort, s'excuse-t-il sans aucune empathie. Je reprends donc une nouvelle fois. Comment… tu… t'appelles ?

Il détache bien chaque mot comme si j'étais attardée, ce qui ne réussit qu'à me frustrer davantage.

— Lena. Pavlova.

J'en ai assez de me faire frapper sans raison. Il est sourd ou quoi ? C'est le nom que je lui donne et le seul qui franchira mes lèvres ! Celui que je m'acharne à lui répéter et que je continuerai de répéter quitte à ce que ce soit le dernier qu'il ait à jamais en tête pour le reste de ses jours ! Je ne vendrai pas Caleb, pas plus que je ne dénoncerai Nayden ou ne dévoilerai ma vraie identité. Je suis peut-être inaccessible aux yeux de ma République, mais mon véritable patronyme peut toujours les mener à ma famille. Chose que je ne me permettrai jamais.

Mon cœur bat si fort dans ma poitrine que c'est le seul son que je suis en mesure d'entendre. J'ai arrêté de respirer et mes larmes coulent en silence. Je le regarde avec tout le mépris, toute la haine que je ressens. Je m'en fiche. Je lui balance cette dernière au visage d'un unique regard que je soutiens jusqu'à ce que ce soit lui qui détourne la tête.

Il se lève, se poste de nouveau dans mon dos. Il presse sur mon crâne le canon de son pistolet, qu'il a dégainé de son holster en me rôdant autour. Je ferme les yeux, mon cœur bat à mes tempes. Je suis persuadée qu'il le sent dans la paume de sa main par l'intermédiaire de son fusil braqué sur moi.

J'opte pour la provocation plutôt que le silence. Je n'ai plus rien à perdre.

— Allez-y. Tirez. Quel beau spectacle pour vos invités, là, derrière.

Il pouffe à mon oreille. Je tremble sur mon siège. Ma confiance s'effondre.

— Je suis plus ambitieux que ça, princesse. T'éliminer maintenant me faciliterait beaucoup trop la tâche, tu ne crois pas ? Depuis le temps que je suis sur ce dossier…

Je me secoue sur mon siège.

— Ne bouge pas ou je tire tout en m'assurant, bien sûr, que la balle se loge un peu plus bas que ta jolie petite tête, histoire de te faire souffrir un peu plus longtemps, chuchote-t-il à mon oreille.

Il tire sur les liens autour de mes poignets et me détache les mains. Le général recule jusqu'à la porte, pose une main sur la poignée et rengaine son arme.

— On reprendra la discussion plus tard.

Au moment où il sort, je suis plongée de nouveau dans l'obscurité. Je suffoque et j'ai soudainement plus froid qu'il y a quelques minutes, comme si l'absence de lumière avait une incidence sur la température. C'est peut-être bel et bien le cas…

Je me penche vers mes pieds et entreprends à tâtons de défaire les nœuds. Mes doigts tremblent et je dois m'y prendre à plusieurs reprises avant d'être en mesure de défaire suffisamment les liens pour que je puisse sortir mes pieds des cordages. Je me lève, mais retombe immédiatement. Je n'ai jamais eu les jambes si molles, je ne me suis jamais sentie aussi mal et je n'ai jamais eu aussi peur de toute ma vie.

Je ramène mes jambes à ma poitrine et me roule sur le béton dans l'espoir de m'y fondre, de m'évaporer comme une goutte de pluie au soleil. La caresse même de cette étoile me manque d'ailleurs. Le doux baiser d'une brise sur ma joue. La morsure glaciale d'une bourrasque sous mes vêtements. Le crépitement des gouttes de pluie contre le verre de la fenêtre de ma chambre. Les douces notes d'une pièce au piano…

Je leur en veux de m'avoir retiré le chandail que je portais par-dessus ma chemise de chiffon. C'est loin d'être suffisant pour conserver ma chaleur. Je commence à grelotter sans même avoir fini d'y penser.

J'enfouis mon visage entre mes genoux, compte les secondes au creux de ma poitrine avant qu'elles ne se fracassent entre elles pour me faire pleurer. Encore et encore.

Vingt

Les jours qui suivent se ressemblent tous. Le général entre dans ma cellule, accompagné de deux ou trois soldats, et on m'attache à la chaise pour m'interroger.

Comme si le fait que je sois attachée changeait quoi que ce soit à mes réponses.

Ce n'est que bien longtemps plus tard, que j'ai fixé au nombre de trois jours, que le général a arrêté de me demander comment je m'appelais; il a plutôt changé de tactique en me demandant comment mes *parents* s'appelaient.

Je n'ai pas répondu. Alors il m'a frappée au ventre, délestant mon visage, mais en me faisant toujours aussi mal. D'autant plus que ma plaie par balle peinait à guérir maintenant que mes conditions étaient pires que médiocres.

Puis, quelque temps après, son interrogatoire a encore changé. Cette fois en s'intéressant davantage à la raison de mon infraction. Pourquoi j'avais traversé ce soir-là ? Comment je connaissais l'emplacement de la brèche dans le mur ?

— Je rentrais chez moi.

Étonnement, ma réponse l'a légèrement pris au dépourvu. Sûrement parce que pour la première fois, je lui disais la vérité.

Il a froncé les sourcils et m'a dévisagée pendant de longues minutes où il m'a semblé qu'il ne dirait plus rien.

Il a tourné la tête vers le miroir et l'a fixé avec insistance, comme s'il tentait de transmettre un message à tous ces gens sans visage qui m'épiaient jour et nuit, de l'autre côté. Parce qu'inconsciemment, je venais de me vendre à cet homme. Ce qui signifiait maintenant pour lui que ce n'était pas la première fois que je traversais.

Quant à l'emplacement de la brèche, je lui ai répondu que je le savais. Point à la ligne. Il ne s'est, bien entendu, pas contenté de cette brève explication. Et j'en ai subi les conséquences.

De nouveau, la douleur m'a ébranlée et pour la première fois, je l'ai supplié d'arrêter. D'un cri étranglé en enfouissant mon visage dans mon épaule, à la fois ruisselante de larmes et de honte.

Il a quitté ma cellule, en me laissant, cette fois, attachée à la chaise.

Les deux jours suivants, on m'a nourrie; si, bien sûr, on peut appeler cette espèce de bouillie grisâtre de la nourriture. Je n'avais pratiquement rien avalé depuis près d'une semaine.

Du moins, il m'a semblé que cela faisait une semaine tellement mon estomac criait famine. J'ai mangé parce que la faim me tenaillait plus encore que la douleur et parce qu'il le fallait. Il fallait que je mange si je voulais sortir d'ici un jour.

On m'a même emmenée me doucher, de force, les yeux bandés pour que je ne connaisse pas l'itinéraire des bains. Comme si c'était possible que je parvienne à sortir d'ici toute seule: c'est simplement impossible.

Avec tous les militaires que la base contient, je ne ferais pas un pas en dehors de ma cellule sans me faire fusiller. J'ai eu si peu de temps pour me doucher, qu'on m'a pratiquement lancée dans ma cellule encore dégoulinante d'eau tiède et à moitié vêtue. Je me suis recroquevillée dans un coin et je me suis réchauffée du mieux que j'ai pu, avec le peu de vêtements que j'avais.

La fatigue me prend, mais maintenant j'ai si peur qu'il revienne. J'ai peur de ses questions et des réponses que je ne veux pas lui donner.

C'est à cet instant, pendant que je grelotte comme je n'avais jamais grelotté avant aujourd'hui, que je comprends ce qu'ils essaient de faire.

Ils sont dans l'attente du jour où je n'en pourrai plus. Ils attendent que je flanche. Que je me brise. Ce qu'ils veulent, c'est me détruire. Jusqu'à ce qu'ils puissent obtenir ce qu'ils veulent rien qu'en levant le petit doigt.

Ce qu'ils ignorent par contre, c'est que rien au monde ne me fera flancher à part la mort elle-même. Même là, je crois que je continuerai de me battre contre elle. On m'a appris à être plus forte que ça. Et puis, je l'ai surmontée une première fois, je peux sûrement recommencer.

Vingt et un

À partir du moment où j'ai pris conscience de ce qu'ils voulaient vraiment de moi en plus de toutes ces informations que je ne leur donnerai sous aucun prétexte, j'ai eu de nouveau foi en quelque chose qui s'est mis à briller malgré la noirceur dans laquelle j'étais plongée depuis si longtemps.

Mon espoir a grandi, a fleuri, mais n'a jamais eu la chance de murir.

Un jour, ils sont entrés. Quatre soldats plus le général Tchekhov. Cinq hommes contre une adolescente mal en point. Ridicule.

Je me suis instinctivement reculée au fond de la cellule et j'ai prié, le ciel, les étoiles, la Lune et le Soleil pour qu'ils me donnent la force de passer à travers ce qui allait suivre, sans même savoir ce qui m'attendait vraiment.

Deux des quatre soldats transportaient derrière eux une bassine d'eau qu'ils ont lâchée devant moi. Les deux autres m'ont levée et encadrée à droite et à gauche malgré mes protestations. L'un d'entre eux m'a même donné un coup de crosse derrière le genou pour me forcer à me rendre, le temps qu'on m'attache à la chaise. Les deux qui ont transporté ce qui ressemble drôlement à un bain ont quitté la cellule. Le duo qui m'a ligotée est resté.

J'ai gémi, les dents serrées, et j'ai abdiqué quand j'ai pris conscience pour une énième fois que cela ne changerait rien du tout. Avant même de véritablement comprendre ce qui allait se passer, je me suis mise à suffoquer.

— Je ne pensais pas devoir en arriver là, Lena. Je croyais pouvoir rester gentil avec toi.

Le général pose un doigt sous mon menton qu'il soulève avant de le serrer entre le pouce et l'index.

— Ce serait dommage de te faire encore plus de mal qu'on ne t'en a déjà fait, n'est-ce pas ? Malheureusement, tu nous fais perdre notre temps.

Il parle au nous à présent. Il n'est donc pas seul dans cette investigation. Je prie de toutes mes forces pour que Nayden n'en fasse pas partie.

— Qui t'aide à traverser ?

— Personne ne m'aide à traverser, mens-je.

Aussitôt, on me plonge la tête dans la bassine et c'est là que je comprends sa présence dans ma cellule. Je me mets à paniquer.

L'air quitte mes poumons sans rien d'autre que de l'eau pour les remplir. Je crie, je hurle et, pourtant, aucun son autre qu'un gargouillis ne monte à mes oreilles. Je vais mourir. Ça y est, je vais mourir. Je vais mourir. Je vais…

Ma tête émerge de la bassine et j'inspire d'énormes goulées d'air. Les poumons en feu. Je crache l'eau qui s'est accumulée à la limite de mes poumons. Ma poitrine se soulève trop vite. J'ai l'impression que je ne pourrai jamais combler mes besoins en oxygène malgré tout l'air que contient cette pièce. Il faudrait que le monde entier arrête de respirer pour que j'aie enfin la sensation qu'assez d'air se rend à mes poumons.

— Pourquoi tu traversais ?

— Je vous l'ai dit, pour rentrer chez moi, haleté-je.

Avant même que j'aie eu la chance de reprendre mon souffle, on m'immerge encore.

J'étouffe, je me noie sans espoir d'en sortir. Parce que ce n'est pas moi qui décide.

C'est eux.

Mes idées s'embrouillent. Le peu d'air que contenaient mes poumons s'échappe en bulles vers la surface malgré tous mes efforts de le garder. Treize secondes plus tard – à moins que ce ne soit plus, j'ai perdu le compte –, on me tire vers l'arrière et je peux de nouveau respirer.

Mes cheveux dégoulinent contre mon visage et sur tout mon corps maintenant aussi trempé que si je m'étais complètement immergée. Je commence à claquer des dents, je suis secouée de soubresauts incontrôlables.

J'ai la nausée, je me sens terriblement mal. Et j'ai d'autant plus peur maintenant que je sais vraiment ce dont mon geôlier est capable.

Je tourne le visage vers le général Tchekhov en serrant les dents pour empêcher ma mâchoire de s'entrechoquer.

Je suis terrifiée et je voudrais que la troisième fois qu'on m'immerge dure juste assez longtemps pour que la vie m'abandonne. Qu'elle arrête de s'accrocher à moi.

— Qui est Emma Kaufmann ?

Mes yeux s'arrondissent malgré moi et je secoue la tête pour le lui cacher.

Je débite rapidement, entre deux anhélations:

— Je ne sais pas. Je n'en ai aucune idée.

Ma voix tremble. Or ce n'est pas qu'en raison du froid qui m'enrobe d'un manteau de tremblements.

Il saisit mon visage en enfonçant ses doigts dans mes joues. Ma mâchoire menace de se rompre à tout moment. Je me secoue sur la chaise pour qu'il me lâche, mais je n'écope que d'un coup de la part d'un des soldats et d'un resserrement considérable sur ma mâchoire de la part du général. Je gémis et ferme brièvement les yeux.

— Tu es plus tenace que tous les espions que j'ai pu interroger. À quel genre d'entraînement as-tu eu droit ?

Ma peur s'envole d'un seul coup. Cette question me gorge d'un courage que je n'ai jamais connu et que je ne connaîtrai pas une seconde fois non plus. J'explose d'un rire mêlé de sanglots.

— Je le prends comme un compliment dans ce cas, grogné-je tandis que les frissons glacials reprennent et que je dévie de sa question par la même occasion.

Il esquisse un sourire malsain. Je joue à un jeu dangereux. Je valse entre deux cavaliers. L'arrogance et la pitié. Dans les deux cas, ces partenaires de danse menacent de me faire plus de mal que de bien, mais ils sont les deux seuls sur qui je peux compter pour rester en vie et protéger tous les autres.

Je ne les vendrai pas à cet homme. Il en est hors de question.

Le général approche son visage du mien, son haleine chaude contre mon visage quand il lâche sa menace.

— Je me ferai un plaisir de t'offrir en spectacle le massacre de ta famille, Lena. Eux et celui qui t'a servi de passeport entre les deux côtés. Ensuite de quoi je te laisserai croupir jusqu'à ce que tu n'aies plus que le souvenir du crâne de chaque membre de ta famille qui explose pour te hanter.

Mes yeux se couvrent d'un voile de larmes quand il relâche brusquement mon visage en faisant signe aux deux soldats de sortir.

Ils laissent même l'horrible bassine près de moi. Je ne prendrai plus jamais de bain de ma vie, c'est terminé. L'un d'eux donne un coup de pied sur ma chaise et me fait violemment basculer au sol.

Mon épaule encaisse le coup et je sanglote contre le plancher, recroquevillée aussi petite que possible, toujours ligotée à ma chaise. Tout le côté gauche m'élance à un point tel que je suis persuadée de m'être brisé les os en tombant.

La porte se referme dans un grand claquement au même moment où le général grommelle :

— Saleté d'Insoumise…

Les lumières se ferment d'un seul coup et je tente vainement de me défaire de mes liens tout en continuant de pleurer. Mes larmes se mêlent à l'eau dans laquelle on a tenté de me noyer et je me secoue contre le dossier de la chaise. Je me secoue pour défaire mes liens, mais surtout pour m'éloigner de cette bassine de malheur.

Je panique.

Pourquoi est-ce que je ne peux pas mourir maintenant ? Ce serait préférable et profitable pour tout le monde. Ils cesseraient tous de perdre leur temps et, moi, j'arrêterais de glisser sans arrêt vers l'abysse qui me menace de dénoncer tous ceux que j'aime.

Je m'acharne encore sur mes cordes quand j'entends quelqu'un s'accroupir près de moi.

— Lena, doucement, laisse-moi faire. Calme-toi. Ça va aller, Flocon de neige.

Mes yeux se noient dans une eau que je peine à contenir. Cette fois par contre, c'est pour une tout autre raison. Il redresse la chaise et ses mains défont les nœuds avec habileté malgré l'obscurité qui règne dans la cellule. À peine trois secondes plus tard, mes mains sont libres et elles courent en quête de son visage, que j'encadre.

— Nayden… Nayden c'est bien toi ? murmuré-je alors que mon cœur n'aspire qu'à une seule chose : jaillir hors de ma poitrine pour se réfugier dans la sienne jusqu'à ce que je sois en mesure de soutenir son cœur aussi au creux de mes paumes sanguinolentes.

— Je vais te sortir d'ici. Je te le promets. Je vais te sortir d'ici, répète-t-il en posant ses lèvres sur mon front en un baiser aussi furtif qu'une étoile filante. Nous ne sommes plus sur écoute que pour quarante-cinq secondes. J'ai peu de temps pour t'expliquer et pas assez pour te sortir d'ici aujourd'hui.

D'un seul coup, ma douleur s'évanouit et je presse son visage entre mes paumes. Je compte profiter de ces quarante-cinq secondes de sa présence rien qu'en le sachant à mes côtés. Ça ne me dérange pas qu'il ne puisse me sortir d'ici aujourd'hui. Je pourrais mourir à la fin de ces trois quarts de minute et je suis persuadée que je mourrais heureuse.

— Pardonne-moi, Nayden. Je t'en prie, pardonne-moi. Je suis tellement désolée. Tellement, tellement désolée. Je suis stupide. Je ne pensais pas… je ne pensais à rien. Je voulais seulement rentrer chez moi. Faire comme avant. Je m'excuse. Si tu savais comme je m'en veux.

J'ai tout déballé si rapidement que j'ai peur qu'il ne m'ait pas comprise. Il pose une main sur la mienne et la serre.

— Tu n'as pas à t'excuser, chuchote-t-il tout en défaisant les derniers nœuds qui lient encore mes pieds à la chaise. Écoute, le général Tchekhov est sur le dossier des inférieurs qui traversent depuis très longtemps et puisqu'ils t'ont arrêtée alors que tu traversais, tu es comme un trophée de chasse pour lui, d'accord ? Il…

Il s'interrompt et je suppose qu'il regarde sa montre même si je me demande comment il fait pour voir malgré l'absence quasi totale de lumière.

Il lâche un soupir sec.

— Reste forte, d'accord ? Reste forte, Flocon de neige, je vais te sortir d'ici.

Je ne peux voir ses yeux, et je décèle à peine sa silhouette dans la noirceur, mais je peux tout de même sentir qu'il se lève. Je tends la main vers lui et m'accroche au bas de son pantalon. Aussitôt que je l'effleure, ma main retombe. J'ai beau être forte, je n'ai plus l'énergie suffisante à faire quoi que ce soit.

— Cherche Caleb, il pourra t'aider, murmuré-je en cherchant son regard dans la noirceur.

Ici, je ne crois pas que Nayden fasse confiance à qui que ce soit. Caleb ne se souvient peut-être de rien, mais il peut certainement nous aider, c'est quelqu'un de confiance. Nayden ne pourra me sortir d'ici seul. Je sais que Nayden est fort et qu'il fera tout pour me sortir d'ici, mais il aura besoin de quelqu'un comme Caleb.

— Je le ferai, promis.

— Nayden, ne pars pas, s'il te plaît, le supplié-je malgré l'absurdité de ma demande.

Il sort. Ni vu ni connu. C'est comme si Nayden n'était jamais entré dans ma cellule et, pourtant, la chaleur de ses lèvres est encore là, contre ma peau.

Nayden m'a offert un instant de lumière plus puissant que le précédent. Un instant qui a su me redonner le parfum de cet espoir semé dans un dernier soupir le temps qu'il ferme la porte derrière lui.

Je suis persuadée qu'il peut me sortir d'ici.

Vingt-deux

Après le passage de Nayden, j'ai eu terriblement peur pour lui. J'avais peur qu'on sache, que quelqu'un apprenne qu'on m'avait rendu visite pour semer l'espoir en moi et aussi pour me détacher. Ils ont dû croire que je m'étais détachée toute seule. Malgré tout, aucune chance qu'une piste les mène à Nayden. Après tout, s'il est le fils du général Prokofiev, on ne le soupçonnera certainement pas le premier. Et c'est ce qui m'a redonné confiance et je me suis accrochée à cette chance improbable comme une demeurée.

Les quelques mots formulés par Nayden de manière interdite, cette frénésie de me sortir d'ici quand le moment serait venu… Ces paroles, bien que brèves, ont eu pour résultat de me gonfler d'espoir.

Pourtant, les mots du général, tout juste avant qu'il ne me traite d'Insoumise, trottent dans ma tête avec l'écho dévastateur d'un ouragan qui se fracasse sur la côte, prêt à tout détruire, tout anéantir. J'ai peur parce que je sais que tout cela serait en son pouvoir, et ce, dès qu'il mettra la main sur eux. Une arme comme nulle autre pour me faire flancher qu'il tient dans la paume de sa main.

Ce même jour où je me suis remise à vivre, je me suis remise à marcher. À faire les cent pas dans cette cellule et à penser parce que d'une façon ou d'une autre, je n'avais que cela à faire.

Ils ont eu la délicatesse de rallumer les lumières, mais si peu que je peine quand même à voir le bout de mes doigts quand je tends la main devant moi. J'ai également retrouvé mes bottes qu'ils m'ont balancées par la porte comme on lance un morceau de viande à un chien affamé et je les ai enfilées aussitôt que j'ai pu.

Tout en marchant, je fredonne en passant ma main contre les murs de ma cellule. Il faut que je comble le silence par autre chose que ma respiration. Je m'arrête tout près de la porte. Tente vainement de l'ouvrir. Comme si c'était possible qu'elle s'ouvre par magie.

Ma main glisse sur le miroir qui me renvoie un reflet que je ne veux pas voir et que j'évite autant que possible, et au travers duquel je sais qu'on m'observe jour et nuit. Je compte mon rythme cardiaque. Je passe d'ailleurs une journée entière à le faire. C'est la seule chose qui puisse me permettre de m'accrocher à quelque chose de réel et m'empêcher de sombrer dans la folie comme ils le veulent sans doute.

Je compte également le nombre de secondes où je peux retenir ma respiration au cas où ils décideraient de réutiliser la bassine qu'ils ont laissée dans ma cellule, pour me faire peur la prochaine fois qui viendra je ne sais quand. Peut-être jamais, je n'en sais rien.

Je tourne dans ma cellule en comptant le nombre de pas nécessaires pour en faire le tour. Puis je m'assois sur le minuscule matelas où les ressorts m'entrent dans la peau et continue de chantonner.

Oui, ils m'ont apporté un matelas. Sur lequel j'ai de la difficulté à dormir tant il est inconfortable, mais un matelas. C'est suffisant pour me couper du froid du sol de béton alors je m'en contente. Je m'assois donc et j'attends.

Quoi ? Je ne sais pas. Mais j'attends.

Les jours passent, longs, terribles, avant qu'on ne me rende de nouveau « visite » pour me poser d'autres questions auxquelles je réponds à peine.

Entre ces interrogatoires, j'ai le temps de penser. Tout le temps qu'il faut pour penser.

Ils peuvent bien me charcuter, me torturer, me faire souffrir jusqu'à ce que je ne demande qu'à mourir, mais qu'ils ne touchent pas à Noah, à Nayden ou à Caleb. Les autres membres de ma famille sont, je le sais, davantage en sécurité que ces trois-là qui me côtoyaient d'un peu trop près et avec lesquels il est sûrement possible de me voir sur les caméras de surveillance qui couvrent la ville.

Je ne permettrai pas qu'on leur fasse du mal. Ma fidélité n'a jamais eu d'égale et dépasse bien souvent la raison, je le sais parce que l'amour que j'ai pour eux dépassera toujours la propre estime que je me porte.

On m'a appris à considérer mon existence comme médiocre, mais rien au monde ne m'empêchera de considérer la leur comme extraordinaire ; quitte à mourir pour qu'ils survivent.

C'est pourquoi je frapperai sur ce miroir, sur ces parois qui m'oppressent, sur cette porte blindée, jusqu'à avoir la preuve de leur absolue sécurité, que je continuerai d'encaisser chaque coup si ça peut les sauver. J'ai rarement eu quoi que ce soit qui me permettait d'avoir foi en l'avenir, mais aujourd'hui, je tiens quelque chose et j'ai bien l'intention de le garder, de nourrir cet avenir toujours incertain, mais plus optimiste que m'offrent les quatre murs de ma cellule. Quitte à ce que ce soit Nayden qui me sorte d'ici si Caleb refuse, je tiens à sortir d'ici plus que jamais. Je veux pouvoir embrasser mes parents, serrer mon grand frère dans mes bras, rire avec ma petite sœur et jouer du piano pour Noah. Je veux tellement de choses qui ne se résument pas à ce qui se trouve entre ces quatre murs de béton. Parce que pour la première fois depuis longtemps, je veux vivre.

Vingt-trois

La porte s'ouvre. La lumière des néons augmente légèrement d'intensité. Je plisse les paupières avant de m'y habituer et regarde devant moi.

Le général Tchekhov.

— Lève-toi, m'ordonne-t-il sèchement.

Voyant que je ne bouge pas, il s'impatiente.

— Lè-ve-toi, répète-t-il en détachant bien chaque syllabe.

Je m'exécute enfin et prends appui sur le mur pour tenir sur mes jambes. Mon dernier repas remonte à des années, il me semble.

Il m'ouvre la porte et, étonnamment, me laisse passer devant.

Je me dis qu'il doit être devenu fou lorsqu'il enfonce son arme dans mon dos. Je m'arc-boute sous l'impact. C'était trop beau pour être vrai.

Il passe un bandeau sur mes yeux.

— Avance.

Histoire de faire bonne figure, je marche le dos le plus droit possible, malgré la pression que son arme provoque au bas de ma colonne. Je ne veux pas qu'il voie à quel point mes épaules sont lourdes.

— D'abord, je te donne cinq minutes pour te doucher. En sortant, tu vas voir des vêtements sur un banc. Tu vas les mettre sans quoi ta douche ne t'aura été d'aucune utilité. Je t'attendrai de l'autre côté de la porte. J'ai quelque chose à te montrer.

Je fronce les sourcils.

Il retire mon bandeau quand une porte s'ouvre devant moi.

— Cinq minutes. Pas plus.

Je marche jusqu'à la douche la plus près et me dévêtis aussi vite que possible. Ce sont les salles réservées aux militaires, il s'agit donc d'un grand espace de carrelage blanc où sont dispersées à égale distance des pommes de douche. Sans cloisons pour les séparer. Aucune intimité. Heureusement, toutes les fois où je suis venue j'étais seule, comme maintenant.

L'eau d'abord glacée devient ensuite tiède puis brûlante, puis de nouveau glacée ; à croire qu'ils le font exprès. Les brûlures sur mes poignets manquent de me faire hurler quand l'eau et le savon entrent en contact, comme sur le reste des blessures qui me couvrent le corps.

Les larmes coulent malgré moi sur mon visage et je serre la mâchoire pour bloquer les cris qui menacent au fond de ma gorge. Je compte trois minutes pendant que je me lave puis me retire de sous la douche en empoignant rapidement la minuscule serviette à ma disposition pour m'éponger. Je préfère garder assez de temps pour m'essuyer, sans quoi on me renverra dans ma cellule et je mourrai de froid en moins de temps qu'il n'en faut pour le dire ; mes retours en cellule après une douche me laissant généralement frigorifiée.

Une fois bien séchée, j'enfile un à un les vêtements que le général m'a désignés. La porte s'ouvre quelques secondes avant que j'aie fini, au moment où j'ajuste le t-shirt noir sur mon abdomen pour cacher ma cicatrice pourpre. Le pantalon cargo gris pâle me tombe sur le bas des hanches et je dois le remonter sans arrêt. J'enfile mes bottes d'un simple coup de pied et me précipite hors de la pièce, le souffle court.

C'est tout de même à contrecœur que je laisse derrière les vêtements que m'avait offerts Nayden...

— Pile à l'heure, me félicite-t-il.

— Où est-ce que vous m'emmenez ?

— Surprise, susurre-t-il à mon oreille, la chaleur de son haleine se collant à ma peau encore humide de ma douche.

Je voudrais en reprendre une simplement pour retirer l'odeur de son souffle contre mon cou.

De nouveau, le bandeau me couvre les yeux. Il me pousse dans le dos avec le canon de son arme et appuie un peu plus à droite ou un peu plus à gauche selon la direction qu'il veut que je prenne. J'entends deux portes qui s'ouvrent avant qu'il me fasse signe d'arrêter d'un coup de crosse au bas des reins.

Il ne manque jamais une occasion de me frapper.

Il tire sur mon bandeau et je cligne des paupières plusieurs fois avant d'être en mesure de voir où nous sommes. Une salle, la première où la luminosité me semble acceptable, et un écran noir devant moi. Une table rectangulaire en son centre et deux chaises l'une en face de l'autre.

Je me tourne brièvement vers le général Tchekhov. Il me désigne le siège le plus près d'un coup de tête et je m'y assois en silence tandis qu'il reste debout derrière moi.

— Tu ferais bien de regarder attentivement, me dit-il et je peux aisément sentir un brin d'enthousiasme dans sa voix.

Je me tourne vers l'écran, les mains tremblantes.

Une vidéo de surveillance. De moi. De l'ancienne moi. Avec Caleb. Au bord du mur. Là où je croyais qu'aucune caméra ne pourrait nous surprendre.

Je suis tentée de bouger sur ma chaise, de me soustraire à cette vidéo, mais ce geste me trahirait. Je voudrais que cette vidéo soit un trucage. Que l'écran éclate au risque de me faire exploser moi aussi.

La séquence change pour une autre, où on me voit chanter pour Caleb, assise tout près de lui. Je me souviens de cette soirée comme si elle avait eu lieu hier.

Elle saute à une autre, où on me voit traverser, mais toujours l'espace d'une seconde à peine. Puis traverser encore et encore et encore et encore. Je peine à contenir mes réactions. On croirait davantage à une succession de photographies qu'à une vidéo dont le fil serait continu.

Il sait que c'est moi. Il le sait parce que mon non-verbal lui en offre la preuve sur un plateau d'argent.

Mes pensées filent à toute allure. Ai-je donc échoué à ce point en voulant protéger Caleb ? Au fond, c'est à croire que c'était perdu d'avance.

— Pourriez-vous m'expliquer, Mademoiselle *Pavlova,* pourquoi cette jeune fille qui traverse, ma foi très souvent, vous ressemble tant ? me demande-t-il en se mettant soudainement à me vouvoyer. On croirait des jumelles à vous voir toutes les deux. C'est à s'y méprendre !

Avant que je n'aie la chance d'ouvrir les lèvres, il pose ses mains sur moi. Je sursaute dès que ses paumes entrent en contact avec mes épaules, qu'il se met à serrer drôlement fort.

— Et ce garçon, qui est-ce ? Hein ? Moi, je le sais, tu veux que je te le dise ? C'est Caleb Fränkel. Un joli nom, n'est-ce pas ? Et *elle*, avec lui, ajoute-t-il en pointant l'écran, je mettrais ma main au feu qu'il s'agit de toi. Ce serait dommage, pas vrai, qu'il arrive quelque chose à ce garçon ?

Je tente de me contenir. De retenir le flot de rage qui me submerge. De contrôler cet excès de colère que je pourrais déchaîner sur lui dans la seconde qui suit. Il continue de serrer mes épaules entre ses mains. Il pourrait me les rompre à tout instant, d'une simple pression du doigt, j'en mettrais ma main au feu.

— Tu veux savoir ce qui m'a mis la puce à l'oreille ?

Non. Non, je ne veux pas le savoir. Il poursuit malgré mes protestations muettes et mon air tendu qui doit tout de même me trahir; il se redresse pour la suite, que je ne veux pas entendre.

— Quand tu t'es mise à chanter dans ta cellule. Ça m'a alors rappelé de vieux enregistrements, où l'on voyait au bord de la frontière une jeune fille chanter en compagnie d'un soldat. Elle risquait gros pour lui… Étrange qu'on ne l'ait pas arrêtée avant d'ailleurs ou, plutôt, étrange qu'on ne l'arrête que maintenant. Quoi qu'il en soit, ne trouves-tu pas qu'il s'agissait là d'un très beau montage ? Hein ? Toutes ces fois où tu te rendais au bord du mur en savourant toutes ces… précieuses minutes avant de traverser ! Comme c'est touchant !

J'ai la nausée. Je fixe l'écran sans le voir. Je suis stupide. Tellement, tellement stupide.

Il se penche à mon oreille.

— Je le ferai torturer, charcuter sous tes yeux en me délectant de ses cris et des tiens.

Je pousse un cri de rage et me retourne en essayant de le frapper au visage, mais il pare mon coup de poing de l'avant-bras aussitôt. Je tente un second coup, mais il m'attrape le poignet et me plaque contre le mur avant de me saisir à la gorge pour me faire basculer sur le sol d'un simple croche-pied.

Je ne suis pas de taille contre un adversaire de sa trempe et entraîné de surcroît.

Il m'étrangle et je ne peux rien faire pour me défendre. Mes mains enserrent son poignet, seulement, j'ai à peine touché la peau de son bras qu'il exerce davantage de pression sur ma gorge. Je m'arc-boute contre le plancher glacé.

J'étouffe.

Mes yeux se révulsent tandis que je cherche de l'air inexistant. Mon cri se coince dans ma gorge qu'il emprisonne toujours quand la porte s'ouvre.

— Général ! tonne un homme sur ma gauche.

Mes jambes fouettent l'air. L'air quitte mes poumons et le sang me monte à la tête. Mes mains toujours autour de son poignet, je tente de dégager les siennes d'autour de mon cou.

Impossible. Il n'est pas prêt à me lâcher de sitôt et, moi, je vois déjà noir. Mes mains ramollissent autour de son avant-bras. Ses yeux me transpercent de part en part. Sa bouche est tendue en une ligne fine aussi rigide que l'acier. Ce sera donc la dernière image que je verrai avant de mourir : celle d'un homme aux yeux brillants de haine.

— GÉNÉRAL ! Je vous ordonne de la lâcher !

Contre toute attente, il s'exécute et se redresse en soupirant, comme s'il venait de courir un marathon plutôt que de tenter de m'assassiner.

— Général Prokofiev… J'ignorais que vous étiez à la base !

Le général Prokofiev. Le père de Nayden.

Oh, mon Dieu ! Oh, mon Dieu ! Oh, mon Dieu !

Je roule sur le côté en toussant, les genoux ramenés vers la poitrine, un poing contre le sol. Je ferme les yeux en cherchant mon souffle quand la conversation entre les deux hommes reprend.

— Je tombe à pic, on dirait.

Le général Tchekhov s'est levé et marche à la rencontre du nouveau venu.

— C'est *mon* investigation, Prokofiev. Restez en dehors de ça.

Je me bats contre moi-même pour rester consciente. Je veux le voir. Il le faut. Je lève les yeux vers lui.

Le père de Nayden enfonce ses mains dans ses poches, exactement comme son fils. Je remarque instantanément la couleur de ses yeux. Le vert de Nayden, mais étendu à sa pupille entière. Aucune trace de doré. J'en déduis donc que cet effet riche provient sûrement des yeux de sa mère.

— Je suis au courant qu'il s'agit de votre dossier. Seulement, on a une éthique. L'auriez-vous oubliée ?

— Cette fille, crache-t-il en me pointant, est une espionne ! Son nom est Emma Kaufmann ! Pas Lena Pavlova ! Elle a enfreint la loi !

— Ses papiers sont-ils valides ? demande-t-il froidement.

Il y a un court moment de silence.

— Oui, ils le sont.

— Alors c'est à un procès auquel elle devrait avoir droit, pas un interrogatoire et encore moins à des châtiments et à des tortures corporelles et psychologiques ! D'ailleurs, avez-vous des preuves de ce que vous avancez ?

Tchekhov désigne l'écran d'un geste, là où l'image s'est figée sur mon visage tourné vers la droite.

— Ça pourrait être n'importe qui, rétorque le père de Nayden en haussant les épaules. L'image n'est pas très nette. Les gens finissent par se ressembler, non ?

— On l'a arrêtée alors qu'elle traversait la frontière ! Nous avons sur vidéo la preuve de ce même manège à de multiples reprises. La loi stipule qu'un seul bris de frontière mérite la peine capitale. N'est-ce pas suffisant ? Avez-vous besoin d'une explication supplémentaire ? s'insurge-t-il.

— Un peu de respect je vous prie, je reste votre supérieur immédiat, Tchekhov.

L'interpellé serre les poings. Il commence à perdre son sang-froid ou, plutôt, il l'a perdu au moment où ses doigts se sont refermés autour de mon cou.

— Pas supérieur. Équipier.

— Où sont vos autres preuves ?

— Toutes les données concernant Emma Kaufmann ont été effacées du système et j'ignore comment.

— Restaurez-les dans ce cas.

Il secoue la tête.

— Nous avons essayé. Impossible d'y avoir accès. C'est une infiltration interne.

— Une taupe ?

— Probablement.

Le général Prokofiev inspire longuement, redresse le menton vers l'autre.

C'est Nayden. Je sais que c'est lui qui l'a fait. D'autant plus que mon dossier a été effacé le soir où on a tiré sur moi.

— Je vois… Sortez maintenant. Je souhaiterais m'entretenir avec la *fugitive.*

À son ton, je devine sans peine qu'il considère tout ça comme une perte de temps ou, devrais-je dire, de *son* temps. Mon bourreau pousse un grognement, mais obtempère malgré tout. Il sort de la pièce en fusillant l'autre du regard.

Il ne m'accorde même pas un coup d'œil et je lui en suis presque reconnaissante. La porte claque et je tente de me redresser. Je m'assieds, le dos contre le mur et soupire aussi longuement qu'il m'est possible de le faire.

Je me masse le cou sans aucun doute viré au violet, à croire que les doigts du général Tchekhov l'enserrent encore. Le père de Nayden avance vers moi et fait signe à la caméra de couper tout.

Pas d'enregistrement. Pas de caméra. Rien que lui et moi.

Vingt-quatre

Il me tend la main, que j'observe un bon moment avant de me décider à la saisir.

Elle est grande, robuste et chaude dans la mienne qui me semble glacée et tremblante. Il me relève d'un simple geste, amical et gentil. Loin de l'air glacial et indomptable que je lui croyais. Ce n'est peut-être qu'une mascarade.

— Asseyez-vous, Mademoiselle, je vous en prie.

Il me désigne la chaise d'un geste et je m'arrête.

— Vous n'avez pas l'intention de m'y attacher, n'est-ce pas ?

Il ricane en secouant la tête.

— Lena ou Emma, quel que soit votre nom, non, je n'en ai pas l'intention. Asseyez-vous, s'il vous plaît.

Sa voix est chaude, coulante. Pas froide et acérée comme celle de son collègue, mais elle peut être d'autant plus dangereuse.

Il tire la chaise de l'autre côté de la table et s'assied en face de moi.

— C'est vrai que vous traversez ?

Je me tends d'un seul coup.

— Je me posais la question, c'est tout. C'est légitime, ne croyez-vous pas ? C'est tout un exploit si c'est le cas, Mademoiselle. Vous avez réussi à passer outre toutes nos protections pendant très longtemps tout de même et je dois dire que cela m'agace un tantinet.

Il accompagne sa dernière remarque d'un geste de l'index et du pouce à la hauteur du visage désignant un tout petit espace. Il plisse les paupières. Son sourire quasi inexistant coule sur moi comme une couverture de plus en plus glaciale.

— Vous ne répondrez à aucune de mes questions, je le sais, mais donnons l'illusion aux gens qui nous observent que nous entretenons une conversation amicale et que vous coopérez tout de même. Hochez la tête, maintenant, ça suffira.

J'acquiesce d'un coup de menton tremblant.

— Excellent, dit-il sans même bouger les lèvres.

Il me sourit. Je sens mon sang se figer dans mes veines. Moi qui croyais me faire un allié. J'avais tort, il se sert de moi comme d'une marionnette. Au final, il n'y a que Nayden de bon de ce côté. J'aurais dû me douter que l'attitude qu'avait Nayden en parlant de son père était justifiée: cet homme est un monstre aussi horrible que peut l'être Tchekhov, il est simplement différent.

Un autre genre de démon qui vide l'enfer à sa façon.

— Si vous êtes en vie en ce moment, vous me le devez. C'est compris ? Tchekhov vous aurait étranglée à mort si je n'étais pas intervenu, n'en doutez pas une seule seconde. Bien. À partir de maintenant vous allez faire exactement ce que je vous dirai.

Un nœud vient de se former contre ma trachée. Je n'aime pas du tout ce qui s'annonce. Comme un épais nuage sombre qui menace de tout déchaîner, de tout détruire; me détruire moi, mais également tout ce qu'il y a autour.

Le nuage avance, sournoisement. Non pas silencieux, mais extrêmement bruyant. Sous tout ce bruit se cache quelque chose de bien plus sombre encore que les apparences, quelque chose de terrifiant et qui rend ce qu'il déballera plus menaçant encore.

Le père de Nayden est ce genre de nuage. Imprévisible et terriblement puissant. Du genre à cacher un ouragan dans sa poche arrière. Je le vois simplement à sa façon d'agir.

— Écoutez-moi bien, Mademoiselle Kaufmann ou Pavlova, ça m'est complètement égal, vraiment, à partir de maintenant vous allez répondre aux questions de Tchekhov. Oui, vous allez le faire. Vous allez lui dire qui vous aidait à traverser, vous allez lui dire d'où vous venez. Ce que vous faisiez de ce côté. Et vous lui direz même que c'est vous qui avez été victime de la fusillade, dans la nuit du 21 décembre, au solstice d'hiver.

— Pourquoi je ferais ça ?

— Parce que c'est comme ça que vous allez épargner mon fils de vos stupidités.

Mon cœur a arrêté de battre à mes oreilles. Il n'est plus qu'un écho distant et discordant au loin dans une caverne que plus personne n'ose visiter, où même moi je n'entrerais pas pour aller le chercher.

Il sait. Il sait pour Nayden. *Par tous les dieux, faites qu'il ne lui arrive rien.*

— Ensuite, je ferai en sorte que vous partiez d'ici.

— Vous allez me renvoyer chez moi ?

Il secoue la tête en pouffant doucement.

— Non. Je vous effacerai la mémoire et vous exilerai de ma République. Est-ce que ce marché vous convient ?

La réponse immédiate qui me vient est non, et elle doit se lire dans mon regard puisqu'il se remet à rire. Il croise les jambes, pose ses mains jointes sur son genou dans un geste de nonchalance qui ne va pas de pair avec la situation.

Je remarque alors qu'il n'a aucune ressemblance avec Nayden. Aucune.

Si ce n'est que la forme de sa mâchoire est la même et que physiquement, dans l'ensemble du moins, ils se ressemblent un peu, il n'y a rien d'autre de similaire entre cet homme et le garçon que j'aime.

Mentalement, tous les deux, c'est le jour et la nuit.

— J'ignore pourquoi je vous pose la question, car ce n'est pas une option. C'est catégorique et vous vous plierez à mes conditions. Vous représentez un danger pour la République et je vous fais cadeau de votre vie plutôt que de vous éliminer. Vous devriez m'en être reconnaissante. Une toute nouvelle vie. Vous ne vous en rendrez même pas compte. Je vous exile et, ainsi, vous épargnez tout le monde. Vous les sauvez tous. Un vrai tour de magie !

Mes mains s'entortillent sous la table.

M'effacer la mémoire. Oublier tout de Nayden. Oublier tout de Caleb. Oublier tout de Noah, d'Effie, d'Adam, de ma mère et de mon père. Oublier tout d'Ariane, de Gabriel et de tous les autres. Repartir à zéro.

Non. Ces pages de mon histoire ne s'effacent pas comme ça. Mon passé n'est pas un vulgaire morceau de papier qu'il est possible de faire disparaître à l'aide d'une allumette.

J'ignore comment j'y parviens, mais je fais mine d'accepter ses conditions.

— Si je réponds à ses questions... combien de temps aurai-je avant de partir ?

— Nous verrons d'abord combien de temps vous prendrez à collaborer.

Je déglutis et opine d'un minuscule coup de menton.

Il hoche la tête et se lève. J'en fais de même, deux secondes après lui.

— Je vous reconduis à votre cellule.

À l'entendre, on croirait presque qu'il s'agit d'une proposition, mais je sais pertinemment que ça n'en est pas une.

J'acquiesce et me dirige vers la porte, qu'il m'ouvre. Je baisse la tête et me mordille la lèvre inférieure.

Je m'étrangle en quête de souffle. J'ai peur.

Cet homme veut ma mort autant que les autres, mais il préfère me faire vivre en effaçant ma mémoire plutôt que de me tuer. Mais à quoi bon vivre quand on a plus un souvenir de rien ? Je préférerais, et de loin, me tuer moi-même.

Il me bande les yeux et me pousse presque gentiment dans le corridor. Sa main dans mon dos ne m'apparaît plus chaude du tout, mais ardente à m'en brûler au troisième degré.

Nous marchons un bon moment jusqu'à ce que j'entende un murmure sur mon passage. Mon nom. Soufflé par une voix qui ne se manifeste plus que dans mes souvenirs.

Caleb.

Qu'est-ce qu'il fait ici ? Pourquoi il est ici ? C'est Nayden; c'est lui qui l'a retrouvé ? J'aimerais être en mesure de voir à travers le tissu qui s'obstine à me couper la vue.

C'est lui. C'est bien lui.

Cette voix, je la reconnaîtrais entre mille. Personne ne doit savoir que c'est lui, le garçon sur la vidéo. Le général Tchekhov ne doit pas mettre la main sur lui. Non. Il ne doit pas. Il le torturera comme il m'a torturée. Je ne le supporterais pas. Pourquoi l'avoir amené ici maintenant ?

J'espère de tout cœur que le père de Nayden ne l'a pas entendu souffler mon nom. Je croise d'ailleurs les doigts un bref instant contre ma cuisse.

J'entends la porte de ma cellule qui s'ouvre; le général Prokofiev retire mon bandeau et me dit avant de refermer la porte :

— Bon séjour, Lena. N'oubliez pas mes conditions.

La porte blindée claque, mais les lumières ne s'éteignent pas. La bassine a disparu. Ma couchette y est toujours par contre. Les deux caméras aussi. Les murs gris pâle et le grand miroir dans lequel j'ai refusé de me regarder jusqu'à aujourd'hui me semblent encore plus grands maintenant que je suis complètement lucide.

Comment Caleb a-t-il pu me reconnaître avec une mine aussi affreuse ?

J'ai tout le côté gauche du visage jusqu'au cou boursouflé d'horribles teintes de mauve, bleu et jaune. Mes cheveux encore humides de ma douche fugace tombent en cascades tout juste sous mes épaules. Une énorme ecchymose court le long de ma clavicule droite et mes bras sont couverts de marques rouges, bleues et pourpres. Ma lèvre inférieure est aussi fendue. Moi qui croyais que seuls mes poignets avaient mauvaise mine à cause de toutes ces cordes.

Je suis couverte de couleurs qui n'ont absolument rien d'attrayant et je n'ai même pas soulevé mon chandail pour constater le reste des dégâts. La dernière fois que j'ai baissé les yeux sur mon corps, c'était pour m'assurer que ma blessure par balle guérissait bien ou, à tout le moins, assez pour ne pas qu'elle s'infecte.

À mesure que les heures filent, la lumière décline. C'est la première fois que ça se passe ainsi, comme si on souhaitait me donner l'illusion que le soleil se couche.

Je m'assois sur le matelas. Compte mes doigts pour m'assurer qu'ils y sont tous encore. Dix. Le compte est bon. Je murmure une comptine quand la porte de ma cellule s'ouvre.

Je relève la tête. Caleb se glisse dans l'ouverture. Je saute sur mes pieds. Je suis figée. Paralysée. Qu'est-ce qu'il fait ici ? N'est-il pas censé m'avoir oubliée ?

Il ferme la porte. Tranquillement. J'avais oublié à quel point son regard pouvait être intense quand il se pose sur moi. La couleur de ses yeux pareils à un ciel d'été constellé de nuages gris clair. L'arête de son nez droit. La forme de sa mâchoire. La ligne fine entre ses lèvres couleur chair. Ses cheveux châtains en bataille sur sa tête.

Oui. C'est bien lui. Caleb Fränkel.

Mon Caleb Fränkel qui vient de se jeter dans la fosse aux lions.

Vingt-cinq

— Emma ? murmure-t-il en s'avançant vers moi d'un pas. C'est vraiment toi ?

Sa voix me fait littéralement fondre sur place. J'acquiesce, cligne des paupières comme pour m'assurer que sa présence n'est pas qu'un mirage.

— J'ai... j'ai cru ne pas te reconnaître tout à l'heure dans le couloir.

Je l'arrête.

— Tu ne devrais pas être ici.

Je jette un coup d'œil au miroir, puis aux caméras. Je tremble de tous mes membres. J'ai tellement peur. Mais j'ai peur pour lui maintenant, plus pour moi.

Il secoue la tête.

— Ne t'inquiète pas. Keyes surveille mes arrières, dit-il en se forçant à sourire.

J'avais raison. C'est Nayden qui l'a trouvé. Je me tourne vers le miroir en acquiesçant. Je sais qu'il est là, derrière.

— Non, je veux dire que tu ne devrais pas être *ici*. À la Base. C'est dangereux, on dirait que tu tiens à mourir.

À son haussement d'épaules, ma remarque l'indiffère complètement. Je serre les bras autour de moi.

— Combien de temps on a ? lui demandé-je.

— Environ trois minutes.

Je hoche la tête; j'ai les mains moites. Ça me fait toujours aussi mal de le regarder. Je le constate aujourd'hui tandis qu'il se tient devant moi, maladroit et aussi mal à l'aise que je peux l'être à cette seconde. Il a quelque chose à me dire, je le vois à ses tics. Je ne les ai jamais oubliés.

— Je n'ai pas arrêté de penser à toi, Emma.

Mon cœur se fissure sur toute sa longueur.

Il secoue la tête.

— Je suis désolé, j'aimerais me souvenir plus, mais… Je ne sais toujours pas pourquoi, mais quand je te regarde, mon cœur palpite. Je ne t'ai jamais vraiment oubliée. Je n'ai perdu que les souvenirs que j'avais de toi. De nous. Pas de ton visage. C'est comme si j'avais dans la tête des pièces d'un puzzle qui refusent de s'assembler.

Il secoue la tête.

— Pourquoi lui as-tu demandé de me trouver, Emma ?

Il ignore vraiment pourquoi j'ai demandé à Nayden de le contacter ? Il l'ignore *vraiment* ? Cela m'apparaît évident que je veux sortir d'ici et que je n'y arriverai jamais sans aide. Mon bourreau ne me laissera jamais partir d'ici; il a l'intention de m'exécuter, un point c'est tout. Une Insoumise en moins, quoi de mieux pour assurer le calme et l'ordre.

— Parce que, moi, je n'ai rien oublié de toi, Caleb.

J'humecte mes lèvres et baisse mes yeux lourds de larmes que j'ai honte de laisser couler devant lui alors que je n'avais pas honte de les laisser aller devant des dizaines d'inconnus.

Je ne l'ai pas entendu s'approcher; quand il glisse un index sous mon menton, je me surprends à tressaillir. Jadis son toucher me faisait tressaillir de bonheur, pas d'une tristesse à m'en déchirer le cœur.

— Tes sentiments, Caleb ? Est-ce qu'ils sont encore là ?

— À quoi bon avoir des sentiments quand on n'a aucun souvenir auxquels les rattacher ?

Ma lèvre se remet à trembler et je recule. Il n'a pas répondu à ma question et j'ignore s'il m'aime toujours autant. Comme moi je n'ai jamais véritablement cessé de l'aimer.

— Et toi, pourquoi es-tu venu dans ce cas ?

Il ouvre la bouche pour répliquer, se ravise. Je poursuis sur ma lancée; tant qu'on ne m'arrête pas, je peux poursuivre.

— Pourquoi être venu, Caleb, si tu n'en vois pas l'intérêt ?

— J'en vois un intérêt, détrompe-toi.

— Lequel ?

— Celui de terminer le puzzle dans ma tête.

Ce n'est même pas pour me sortir d'ici. Ce n'est même pas pour moi qu'il est là. Ce n'est que pour lui.

Il réalise son erreur et se confond en excuses. Je l'arrête en levant ma main à la hauteur de son visage.

— Dans ce cas tu n'as qu'à... aller terminer ton casse-tête. Ce qui signifie que, moi, je peux tourner la page.

— Tu en fais partie, de ce casse-tête. Tu en es la pièce centrale. J'espérais qu'en te voyant je pourrais le résoudre, voilà tout...

— Va-t'en, Caleb. S'il te plaît, le coupé-je sentant les larmes monter de nouveau. Tu es là pour résoudre tout ça. Ça va. Tu peux t'en aller.

Je veux seulement qu'il sache que j'ai mal de savoir que ma libération l'indiffère, que tous les coups que j'ai pu encaisser pour le protéger ne veulent rien dire.

Il recule vers la porte et pose la main sur la poignée. Ses yeux glissent partout sauf sur mon visage ; je voudrais lui crier de me regarder.

— Je n'ai pas demandé à t'oublier, Emma. Sache-le ... Savoir que je t'ai oubliée me fait mourir chaque fois que je vois ton visage derrière mes paupières closes. C'est pourquoi je ne te laisserai pas mourir ici. Pas en sachant que, toi, tu risques ta vie en mentant pour me protéger, mais aussi pour protéger ces souvenirs que je n'ai plus.

Je n'ai pas la chance d'ajouter quoi que ce soit avant qu'il ouvre la porte pour sortir. Sur ma droite, j'entends la caméra se remettre en marche. Le verrou de la porte s'enclenche et je me laisse choir sur le sol.

J'ignore si Nayden est toujours derrière le miroir, mais je voudrais qu'un rideau nous sépare s'il l'est encore. Qu'il tombe entre nous deux pour qu'il ne voie pas à quel point j'ai mal.

Les jambes ramenées à la poitrine, je recommence à fredonner. La folie aura raison de moi sous peu si je ne sors pas d'ici.

Vingt-six

Le général Tchekhov est revenu en me disant que je lui avais terriblement manqué pendant ces trois jours où il cherchait de nouvelles preuves. Trois jours pendant lesquels j'ai arpenté chaque centimètre de ma cellule. Trois jours pendant lesquels j'ai fermé les yeux en m'imaginant être ailleurs. Trois jours pendant lesquels je me suis amusée à peindre d'une autre couleur les murs de ma prison chaque fois que je battais des paupières. Seulement, dès que j'ouvrais les yeux, je tombais sur un blanc sale et un miroir sans tain où je déteste me regarder. Trois jours pendant lesquels il m'a semblé que la lumière fuyait le peu d'horizon que m'offrait ma cellule.

J'espère que Nayden reviendra. Pour qu'ils me sortent d'ici, Caleb et lui. J'ai besoin d'eux pour le faire. Je n'y arriverai jamais toute seule.

Je suis assise sur le matelas quand le général Tchekhov entre, un dossier à la main.

— Tu es pire qu'un animal en cage, Lena, oh, pardon Emma, me reproche-t-il en fermant la porte.

Je riposte :

— Je suis en cage.

Il secoue la tête en levant l'index en l'air.

— En cellule. C'est différent.

— Dans les deux cas, je suis enfermée. Dans les deux cas, je voudrais sortir. Dans les deux cas, je ne peux pas. Dans les deux cas, mes conditions sont pitoyables. Si ce n'est que je crois qu'on traiterait l'animal mieux que moi. Alors oui, *Général*, je suis en cage.

Il plisse légèrement les paupières et s'assoit sur l'unique chaise que la pièce contient. Ils m'ont retiré l'autre après que je l'aie lancée sur le miroir. Il y en avait toujours eu deux. Une pour lui et l'autre pour moi.

En restant immobile sur le matelas, j'arrive à trouver une position confortable qui ne soit pas trop tendue. Seulement, en sa présence à *lui*, c'est difficile de rester immobile. Parce que tout ce que j'aurais envie de faire, c'est de m'enfuir, de prendre mes jambes à mon cou, de fracasser ce miroir en le défonçant si c'est ce qu'il me faut faire pour m'échapper et détaler sans jamais me retourner.

— Tu as des amis, Emma ?

— J'avais des amis, Monsieur.

— Pourquoi tu n'en as plus ?

— Parce que je suis enfermée ici.

Il s'esclaffe. Je frissonne.

— Bien sûr. Toujours aussi amère à ce que je vois ? Enfin… Je t'ai entendue chanter sur certaines vidéos qu'on a de toi et ici même. Tu voudrais chanter pour moi ?

— Non.

Il fait la moue. Le masque de tristesse qu'il simule me donne un haut-le-cœur.

— Non ? Pourtant tu chantes si bien ! C'est vrai, je suis sincère ! J'ai rarement entendu une si belle voix. Tu ne veux vraiment pas chanter pour moi ?

— Je chante pour ceux qui en valent la peine, ce qui n'est pas votre cas.

— Ne descends pas dans les insultes, Emma. Ce n'est pas une bonne voie à prendre pour ton avenir, tonne-t-il d'un ton glacial.

Je m'étrangle sur place. Il a raison et c'est ce qui me force à me taire. Mon destin est entre ses mains.

Je déteste ça.

Je le déteste, lui et son sourire satisfait. Je le déteste, lui et toutes les tortures qu'il m'inflige. Je le déteste.

Il paiera pour ce qu'il m'a fait.

— Incroyable comme tu peux changer d'attitude rapidement, commente-t-il quasi admiratif malgré le mépris toujours perceptible dans sa voix. Quoi qu'il en soit, j'ai une nouvelle pour toi !

Je fronce les sourcils.

— Oh ! ça t'intéresse ! Je vois. Alors je ne ferai pas durer le suspense plus longtemps ! J'ai retrouvé quelques informations sur toi. Tu veux que je te les montre ?

Avant que j'aie la chance de protester, il ouvre le dossier en posant la cheville sur son genou, comme s'il s'installait confortablement pour lire un bon livre.

— Voyons voir... Emma Kaufmann. Dix-sept ans. Née le 4 septembre. Tu as fréquenté le collège de tes douze ans jusqu'à aujourd'hui, bien que ce soit approximatif étant donné ta situation actuelle. Ma foi, félicitations ! C'est rare de nos jours les Inférieures qui survivent jusque-là.

« Tu étais brillante même, la meilleure de ta classe et tu excellais plus particulièrement en... en mathématiques ! C'est impressionnant tout de même, une moyenne aussi élevée considérant ta médiocrité génétique et familiale. On mentionne également que tu étais une élève quelque peu récidiviste… une *Insoumise*, a rapporté ton professeur d'histoire, monsieur Fleisch. C'est une vilaine tache à ton dossier, ça. »

Il secoue la tête de droite à gauche, manifestement déçu. Les injures que je voudrais lui lancer brûlent le fond de ma gorge. Et j'ai beau déglutir, rien ne semble les faire descendre. Au contraire, elles s'entassent toutes sur ma langue et à l'intérieur de mes joues comme une gorgée acide impossible à avaler.

— Tiens donc ! Profil familial ! On y jette un coup d'œil ?

— Non, dis-je en m'étouffant presque dans ces mots que je n'ai pas le droit de dire.

— On poursuit dans ce cas, me contredit-il. Tu as un frère et une sœur… Oh, mais attends une seconde. On t'aurait aussi vue avec un garçon d'environ douze ans qui avait d'étranges traits de ressemblance avec toi.

Il s'exclame d'un hoquet de surprise tout en levant le doigt en l'air comme s'il avait découvert quelque chose d'extraordinaire.

— La milice t'ayant vu affirme même que tu leur aurais ouvertement dit que ce garçon était ton frère. Intéressant… Mais pourquoi ne figure-t-il nulle part dans tes papiers ?

— Je ne sais pas.

— On se remet à mentir, à ce que je vois. Tu n'aides en rien ton cas, *Emma Kaufmann*. Tu veux que je poursuive ?

— Non, répété-je sèchement.

— Je poursuis, dans ce cas !

— J'ai dit non, claqué-je en me levant.

Il me dévisage.

— C'est moi qui commande ici.

— Vous êtes un malade, craché-je.

— Peut-être. Ce que je sais en tout cas, c'est que j'avais raison. Tu es une *Kaufmann*. Il ne me reste plus qu'à trouver ta famille et le spectacle pourra enfin commencer.

Ça y est: la folie, qui entre en fusion dans mes veines, vient de prendre le dessus sur mon sang-froid.

Je crie à m'en scinder les cordes vocales quand je me jette sur lui dans un seul et unique but: le détruire. Nous basculons tous les deux, mais je me retrouve rapidement dans l'incapacité de faire le moindre mouvement. Il m'a maîtrisée tellement vite que j'ai peine à croire ce qui m'arrive. Je me débats quand même. Je n'ai pas perdu espoir pour autant.

— Je me demande encore pourquoi je ne t'ai pas tuée dès le départ. Il n'est peut-être pas trop tard, gonde-t-il en serrant ma gorge d'une main et en dégainant son arme de l'autre.

Il me tient en joue, le canon froid de son pistolet contre mon front.

Je cherche à tâtons, de ma main droite, la chaise sur laquelle il était et qui est tombée en même temps que nous. Il charge le canon.

Ma main se referme sur la patte de la chaise. Dans un ultime effort, je la lui balance au visage. Le métal léger fracasse sa tempe et il tombe sur le côté en se prenant la tête.

Je me relève, haletante, la vision trouble, et me précipite vers son arme qu'il a lâchée dans sa chute. Mes doigts se referment autour de la crosse quand il se relève et que j'en fais de même.

On se fait face; il s'esclaffe d'un rire qui n'a rien de drôle.

— Lâche ça, Emma. Tu ne sais pas comment t'en servir. Et tu ne tirerais pas, hein? Non. Tu n'as pas la trempe d'une tueuse. Seulement d'une *Insoumise* qui traverse un mur depuis je ne sais combien de temps.

Mon index glisse sur la gâchette. Je vais tirer. Je suis capable. Inspire. Expire. Pense à tout ce qu'il t'a fait subir. Pense à tout le mal qu'il t'a fait. Je vais tirer. Je vais tirer, je vais… La porte s'ouvre d'un seul coup. La lumière du couloir m'aveugle. Tchekhov fait volte-face.

Nayden tire une balle dans le genou du militaire, enchaîne avec une série de coups au corps et le frappe ultimement au visage avec la crosse de son semi-automatique long comme mon bras. Le tout en moins de cinq secondes. Le général Tchekhov tombe aussitôt, inconscient, face contre terre. Du sang commence à s'étendre tout près de son visage et de sa jambe, mais je sais qu'il n'est pas mort. Sa poitrine se soulève encore.

Nayden relève la tête vers moi, le souffle beaucoup plus stable que le mien, mais dans le même état que moi: surpris.

Le pistolet au bout de mes bras, que je tiens toujours à la hauteur de la poitrine du général Tchekhov, s'est mis à trembler.

Nayden me rejoint en deux enjambées et me retire doucement l'arme des mains.

— C'est fini, Emma. C'est fini, donne-moi le pistolet. OK. Viens maintenant.

Sa main glisse contre mon avant-bras; de l'autre, il glisse l'arme dans sa ceinture. Ses doigts s'entrelacent aux miens. Il fouille dans la poche du général Tchekhov et en ressort un petit briquet qu'il allume et jette sur les papiers qui me concernent. Le tout s'embrase en un instant.

Il me tire vers la porte de la cellule, mais je reste le regard rivé sur le corps inerte du général. Je peux encore sentir ses doigts sur ma gorge. Voir la haine dans ses yeux. Sentir le canon contre mon front. Son index sur la gâchette prêt à tirer.

— On ne devrait pas le tuer ? demandé-je alors.

— Non. Ce n'est ni à toi ni à moi de le faire. Viens Em, il faut partir.

— Et les caméras ?

— Toutes désactivées. On a quinze minutes, peut-être moins, avant que la sécurité intérieure ne s'en aperçoive.

Je me dégourdis d'un seul coup et le laisse me tirer vers la sortie.

Nayden regarde à gauche et à droite. De chaque côté de la porte, les gardes qui la surveillaient sont inconscients. Pas morts, seulement inconscients et je dois me le répéter en boucle pour ne pas m'évanouir quand je les vois au sol, tout de même moins amochés que Tchekhov.

Il s'engage à droite au pas de course après avoir claqué et verrouillé la porte derrière. Le général risque de s'asphyxier là-dedans avec tous ces papiers qui brûlent et la fumée qui en résultera.

J'ignore comment il a fait pour orchestrer ma fuite. Moi, je suis restée suspendue entre chaque seconde qui passait.

C'est lorsque sa main a enserré la mienne que j'ai compris que notre fuite ne faisait que commencer.

Vingt-sept

Je peine à me tenir à sa hauteur, mais je tâche de le faire quand même. Sa main dans la mienne, à laquelle je m'accroche comme à une bouée dans un tsunami, semble la seule chose qui me donne la force de continuer de nager dans ce raz-de-marée.

Deux soldats derrière nous nous crient d'arrêter. Ils n'ont clairement pas reconnu celui qui m'aide à prendre la fuite, sans quoi ils n'auraient jamais dit quoi que ce soit sur ce ton à leur supérieur. Nayden me pousse sur la gauche tout en se tournant vers les deux soldats. Il braque son arme sur eux, leurs expressions se métamorphosent en un claquement de doigts que j'aperçois d'un vague coup d'œil.

Sans hésitation, Nayden tire deux coups. Deux balles qui se logent chacune avec une précision morbide entre leurs sourcils. Je les entends tomber avant que mon cerveau n'assimile vraiment ce que je viens de voir.

— Par ici, m'encourage-t-il en se remettant à courir.

— Ils sont morts ? murmuré-je entre deux inspirations saccadées.

— Oui.

— Oh, seigneur !

Nayden vient de tuer pour moi. Il vient vraiment de tuer pour moi. Deux soldats sous ses ordres. Deux soldats. Morts. À cause de moi. Et ce n'est que le commencement.

Ma tête tourne et je réprime un haut-le-cœur en plaquant ma main libre sur ma bouche. Je vais être malade. Ma vue se brouille. Je m'empêtre dans mes pas. Mon estomac vide se retourne et une sueur froide me recouvre d'un seul coup de la tête aux pieds tandis que je crache sur le bas du mur. J'essuie ma bouche du revers de la main.

Nayden s'arrête et me coince entre lui et le mur derrière.

— C'est eux ou c'est nous maintenant, Emma. Crois-moi, c'est mieux que ce soit eux.

— Ces soldats sont innocents, protesté-je en battant des paupières pour chasser mes larmes.

— Nous le sommes aussi. Il faut y aller maintenant.

Je souffle, des larmes brillantes aux coins des yeux:

— OK.

— OK. Allons-y.

Ses lèvres se posent furtivement sur mon front. Il serre ma main en acquiesçant. Nous nous remettons à courir.

Le dédale de couloirs est interminable et plus nous progressons, plus les soldats qui s'effondrent sous les balles de mon sauveur se font nombreux. Ils tombent tous comme des mouches, les uns après les autres. Sans un cri, sans même un gémissement. Ils s'écroulent tous.

Et je tremble à chaque coup de feu, à chaque fois qu'une balle passe trop près de Nayden ou de moi.

Chaque fois qu'elle rebondit contre un mur et que je croise le regard d'un des soldats avant que Nayden ne l'abatte d'une balle bien placée. Et malgré toute l'admiration que je lui porte pour son sang-froid, pour sa précision parfaite, toutes les fois qu'il tire, je sens quelque chose se secouer en moi. J'ignorais tout de l'entraînement intensif qu'il a dû subir et c'est aujourd'hui qu'il se déploie sous mes yeux.

Nous avons franchi deux couloirs entiers quand un détail me frappe.

— Où est Caleb ?

— Il nous couvre. Ne t'en fais pas pour lui. Il devrait nous rejoindre sous peu.

Comme prédit par Nayden, c'est à un carrefour qu'il nous fonce droit dessus. Je lâche un cri en titubant dans ses bras.

— Pile à l'heure, Keyes, je te félicite, ricane Caleb en époussetant brièvement sa chemise.

Je remarque que pour la deuxième fois, il l'appelle par le nom de famille de sa mère. Manifestement, il ignore son autre nom qui le distingue si bien en Haute.

— Tout s'est bien passé de ton côté ?

Caleb grimace et je reconnais à sa mimique que ce n'est pas vraiment le cas. Un muscle dans la mâchoire de Nayden se contracte avant qu'il ne le foudroie du regard.

— Qu'est-ce que tu as...

— On en parlera plus tard, coupé-je Nayden en voyant un escadron complet approcher à toute vitesse.

— Je suis d'accord avec elle, s'empresse de dire Caleb en suivant mon regard.

Nayden m'attrape la main et m'entraîne à sa suite, Caleb sur mes talons. Les coups de feu retentissent. Mes cris ricochent en même temps que les balles entre les murs tandis que nous nous baissons tous les trois pour les éviter. Je trébuche un pas sur deux et je dois sans arrêt me retenir à la main de Nayden toujours dans la mienne. Je n'ai pas la force de courir aussi longtemps. On m'a trop malmenée dernièrement et mon énergie s'épuise à grandes goulées.

— À droite, vite ! ordonne Nayden lorsqu'un virage double s'offre à nous.

— On ne les sèmera pas, ajoute Caleb en jetant un coup d'œil par-dessus son épaule.

Notre trio bifurque à droite où les deux soldats me repoussent contre le mur pour me protéger. Caleb reste près de moi tandis que Nayden traverse de l'autre côté en tirant à la volée. Le chef de l'escadron nous somme de nous rendre.

Caleb lève les yeux au ciel en secouant la tête, vaguement agacé. Nayden, de son côté, recharge rapidement son arme et fait signe à Caleb. Au compte de trois, ils sont tous deux à découvert et éliminent les soldats ayant survécu à la première salve de balles.

Nayden nous rejoint au pas de course quand un des hommes de l'escadron tire – un qui, malheureusement pour nous, n'était pas encore mort. La balle l'atteint à la jambe. Nayden grimace sans pour autant s'arrêter de courir ou de geindre. Caleb se penche vers le couloir, arme brandie, et tire un coup. J'entends le dernier soldat tomber au sol à l'autre bout du couloir et je sursaute quand le son caractéristique d'une arme qui tombe au sol me parvient comme un lointain écho.

Nayden prend appui contre le mur. Il a la mâchoire contractée, mais inspire tout de même lentement.

— Ça va ? lui demandé-je en me penchant vers lui.

— Oui. Rien de grave. Il faut avancer.

— Il te faut un garrot, Nayden, que je murmure en voyant la plaie.

Il jette un coup d'œil à sa montre.

— Pas le temps. Plus que six minutes. Ça ira, ne t'en fais pas, qu'il tente de me rassurer.

De nouveau en route, un détail semble tracasser Caleb puisqu'il s'exclame :

— Au fait, Keyes ! Je crois que tu ne m'as pas dit quel poste tu occupais !

— On en parlera plus tard, marmonne-t-il en roulant les yeux.

Caleb acquiesce d'un hochement sec et nous reprenons notre course folle. Les coups de feu, les balles, les hommes qui tombent, les flaques de sang qui s'étendent et éclaboussent les murs blancs de rouge. Rouge. Rouge. Rouge. Le tout reprend dans un concert assourdissant.

Je ne sais pas comment nous y arriverons et ma crainte s'amplifie quand nous nous voyons encerclés des deux côtés par d'autres soldats. Je n'aurais jamais pensé qu'il y avait autant de soldats ici. On se croirait en pleine guerre.

Nayden fonce sans hésiter et prend l'un des soldats à bras-le-corps. Il le plaque contre le mur, subtilise son arme et en frappe un autre qui menaçait de l'attaquer avec la crosse de son fusil. Il échange les coups avec précision et adresse. En moins de temps qu'il n'en faut pour le dire, trois des cinq hommes sont déjà au sol. Quant à Caleb, il se démène contre six soldats en même temps.

Accolée au mur, je ne sais pas quoi faire. Je voudrais les aider, mais j'en suis incapable. Je suis impuissante, plus encore que dans ma cellule où je n'avais rien d'autre à faire que de tourner en rond.

On ne m'a pas formée à tuer.

Je chois rapidement au sol quand un des hommes contre qui Nayden se battait recule sur le mur où je me trouve, la poitrine perforée à de nombreuses reprises. Je respire rapidement, beaucoup trop vite. Ma vision se brouille de nouveau. La main de Nayden retrouve la mienne et il me soulève d'un seul coup pour m'éloigner du cadavre. Les cinq hommes sont au sol. Certains morts, d'autres inconscients, et tout ça en moins de deux minutes.

Un cri étouffé m'alerte sur ma gauche. Caleb.

On le pousse contre le mur, ce qui ne l'empêche pas de désarmer son assaillant et de lui tirer une balle dans le genou.

Je vais m'évanouir. Je suffoque. L'air me manque. Je nage sans être en mesure d'atteindre la surface. Je ne vois que du rouge. Je ne suis aucunement préparée à cette vague qui se fracasse contre moi. Je tombe à genoux.

— Emma, ça va aller. Regarde-moi, mon amour, je suis là, murmure Nayden à mon oreille.

— Je n'y arriverai pas. Je ne peux pas.

— Viens, il faut sortir d'ici. Caleb !

— Allez-vous-en ! Je vous rejoindrai ! crie-t-il entre deux tirs.

Mon cœur s'arrête. Il ment. Il ne nous rejoindra pas. La main de Nayden presse mes doigts. Au loin, j'entends une autre milice approcher. Leurs bottes martèlent le sol à un rythme effréné faisant ainsi compétition aux battements de mon cœur qui s'effare de plus en plus.

— Emma, viens, me souffle Nayden à l'oreille tandis qu'il m'éloigne de la mêlée.

— Non…

Je ne crie pas, je murmure, étouffée par l'air qui manque à mes poumons, par le carbone qui ne se rend à pas mon cerveau. J'en trouve enfin, dans un ultime effort, je hurle son nom.

— Caleb ! CALEB !

Nayden me tire, m'écarte de la mêlée, m'éloigne de mon premier amour. Je me débats et il se voit forcé de passer un bras autour de ma taille pour me détourner de Caleb tellement je résiste. Je m'époumone à l'appeler comme s'il allait réapparaître d'un seul coup. Il se met à courir, me transportant dans ses bras exactement comme si je n'étais qu'un coquelicot qu'on cueille furtivement sur un champ de bataille avant de détaler à toute vitesse.

Je ne le laisserai pas comme ça. Non. Je me suis trop battue pour le protéger. Je refuse de l'abandonner maintenant. Je parviens enfin à me défaire de la poigne de Nayden un couloir plus loin ; en me débattant, j'accroche sa blessure à la cuisse et il me relâche furtivement. Je m'élance vers l'endroit où j'ai abandonné Caleb à son sort.

— Emma, arrête ! me crie Nayden dans mon dos.

Je continue de courir, je ne m'arrête pas. Mes oreilles sifflent. Je dois aller chercher Caleb. Il faut que j'aille le chercher. Les coups de feu reprennent.

Trois, quatre, cinq, six.

— CALEB!

J'ai les poumons en feu.

J'y suis presque. J'y suis presque. Le temps se fige à une image à la seconde. Je saute sur chaque image visible, progresse lentement, trop lentement malgré la vitesse à laquelle se débat mon cœur dans ma poitrine pour me faire courir ce marathon qui pourrait me permettre de sauver Caleb.

Mes bottes glissent sur le plancher, je me rattrape au mur, trébuche à plusieurs reprises, mais ne m'arrête pas de courir. Je dois sauver Caleb. Je dois le sortir de là, je dois...

Une explosion.

Ma vue est obscurcie par une boule de feu et de poussière. La détonation m'assourdit les oreilles. Je suis projetée contre le mur le plus près et m'effondre contre le sol en gémissant. Je me prends l'épaule droite d'une main. Une longue estafilade tache rapidement le coton de mon chandail. Je tousse, frappe mon sternum le poing fermé. La poussière flotte dans les couloirs comme si un sac de plâtre s'était déversé dans tout le bâtiment.

Je tente de me relever, deux mains me viennent en aide quand je crie encore le nom de Caleb. Il faut qu'il soit en vie. Il le faut sans quoi je ne me le pardonnerai jamais.

— Attends-moi ici, me demande Nayden en me tendant le pistolet du général Tchekhov.

Ses mains tiennent fermement mon visage à quelques centimètres du sien.

— Si quelqu'un d'autre que moi approche, tu tires. D'accord? *Tu tires.* Il y a six balles dans le chargeur. Je reviens.

L'épaule contre le mur, j'acquiesce d'un coup de menton tremblant. Je pleure à fournir en eau salée un désert entier. Mon cœur tambourine à mes tempes dans cet espace-temps figé par la peur. Caleb *doit* être en vie. Je ne peux pas l'avoir laissé mourir aussi lâchement. Je ne me le pardonnerais jamais.

Vingt-huit

Quelques pas derrière moi me font sursauter. Il n'a pas la chance de dire quoi que ce soit, ni même d'ouvrir la bouche pour murmurer; ce soldat savait-il seulement que cette expiration serait sa dernière ?

Je fais volte-face et tire en fermant les yeux. Sans me poser de question. Sans réfléchir. J'ai peur de mourir. L'instinct de survie. C'est tout ce qui compte présentement.

Je recule sous l'impact, les mains tremblantes.

J'entends un gémissement étouffé, puis un corps qui tombe au sol. J'ouvre les yeux en retenant un cri sous ma main.

Je viens de tuer quelqu'un. J'ai tué quelqu'un. Il y a un soldat mort devant moi. La balle s'est logée à la base de son cou, j'ai perforé sa jugulaire. *Oh, mon Dieu !* Le sang s'écoule. Il porte une main à sa blessure, en vain. Son pistolet tombe au sol.

Mon dos glisse contre le mur jusqu'à ce que mes fesses atteignent le sol de béton froid. Mes mains tremblent autant que les ailes d'un papillon qui vient tout juste d'apprendre à voler. Exception faite que, moi, je viens d'apprendre à tuer.

Le pistolet est toujours calé dans ma main, le canon encore chaud fait trembler tout mon bras. Je m'étrangle dans un cri lourd d'un silence mortel. Mon cœur palpite. Je mourrai tout juste après Caleb si je ne recouvre pas mon calme.

J'entends des pas qui s'approchent sur ma gauche et braque mon pistolet dans leur direction et tire, une fois, deux fois. Mes balles atteignent toutes des endroits différents. L'une le mur, l'autre, une paroi de verre qui éclate; j'entends Nayden me hurler:

— Arrête! Emma! Arrête c'est moi!

Je saute sur mes pieds, manquant de tirer un autre coup de feu contre mon gré. Je cours dans la poussière en suspension dans l'air, l'avant-bras sur la bouche. J'aperçois enfin Nayden, soutenant un Caleb amoché. Mon regard se couvre de larmes que je chasse d'un battement de paupières furtif. Je me précipite vers eux et glisse un des bras de Caleb autour de mon cou.

— Rappelle-moi de te donner des cours de tir avec un Beretta, grogne Nayden en réajustant sa poigne auprès de Caleb.

Je ne porte pas trop attention à son commentaire. À dire vrai, j'ai surtout eu peur de le tuer en tirant comme une demeurée.

— Il est blessé? que je demande à Nayden tout en détaillant Caleb de la tête aux pieds.

— Rien que des écorchures et une sale commotion. Qu'est-ce qui t'a pris de lancer une grenade dans un endroit aussi restreint, Fränkel? le sermonne son supérieur.

— J'ai bien cru que j'allais y rester, mâchonne-t-il.

— Désolé de te dire ça, mon vieux, mais être soldat ne veut pas forcément dire être un héros, grommelle Nayden en avançant les dents serrées.

Sa jambe le fait de plus en plus souffrir, il risque de boiter sous peu si Caleb continue de se faire si lourd entre nos bras.

— Au moins, j'aurai essayé.

Ses paupières se ferment d'elles-mêmes. Je le tape sur la joue du revers de la main. Un peu plus sèchement que prévu et il lâche un juron étouffé. Je suis beaucoup trop nerveuse et beaucoup trop d'adrénaline court dans mes veines à un rythme difficile à suivre pour que mes gestes soient doux et attentionnés.

— Caleb ! Reste avec nous. Reste éveillé. Concentre-toi sur ma voix, lui dis-je en glissant ma main autour de sa taille après avoir coincé le pistolet entre ma hanche et mon pantalon.

Même si je suis aussi mal en point que Nayden, j'épargne un peu de sa force. Ce dernier m'adresse un hochement de tête reconnaissant quand il peut se redresser légèrement après que j'ai pris davantage de la masse de Caleb sur mes épaules. Nous progressons lentement, mais m'éloigner de ce couloir me rassure.

— J'ai tué quelqu'un, Nayden.

— Je sais, murmure-t-il en m'adressant un hochement de tête compatissant.

Je frissonne et déglutis avec la sensation que ma gorge vient de se faire trancher.

— Chante Emma…, me demande alors Caleb.

— Quoi ?

— Chante, pour moi.

Mes sourcils se froncent tandis que la surprise se peint à gros traits sur mon visage.

— Comment sais-tu que je chante ?

— Je sais que tu chantes depuis que j'ai onze ans, bredouille-t-il d'une voix pâteuse. Tu chantais à tue-tête en sautant sur ton lit. Tu as arrêté de le faire quand tu as appris que ton frère et moi t'écoutions à travers la porte.

— Tu te souviens de ça ?

— Bien sûr que je me souviens ! Pourquoi me poses-tu toutes ces questions ridicules ?

Mon regard s'illumine et mon cœur se gonfle d'un nouvel espoir qu'il vient d'insuffler en moi.

— Ce n'est pas vraiment le moment ni l'endroit, Caleb. Désolée, mais tu devras te contenter du seul son de ma voix.

— Ça me va, soupire-t-il.

Je lève les yeux au ciel et jette un coup d'œil à gauche, puis à droite.

Nous bifurquons dans un couloir et fonçons droit sur une petite milice qui nous tient en point de mire. Nayden tire sur la goupille d'une bombe fumigène qu'il a dû récupérer d'un soldat inconscient et la lance dans leur direction.

— Compte jusqu'à quatre-vingt-dix ! me hurle-t-il par-dessus les tirs.

Les tirs plombent sur nous, passent tous trop près. Il me fait signe de nous cacher au fond d'un couloir adjacent et nous assoyons Caleb contre le mur, histoire de ne pas respirer d'émanations.

Je me couvre les oreilles des mains et ferme les yeux pour me concentrer sur les nombres qui défilent dans ma tête. La bombe explose et les murs sont secoués. Nayden en lance une deuxième et se protège la tête des avant-bras. Je titube un moment avant de reprendre mon équilibre et les soldats se mettent à tousser en jurant.

Peu à peu, à la fois aveuglés et intoxiqués, ils s'effondrent aussi rapidement que des pions d'un jeu d'échecs quand la seconde grenade explose en faisant chuter une partie du mur.

À la fin de la minute et demie, j'adresse un hochement de tête ferme à Nayden. Nous pouvons y aller sans risque de nous faire asphyxier comme tous les autres.

Nayden se penche vers Caleb, dont la tête dodeline dangereusement ; il claque des doigts devant son visage pour capter son attention.

— Hé ho ! Caleb ! Combien de doigts ?

— Quatre.

Nayden regarde sa main dont trois doigts sont relevés et hausse les épaules. C'est plus inquiétant qu'autre chose, mais à voir l'expression mollassonne de Caleb, je dois me mordre les lèvres pour ne pas rire.

— Disons que ça ira. Espérons que ce ne soit qu'une petite commotion. Tu peux marcher ? lui demande Nayden en lui tendant le bras pour l'aider à se relever.

— Je crois, oui, opine-t-il en acceptant la main tendue.

— Dans ce cas, on y va.

Nous refaisons rapidement le plein de munitions auprès des soldats inconscients. Je jette des regards partout autour de moi. J'ai peur qu'à tout moment quelqu'un jaillisse d'un couloir qui aurait échappé à notre vigilance le temps d'une seconde.

Nous nous redressons et échangeons tous les trois un regard entendu : nous sommes prêts. Je dois sans aucun doute peser dix kilos de plus avec tout ce métal supplémentaire, c'est pourquoi Nayden récupère l'énorme kalachnikov que je porte et la passe en bandoulière. C'est la même arme que je voyais parfois sur les escadrons, la nuit.

— C'est un peu gros comme arme, tu ne trouves pas ?

Il effleure ma joue au passage et son sourire me redonne confiance.

Derrière nous, Caleb a bien plus que la nausée et je dois moi-même réprimer un haut-le-cœur à l'entendre. Il a certainement une commotion… Malgré tout, d'un commun accord entre nous trois, la main de Nayden dans la mienne, Caleb entre nous deux, nous nous remettons tous à courir en quête de la sortie.

Vingt-neuf

Nayden lâche mes doigts et lève son fusil quand nous arrivons à un détour pour prendre les devants. Me donnant du même coup un aperçu de sa blessure à la jambe qui, je ne l'avais pas réalisé jusqu'ici, le fait boiter malgré son obstination à faire comme s'il n'était pas blessé. L'adrénaline qui coulait dans mes veines m'abandonne peu à peu et je titube. Sa main m'offrait un bien plus grand support que je ne l'aurais cru.

Le plancher valse devant moi et je ralentis jusqu'à me mettre à marcher. Caleb s'arrête à quelques pas devant moi et se retourne quand je prends appui au mur.

— Hé, Emma. Ça va aller ! On va s'en sortir, d'accord ? m'encourage-t-il en passant sa main sur ma hanche pour m'aider à avancer.

Je hoche faiblement la tête et concentre mon regard droit devant moi. Nayden tire deux balles, puis nous fait signe d'avancer. Il est incroyablement bon tireur et exécute tous les soldats sans bavure. Et quand deux autres le prennent par surprise, c'est comme s'il les avait vus venir. Il les désarme tous les deux en un tour de main. Tous ses coups sont exécutés à la perfection.

Il s'approche et récupère un pistolet qu'il décharge et démonte en moins de quinze secondes.

Il le lance au loin dès qu'il me semble qu'il ne lui reste entre les mains rien d'autre que des fragments d'arme.

Puis, il part en reconnaissance pour s'assurer qu'il n'y a plus de menace, me laissant ainsi seule avec Caleb dont l'adrénaline semble la seule chose qui le maintienne conscient, arme en main. Notre coéquipier revient au pas de course exactement dix-sept secondes plus tard. Il faut que je compte pour me soustraire à toute l'atrocité des derniers évènements.

— Venez, l'escalier est tout près.

Des marches. J'ai déjà la nausée rien qu'à penser à la force qu'il me faudra déployer pour les monter. Je me secoue en me détachant du mur.

En empruntant le virage, j'aperçois au sommet de la jonction entre les deux murs une caméra qui épie nos moindres faits et gestes. Je le vois au petit voyant lumineux rouge tout juste sous l'objectif.

Je dégaine le pistolet de Tchekhov et tire dans la direction de la caméra. Celle-ci explose dans un crépitement électrique. Les deux garçons, m'ayant légèrement distancée, sursautent et se retournent, les yeux arrondis par la surprise et prêts à faire feu.

— Les caméras, elles fonctionnent, que je rétorque en voyant leur air effaré.

Nayden jette un coup d'œil à sa montre en acquiesçant.

— Excellent, je te laisse t'occuper des autres caméras. Il faut les rendre aveugles, d'accord ? Ça leur donnera une piste de notre trajet, mais nous serons plus difficiles à repérer s'ils n'ont aucun visuel sur nous. Il faut bouger maintenant.

J'acquiesce et tente de reprendre mon souffle. Il me désigne d'un coup de tête la porte au bout du couloir. Je les rejoins au pas de course et nous nous enfonçons dans l'escalier de service. Je gravis les marches aussi vite que possible. La tête me tourne encore. Je risque de m'évanouir dans quelques minutes.

— C'est quoi le plan maintenant, Nayden ? lui demandé-je en me maintenant difficilement à sa hauteur.

Contrairement à lui, je n'ai pas appris à respirer aussi calmement dans ce genre de situation et j'ai le cœur au bord des lèvres à chaque expiration.

— On atteint le rez-de-chaussée du parlement s'il n'y a pas trop de soldats, sinon on monte encore plus haut et on essaie d'atteindre la sortie par un autre moyen, nous informe Nayden.

Trois volées de marches plus tard, nous atteignons ledit rez-de-chaussée. Il passe sa carte magnétique devant l'œil et la porte se déverrouille, accompagnée d'un petit tintement électronique. Il ouvre la porte, passe sa tête dans l'embrasure et nous fait signe de le suivre. Le couloir large de trois mètres est plongé dans l'obscurité. Il n'y a que quelques fenêtres le long du mur extérieur qui laissent passer la lumière des réverbères pour nous éclairer.

Tout au bout, il y a un virage à gauche donnant sur l'administration du bâtiment, m'apprend Nayden. Nous avançons lentement en longeant les murs et j'examine le plafond en quête de caméras.

Leurs minuscules points rouges m'alertent. Je pointe le pistolet vers l'une d'elles quand Nayden pose sa main sur les miennes. Il fouille un moment dans ses poches et dans les effets à sa ceinture pour finalement me tendre un cylindre de métal et pose un doigt sur ses lèvres pour me signifier ce que c'est.

Un silencieux. C'est une bonne idée. Je m'exécute aussi rapidement que possible, mais mes mains n'arrêtent pas de trembler et je dois m'y reprendre à plusieurs reprises avant d'arriver à visser le cylindre sur le canon.

Je redresse mon pistolet puis tire. C'est à peine si on entend la détonation et la caméra éclate dans un grésillement d'étincelles. Caleb lève le pouce en l'air pour me féliciter et j'esquisse un sourire fier. Il fouille alors dans la poche de mon pantalon cargo. Sa main tout près de ma cuisse me fait sursauter. Il me tend un chargeur plein et lève six doigts en l'air. Je n'ai plus de balle dans mon chargeur.

Je hoche la tête et lui fais signe de m'aider. Je n'ai aucune idée comment le remplacer.

Il glisse le chargeur plein dans la crosse et me le tend en tirant sur le chien pour charger le canon. J'opine d'un coup de menton et le remercie d'un sourire auquel il répond gentiment.

Sur ma gauche, Nayden me pointe deux caméras. Je jette un coup d'œil au plafond puis tire deux coups. Nayden passe devant moi. Il avance à pas de loup et s'arrête juste avant qu'un sergent, qui semble sortir de nulle part, ne l'intercepte.

Les deux hommes échangent quelques coups au corps à corps, l'autre en profitant même pour atteindre Nayden à l'endroit où sa plaie suinte toujours. Je le vois grimacer puis asséner un violent coup de coude sur sa tempe, le faisant ainsi trébucher vers l'arrière.

Nayden lui subtilise son arme à ce moment et lui tire dans la poitrine à bout portant, passant outre sa veste en kevlar. Nayden rattrape le corps inerte du soldat avant qu'il ne tombe puis l'adosse au mur.

La pièce où nous aboutissons est gigantesque et exclusivement noire et blanche. Les colonnes carrées s'étendent terriblement loin et la sortie semble hors de portée. Nous progressons entre les larges piliers et le plancher de marbre noir reflète la lumière des réverbères. Plus nous progressons, plus il est difficile de trouver les vigiles cachés dans l'ombre. Nayden et Caleb sont exceptionnels ; leurs exécutions doivent être d'autant plus silencieuses et rapides.

De ce que je peux voir, il ne reste qu'une seule silhouette, tout près de notre porte de sortie. Caleb semble l'avoir localisée aussi et c'est pourquoi il s'empresse de faire signe à Nayden, toujours le plus silencieusement possible. Ce dernier acquiesce d'un simple hochement de tête et avance en catimini jusqu'à la sentinelle pour lui asséner le coup de grâce. Le dernier tir retentit, sourd, quasi muet, étouffé par le corps. Le soldat tombe au sol.

Pour la première fois depuis une éternité, c'est le calme plat. Le silence règne, uniquement troublé par nos pas qui résonnent entre les murs de marbre pendant que Caleb et moi rejoignons Nayden. Mon souffle m'apparaît d'ailleurs soudainement plus bruyant que jamais dans cette grande salle d'allure austère où plus rien ne peut nous empêcher de sortir.

— Il n'y en a plus ? demande prudemment Caleb en tournant lentement sur lui-même.

— Je crois que non, mais partons avant que la situation ne change, rétorque Nayden. C'est par ici.

Il nous fait signe de le suivre et nous sortons par la porte d'urgence dans un air glacial qui me griffe aussitôt le visage.

Trente

Je suis frigorifiée et morte de fatigue. Je trébuche sur mes pas. Je n'en peux plus… je n'en peux tout simplement plus.

Je m'effondre en murmurant le nom de Nayden qui s'agenouille aussitôt près de moi. Il se tourne vers Caleb.

— Je reste avec elle, va chercher ma voiture, dit-il en fouillant dans ses poches pour lui fourrer ses clés dans la main. Elle est juste là, ajoute-t-il en la désignant d'un petit coup de menton, mais je ne crois pas être en mesure de transporter Emma avec ce que j'ai à la jambe et je refuse de la faire marcher un seul pas de plus. Tu sais conduire, j'espère ?

— Oui, je sais.

— Caleb, tu ne peux pas conduire, tu as une commotion.

— Je pourrai conduire si jamais tu te sens trop étourdi, ajoute Nayden.

— Non, ça ira, nous n'avons pas trop long à faire. Ne perdons pas plus de temps, je reviens tout de suite.

Je me demande où il a appris à conduire. De notre côté, personne n'est assez fortuné pour posséder de véhicule. Sans doute cela faisait-il partie de sa formation de militaire... Je bats des paupières. Je dois rester éveillée. Je me sens déjà suffisamment inutile comme ça, je ne voudrais pas devenir un poids plus que je ne le suis déjà.

Je me demande où nous sommes. Je n'ai aucun repère. Aucun indice. C'est un bâtiment fédéral certes, mais où ? En Haute République sans doute.

Nayden effleure ma joue du revers de la main. Il ne faut pas que je m'endorme.

Ma respiration se mêle à la sienne, créant de gros nuages de buée devant nos visages pendant que nous attendons le retour de Caleb.

— Nayden ?

— Oui ?

— Pourquoi m'avoir fait sortir ce soir ?

— Mon père n'était pas à la base, murmure Nayden à mon oreille.

— Ça n'arrive pas souvent ?

Il secoue la tête.

— Non, et c'est pour ça que j'en ai profité. Le seul général présent ce soir, c'était Tchekhov.

— Combien sont-ils ?

— De généraux ? Cinq. Mon père est le plus influent et considéré par plusieurs comme le chef d'État. Ça cause des tensions dans l'administration, d'ailleurs.

Il secoue la tête d'un air las. Ce n'est pas vraiment le moment de parler politique, je crois.

Très peu de voitures circulent dans la rue ; l'heure du couvre-feu doit approcher. Puis, le ronronnement d'un moteur se fait entendre.

— Le voilà. Prête ?

Je hoche un peu le menton tandis que nous nous redressons, mon bras passé autour de son cou.

— Tiens bon, Flocon de neige, chuchote-t-il en m'entendant gémir quand mes genoux cèdent à nouveau sous mon poids.

Nayden ouvre la porte de la voiture, me soulève pour me prendre dans ses bras et s'assoit dans un seul et même mouvement. Une fois la portière claquée, Caleb redémarre.

— On a réussi, murmure-t-il en embrassant ma joue. Ça va, Caleb ?

— Oui. Je dois seulement rester concentré.

— Heureusement, ça m'a l'air moins pire qu'il y a un quart d'heure. Tu as toujours mal à la tête ? s'enquiert Nayden.

— C'est tolérable. Ne t'en fais pas pour moi, Keyes. L'objectif maintenant qu'on est sortis, c'est d'arriver à ma planque en vie.

Je me détends contre le torse de Nayden. Mes tremblements deviennent rapidement incontrôlables. J'ai terriblement froid et même dans ses bras, j'ai l'impression que je ne réussirai jamais à me réchauffer.

Caleb tend la main vers le chauffage qu'il monte à fond en se frottant brièvement les mains avant de les reposer sur le volant.

— Où nous emmènes-tu exactement, Fränkel ?

— Là où ils ne penseront pas que nous sommes, réplique-t-il en posant rapidement les yeux sur moi.

Je ferme brièvement les miens. Je lutte contre le sommeil. Pas question de sombrer avant de savoir où nous allons. Caleb a parlé d'une planque, mais quel genre de cache ? Je leur fais confiance à tous les deux, mais je n'aurai l'esprit tranquille qu'une fois que je saurai.

— Et où c'est exactement ?

— Chez moi.

— Il ne faut pas traverser la frontière pour ça ?

Caleb grimace en se grattant la nuque.

— Pas tout à fait, non…

Sur ce mystère non élucidé, je m'écroule de fatigue entre les bras de Nayden.

Trente et un

Une portière qu'on claque doucement, puis une autre qu'on ouvre sur ma droite me sortent des brumes du sommeil. Sous moi, je sens Nayden qui essaie de se lever, sans succès. Sa jambe doit le faire souffrir.

— Laisse. Je m'en occupe, souffle Caleb en passant un bras sous mes genoux. Ça va, tu me remercieras plus tard, lance-t-il d'un ton étrangement amical.

Il me soulève tranquillement. Ses pas font crisser la neige sous ses pieds, preuve qu'il règne un froid mordant. La portière côté passager se referme. Je n'ai toujours pas ouvert les yeux. J'en suis incapable. Je suis ce mur qui a de grandes oreilles, mais qui ne commente jamais.

— C'est chez toi, ça ? questionne Nayden qui nous suit d'un pas claudicant ; le bruit de ses bottes sur la neige n'est pas régulier.

— Oui, confirme-t-il.

— Caleb, c'est un wagon de train, réplique Nayden d'un ton qui transpire l'incrédulité.

— Ouais ben c'est chez moi, ce wagon, marmonne Caleb en soupirant.

On s'arrête.

— La clé est entre le cadre de la porte et la paroi sur ta droite.

J'entends Nayden récupérer ladite clé et l'enfoncer dans la serrure. La porte s'ouvre et une chaleur réconfortante me submerge.

— C'est pour ça que tu disais ne pas avoir à traverser la frontière. Tu te trouves juste entre les deux en étant sur les rails, déclare Nayden une fois entré dans le wagon.

— Terrain neutre à la limite de la République oui, approuve Caleb en allumant une petite lampe dont la lumière me fait détourner la tête, malgré mes paupières closes, pour l'enfoncer dans son épaule. Ces rails sont depuis longtemps inutilisés, j'ai vérifié, et ces quelques wagons ont été abandonnés à même les rails. Celui-ci était dans le meilleur état.

Caleb me dépose sur une surface moelleuse qui me semble être un canapé.

— Ce n'est pas si mal pour un train, commente Nayden en riant.

— Je ne viens pas souvent, seulement quand je suis en permission. Normalement, j'habite à la base du mur avec tous les autres soldats de la Basse République.

Nayden ne répond pas, mais je devine à son silence qu'il a simplement acquiescé.

— Elle est blessée, je crois, bafouille Caleb en effleurant mon épaule.

— Je m'en occupe. Va dormir, Fränkel.

— Je vais d'abord aller te chercher la trousse de premiers soins.

Il se lève puis revient quelques secondes plus tard, une boîte métallique en main. Je le sais au son qu'elle fait quand il la tend à Nayden.

— Tu n'as pas besoin d'aide ?

— Non, ça ira. Merci. Tu as besoin de repos, tu as eu un sale coup à la tête.

— J'y pense, il vaudrait mieux se relayer pour la garde, au cas où on aurait été suivis, tu ne crois pas ?

— Il n'y a pas de balise dans ma voiture, mais tu as raison, ce serait plus prudent.

— Bonne nuit, Keyes.

— À plus tard, conclut Nayden.

Dans la minute qui suit, je peux entendre la respiration calme et lente de Caleb au-dessus de moi et je devine que son lit de camp est perché par-dessus le canapé. Nayden ouvre la trousse puis soulève la manche de mon chandail.

C'est à ce moment que mes paupières se soulèvent.

— Tu pensais vraiment ne pas me réveiller en m'appliquant de l'alcool sur l'épaule ? marmonné-je en haussant les sourcils.

Il s'esclaffe en se prenant la nuque d'une main. Il s'assoit par terre, la jambe droite tendue devant lui.

— J'avais l'intention de t'avertir, voyons…

Il m'adresse un clin d'œil et imbibe d'alcool une bande de coton.

— On fait un décompte ? suggère-t-il gentiment.

Je secoue la tête.

— Pas la peine. Vas-y.

Il s'exécute sans attendre. La sensation de brûlure est atroce et j'enfouis mon visage dans le coussin du canapé pour m'empêcher de crier quand l'alcool entre en contact avec ma plaie à vif.

— Ça va, j'ai terminé.

— Je te déteste, grommelé-je en me tournant vers lui, une main à plat sur le front.

Il marmonne dans sa barbe et bande le tout.

— D'autres blessures ailleurs ?

— Tu as vu l'état de mon visage ? lâché-je, les sourcils haussés.

— Emma... S'il te plaît, me reproche Nayden.

J'y suis peut-être allée un peu fort. Un effet de l'épuisement j'imagine. Je suis plus à cran que je ne l'ai jamais été, c'est difficile de tout laisser aller d'un coup.

— Aucune qui nécessite une intervention avant demain matin. Et toi ?

— Rien de grave.

Je lui lance un regard noir.

— Menteur. Ta jambe. Fais-moi voir.

— Ce n'est vraiment pas nécessaire. Rendors-toi.

— Je suis réveillée maintenant et pas sur le point de me rendormir. Alors fais-moi voir, Nayden.

Il soupire. Je m'assois sur le canapé en frottant mes yeux pour me concentrer puis tapote la place à ma gauche. Il m'y rejoint en grimaçant quand il s'enfonce légèrement dans le coussin et que sa jambe se plie. Il a mal et la fatigue a de plus en plus raison sur le flegme qu'il affiche depuis le début de cette soirée de fuite.

Il devrait recevoir une médaille pour ça.

Je me penche alors vers la trousse restée au sol et récupère des ciseaux. Je coupe doucement son pantalon par le trou formé par la balle et écarte délicatement le tissu. Au moins il semble avoir arrêté de saigner et je vois la balle : elle n'a pas l'air de s'être enfoncée jusqu'à l'os. Je grimace malgré tout.

Je suis loin d'avoir les qualités requises pour être infirmière ; la vue du sang me dégoûte et j'ai chaque fois l'impression de souffrir à la place de l'autre quand je vois une blessure quelle qu'elle soit. Tout de même, j'avais l'habitude de soigner les blessures de Noah après ses crises alors je crois quand même posséder quelques aptitudes.

Je plisse le nez quand je réalise que je vais devoir extraire la balle de sa jambe.

— Je peux le faire moi-même. Je l'ai déjà fait, m'informe Nayden.

Je secoue la tête. Non, je peux le faire. Je peux sûrement le faire. Oui. Je peux le faire. Il suffit que je m'en convainque. Je prends une paire de pinces de la trousse et me redresse en clignant des paupières.

Je vais être malade, c'est clair.

Nayden me prend les pinces des mains en soupirant.

— Ferme les yeux.

— Non, je peux le faire, Nayden.

— Emma. Ça va. Tu n'es vraiment pas obligée. Ferme les yeux.

— Tu en es sûr ?

— Oui. Vas-y, ferme les yeux.

Je ferme les yeux et cache mes paupières closes de mes doigts. Je compte toutes les secondes qui passent et sur lesquelles le silence saute tellement lentement que je crains qu'il ne reste notre compagnon pour toujours. Jusqu'à ce qu'un petit tintement de métal contre métal vienne le faire trébucher du fil sur lequel il déambulait tel un funambule. Je laisse lentement tomber mes mains et ouvre les paupières.

Nayden me regarde d'un air penaud, un pâle sourire aux coins de ses lèvres. Je prends mon courage à deux mains et entreprends de nettoyer sa plaie et de lui faire un bandage en élargissant d'abord l'ouverture de son pantalon pour éviter qu'il n'ait à le retirer.

Je m'applique avec soin et pince les lèvres pour m'empêcher de grimacer. Heureusement, la blessure a meilleure mine et je peux commencer le bandage.

— Ça va, j'ai terminé, soupiré-je.

Ses doigts effleurent doucement ma joue.

— Merci. Tu peux dormir maintenant, on s'occupera du reste plus tard, ajoute-t-il en pointant les autres blessures qui me couvrent le corps.

— Oui, tu devrais dormir toi aussi.

— Il faut quelqu'un pour monter la garde.

Mon regard bifurque vers l'espace vacant entre nos deux corps. Il le constate lui aussi puisqu'il ouvre les bras.

— Approche, allez.

Je m'y love sans me faire prier et laisse libre cours à mes larmes.

Il caresse mes cheveux, puis mon dos. Décrit des cercles du bout des doigts sur mon épaule jusqu'à mon coude. Embrasse le sommet de mon crâne quand il me semble que mes sanglots ne cesseront jamais. Je suis épuisée, lessivée.

Si je pouvais dormir une année entière, je le ferais sans hésiter. À condition que Nayden soit là à mon réveil.

— C'est terminé, Emma.

— Non… Ce n'est que le commencement. Et c'est ce qui me fait peur.

— Tu ne seras plus jamais seule. Ça, je te le garantis.

— Ne risque plus jamais ta vie pour moi, dis-je entre deux soupirs saccadés.

Il pouffe, les lèvres tout près de ma tempe.

— Je ne peux te garantir une chose pareille.

— Dans ce cas, essaie de ne pas te faire tuer.

Sa bouche s'étire en un fin sourire contre ma peau glacée.

— J'essaierai... ça, je peux te le promettre ?

— Oui, tu peux.

— Dans ce cas, je te promets d'essayer de rester en vie.

Trente-deux

Quand je me réveille au petit matin, c'est dans un sursaut provoqué par mon cauchemar. Non, pas un cauchemar. Une reprise des évènements de la veille.

Exception faite que dans cette deuxième version, nous mourions tous de la main d'une ombre qu'on appelait République. Je me redresse, ankylosée comme jamais et seule sur le canapé. Un des garçons a même pris la peine de me couvrir le corps d'une couverture. Je la drape autour de mes épaules tremblantes malgré la chaleur réconfortante de l'endroit et je m'assois en jetant des regards intrigués à mon nouvel environnement.

Comme je suis rentrée la veille à moitié consciente, je n'ai pas eu la chance de détailler les lieux. Évidemment, puisqu'il s'agit d'un wagon, la pièce est beaucoup plus longue que large. D'un côté, il y a une petite cuisinette ainsi qu'une table ronde et trois chaises en bois toutes différentes. Les murs anciennement en métal ont été couverts de lambris et le toit renforcé de poutres de bois blanchies à la chaux. Au centre et reculé contre le mur, le canapé où je me trouve et au-dessus, un lit superposé. En face, une commode à trois tiroirs. À gauche finalement, séparée par un petit mur de lambris blanc et un paravent, je devine une salle de bain rudimentaire.

Par contre, je ne décèle aucune trace des garçons. J'aperçois une porte, au fond à gauche, juste avant une séparation faite d'un paravent. Ce genre d'emplacement asymétrique est typique; après tout, si je me trouve dans un ancien wagon, les portes d'embarquement pour les cargaisons ne sont jamais au centre.

Tout près de cette porte, il y a une fenêtre rectangulaire. Et c'est tout, c'est la seule ouverture sur l'extérieur. Pour le reste, je suis littéralement entre quatre murs. Or, je les trouve beaucoup plus réconfortants que les quatre murs de ma cellule.

Je me lève, la couverture serrée autour de mes épaules, au moment où la porte s'ouvre. Les garçons s'engouffrent dans le petit espace en se frottant les mains.

— Je déteste l'hiver ! s'exclame Caleb en soufflant dans ses mitaines. Oh ! Bonjour, Emma !

— Salut Caleb, ris-je en remontant la couverture sous mon menton.

— Tu vas bien ?

— Ça pourrait aller mieux, avoué-je en esquissant un faible sourire.

Il plisse le nez, se gratte la nuque. Nayden n'a encore rien dit. Peut-être qu'il veut voir comment Caleb gérera le fait de me parler. Après tout, la dernière fois, j'étais encore en cellule et il n'avait eu que quelques minutes pour échanger des paroles qui m'avaient fait plus de mal que de bien.

— Ouais… On a rapporté quelque chose à manger, lance-t-il en me désignant le sac de Nayden. Tu as faim ?

Je hoche la tête et les regarde se dévêtir. Nous nous asseyons tous les trois à la minuscule table, un peu maladroits. En ce qui me concerne, je regarde plus mes mains que mes deux compagnons. J'ai rarement été aussi embarrassée. D'une part, je suis en compagnie de mon ancien petit copain à la mémoire défaillante et de l'autre, il y a mon nouveau petit copain qui avait jusqu'à aujourd'hui pour objectif de faire la peau à Caleb. Je passe une main dans mes cheveux quand mes yeux s'arrêtent avec horreur sur la peau de mes avant-bras.

Ils sont rouges, violets et pourpres; colorés jusqu'à au moins cinq centimètres sous mes coudes. Mes yeux s'arrondissent. C'est la première fois que je les vois en pleine lumière et que j'y porte vraiment attention. Nayden s'approche et pose ses mains sur ma peau pour soustraire mon corps à mon regard. Je relève les yeux sur son visage. Calme, serein, je plonge dans deux disques émeraude striés d'or.

— On va arranger ça.

Il se lève, laissant brièvement son repas de côté, et récupère des bandelettes de gaze ainsi qu'un petit pot qui contient sans doute une crème analgésique. Il bande mes poignets jusqu'à la moitié de mes avant-bras en quelques secondes. La douleur commence déjà à s'estomper dans cette partie de mon corps.

Ne plus les voir m'aide plus que quoi que ce soit d'autre.

— Ça va mieux ?

J'acquiesce faiblement en passant mes doigts sur ma bouche dont la lèvre inférieure est fendue. Le reste de mon visage me semble enflé sous mes doigts. Je ne me regarderai plus dans un miroir avant excessivement longtemps.

Je ferme brièvement les yeux quand quelque chose roule sur la table et se bute à ma main.

Une pomme. Je lève la tête vers Caleb qui mord justement dans la sienne en souriant. Il m'adresse un clin d'œil et recule le dos jusqu'au dossier de son siège par-dessus lequel il passe un bras. Des trois, c'est celui qui s'en est le mieux tiré.

Ça fait tellement longtemps que j'ai mangé une pomme que j'en ai oublié son goût. Son jus acide mêlé au sucre de sa chair blanche. Combien de temps faut-il être coupé de tout pour désapprendre ce que goûte un aliment que vous avez mangé toute votre vie ?

— Depuis quand as-tu ce wagon, Caleb ? demandé-je en croquant dans ma pomme rouge vif.

— Je l'ai acquis environ un mois après m'être fait nommer colonel.

— Et comment tu l'as découvert ? poursuis-je.

— Complètement par hasard. Je marchais le long des rails pour une vérification de l'état de la frontière et je suis arrivé ici. J'ai dû marcher plusieurs heures avant de trouver les restes de ce train qui avait déraillé. Parce qu'au cas où tu ne l'aurais pas remarqué, Emma, considérant que tu n'es pas sortie, ce wagon est en travers des rails et tous les autres morceaux sont épars sur la steppe. Il a tout simplement été abandonné.

— Il n'y a vraiment plus aucun train qui y passe ? s'enquiert à nouveau Nayden.

— Non, aucun. Cette ligne est fermée depuis au moins cinq ans.

— Sais-tu pourquoi ?

Il secoue la tête.

— Non. Je l'ai appris en fouillant dans quelques dossiers.

Je change de sujet.

— Où avez-vous trouvé ça ? lui demandé-je en désignant la nourriture étalée sur la table.

— On l'a achetée, lâche Caleb un peu trop rapidement.

— Volée, rectifie Nayden en se tournant sommairement vers Caleb qui ronchonne déjà.

— Empruntée sans gage de retour.

— C'est volé ça, Fränkel.

— Peut-être, mais il faut manger quand même ! Et on n'a pas tout volé. Seulement une partie.

Je hausse les épaules, complètement indifférente. Caleb a raison et ce n'est certainement pas moi qui vais le contredire sur ce point dans le moment, étant donné que je n'ai pas touché à un fruit ou un légume depuis plusieurs semaines.

Après avoir mangé et échangé quelques mots sur le prochain tour de garde, nous nous occupons de nos blessures. Les garçons, comme deux anges gardiens, insistent pour qu'on s'occupe de moi d'abord, malgré mes protestations. Après tout, je n'ai grosso modo que des hématomes et des égratignures. Contrairement à Nayden, on ne m'a pas tiré dessus hier soir.

— Tu vas… enfin, tu sais, il va falloir que tu…, commence Caleb.

Je le dévisage sans comprendre. Il se remet à gober de l'air.

— Ce que Fränkel essaie de dire et qui le gêne autant c'est que tu vas devoir retirer ton chandail et il est plus qu'évident que tu n'as rien dessous.

Caleb foudroie Nayden du regard qui lève les mains en l'air pour se défendre.

— Tu n'avais qu'à ne pas tourner autour du pot !

— Je te hais, Keyes, grommelle-t-il.

Je sens que toutes les teintes de rouge possibles s'en donnent à cœur joie pour pigmenter la peau d'habitude blanche de mon visage. Exception faite que tout mon côté gauche est déjà bleui et rougi par les coups que j'ai reçus pendant ma séquestration, créant différentes teintes de mauve allant même jusqu'au noir. J'ai aperçu mon reflet tout à l'heure en allant aux toilettes et une autre fois dans le miroir de ma cellule.

Mes mains glissent au bas de mon t-shirt quand je réalise un problème. Je n'ai pas de sous-vêtements et je refuse de me mettre nue devant eux.

— Ça ne sera pas nécessaire, je n'ai pratiquement que des bleus sur le corps.

— Il faut quand même jeter un coup d'œil à ta plaie, Emma, renchérit Nayden. Ton séjour en détention n'a pas forcément aidé à sa guérison.

Il soulève un bon point. Je me résigne.

— Très bien. Retournez-vous, dis-je en les chassant d'un geste de la main.

— Oui, oui. On se retourne, s'empresse de dire Nayden qui donne une nouvelle claque sur l'épaule de Caleb immobile.

Une fois qu'ils me font dos, je retire mon t-shirt en tremblant et le plie jusqu'à en faire une bande que j'enroule sur ma poitrine. Mes blessures s'étendent jusque sous mes hanches seulement, ça devrait donc aller.

— C'est bon..., soupiré-je

Je me mordille la lèvre inférieure. Mon torse s'est transformé en un tableau abstrait.

De larges ecchymoses dansent sur ma peau de toutes les teintes possibles striées d'estafilades de différentes tailles sur mes côtes et mon ventre, et courent jusque dans mon dos. Quant à ma plaie par balle jadis cicatrisée, elle est d'une horrible teinte pourpre maintenant. Mon épaule bandée de gaze cache la plaie que Nayden a soignée la veille. Or, mon autre épaule sur laquelle j'ai très souvent atterri quand on me laissait ligotée à ma chaise est à la fois aubergine, safran et vermeil.

— Bon sang, Emma, lâche Nayden en étouffant un juron.

— C'est eux qui t'ont fait ça ? s'étrangle Caleb.

Je baisse les yeux sur mon corps et pianote sur ma hanche du bout des doigts, terriblement gênée. Je ne me suis jamais retrouvée aussi peu vêtue devant qui que ce soit. Finalement, j'avais raison d'avoir si mal. Ce n'était pas que de la frime bien que je tentais souvent de me convaincre du contraire. Si je m'étais apitoyée sur mon sort, jamais je n'aurais eu espoir de sortir de là un jour.

— OK. Ne… ne bouge pas, je vais commencer par désinfecter ta plaie initiale, me dit Nayden en s'approchant.

— Au moins tu n'as rien de cassé, soupire Caleb qui s'agenouille devant moi puis s'assoit sur ses talons pour tendre les bandes de gaze à Nayden.

— C'est une technique de torture couramment utilisée en interrogatoire. Tchekhov souhaitait seulement l'affaiblir en espérant que ses blessures la convainquent de parler.

— Mais il n'a pas réussi, marmonné-je.

Je sursaute dès que les doigts de Nayden m'effleurent bien qu'il le fasse pourtant en étant extrêmement délicat. Ma peau se couvre de chair de poule et je serre les poings et les dents pour résister à la tentation de m'éloigner.

— Détends-toi, murmure Nayden à mon oreille quand il se redresse pour prendre une paire de ciseaux.

J'écarte légèrement les bras de mon corps et expire bruyamment. Je ne suis pas prête à laisser qui que ce soit me toucher de sitôt.

Nayden me bande l'abdomen. Caleb ne m'a jamais vue autrement qu'entièrement vêtue. Les moments que nous avions seuls tous les deux se comptent sur les doigts de la main. Au-dessus de nous flotte un gigantesque malaise que je tente de dissiper. Quant à mes ecchymoses, il n'y a rien à faire d'autre qu'attendre qu'elles s'estompent.

Les garçons se relèvent, un sourire embarrassé au bord des lèvres.

— Terminé, m'informe Caleb.

— Merci… Vous pouvez…

— Oui, on se retourne. Tu peux enfiler ça, j'ai pensé que tu serais plus à l'aise si je prenais quelque chose à toi, me dit Nayden en me tendant un pull noir et un soutien-gorge.

Ce sont mes vêtements, qu'il a pris avant de venir me sauver.

Son pull noir.

Je retire le bandeau de fortune et enfile la douce épaisseur de ce cachemire après maintes grimaces et plusieurs gémissements de douleur étouffés entre mes lèvres serrées.

— OK. À qui le tour ? m'exclamé-je en lançant le chandail sur le canapé une fois changée.

— Caleb s'est fait tirer dessus hier, je crois, lâche Nayden en le pointant.

— Je confirme, je m'en souviens. En plus des quatre doigts au lieu de trois, ricané-je.

Nayden s'esclaffe et je fais signe à Caleb de nous montrer ladite blessure. Il a effectivement une large coupure sous les côtes du côté droit qu'il n'a même pas pris la peine de soigner, mais qui, heureusement pour lui, ne s'est pas infectée outre mesure. Quand nous en avons fini avec lui, je le pousse sur le canapé.

Il lâche un cri de protestation en levant les mains en l'air.

— Hé ! Qu'est-ce qui te prend ?

Je lève quatre doigts en l'air.

— Combien de doigts ?

— Trois, grogne-t-il en me foudroyant du regard.

Je le gratifie d'une pichenette au bord du sourcil.

— Aïe ! Quatre doigts ! Je ne te laisserai plus jamais dans une cellule en présence de gens pour te torturer, bon sang, ils ont eu mauvaise influence sur toi…

— Quel jour on est ? enchaîné-je sans porter attention à sa remarque.

— Le… 28 janvier. Jeudi. C'est bien ça ?

Je me tourne vers Nayden pour confirmer. Je n'ai aucune idée du jour qu'on est. Nous sommes donc deux jours après l'anniversaire de ma mère. *Joyeux anniversaire, maman.*

— Où tu étais hier soir ? continué-je.

— Avec Nayden et toi au parlement.

— Pourquoi ?

— Pour te sortir de ce trou à rats où on t'a enfermée. D'ailleurs, je ne sais pas pourquoi on t'a enfermée là !

— C'est bon, je crois qu'il est lucide. Malheureusement pour nous…, déclare Nayden en soupirant avant de s'asseoir dans une chaise qu'il a tirée vers lui, non sans jeter des regards nerveux vers la porte, à croire qu'à tout moment quelqu'un va la défoncer pour nous ramener au parlement, histoire de nous exécuter pour de bon.

D'ailleurs, je le sens tendu même à cette distance. Il est soucieux, inquiet de ne pas savoir si nous sommes réellement en sécurité tous les trois, mais surtout, pour combien de temps cette impression de sûreté restera.

— Réponds, Emma. Pourquoi tu étais là ? me demande Caleb.

— Je ne répondrai qu'à une seule condition.

— Laquelle ? demande-t-il en fronçant les sourcils.

— Jusqu'où remontent tes souvenirs de moi ?

Il s'arrête et fixe le plafond en se grattant la nuque.

— Jusqu'au soir où tu as traversé et que je t'ai avoué ne pas me souvenir de toi.

Mes épaules s'affaissent. Un trou gigantesque vient de s'ouvrir sous mes pieds et j'y tombe. J'y chute sans m'arrêter.

Je ne comprends pas…

Comment peut-il s'être remémoré un souvenir de moi d'il y a sept ans, hier, mais ne pas être en mesure de s'en souvenir ? Ni même de se rappeler qu'il l'ait évoqué ? Voire de se rappeler qui je suis alors qu'il l'a fait la veille ?

— J'ai encore foiré, c'est ça ? murmure-t-il en voyant mon air.

J'acquiesce en silence, les bras croisés à la hauteur de la poitrine. Plantée devant Caleb non pas comme un chêne, mais comme un tremble que l'hiver glaçera tant et si bien qu'il ne poussera pas davantage au printemps prochain, je le fixe d'un regard triste que je ne parviens pas à dissimuler. C'est pour moi que je suis triste, mais beaucoup pour lui également. Je suis triste de savoir que tous ces souvenirs de nous ont été si facilement balayés et que j'ai risqué ma vie pour les sauvegarder. Je suis triste parce qu'il s'acharne – ou c'est peut-être moi qui m'acharne – à se rappeler pour comprendre tout ce qui se passe aujourd'hui. Je suis triste d'avoir perdu le Caleb que je connaissais malgré l'espoir que je nourrissais de le retrouver.

Finalement, l'espoir est une chose bien éphémère qui peut s'envoler au moindre instant.

Je viens justement de le voir partir, battre des ailes dans une bourrasque avant de disparaître.

Trente-trois

Le reste de la journée, je navigue dans un malaise qui malmène tellement mon bateau que je manque de couler à chaque vague qui vient se fracasser contre la coque déjà affaiblie de mon petit voilier. Seulement, le problème avec ce genre de situations, c'est qu'elles deviennent à la fois lourdes à *porter* et à *supporter*.

Nous échangeons des regards maladroits en posant des questions ici et là pour éclaircir une question à la réponse nébuleuse. J'explique entre autres à Caleb pourquoi je me suis retrouvée dans une situation pareille tandis que je soigne le reste des blessures de Nayden qui reste muet.

— Ça ne me surprend pas du tout, affirme Caleb.

— Et pourquoi cela ? demandé-je.

— Tu t'es obstinée pendant quoi, six mois, à traverser ? Pourquoi d'un seul coup tu te serais empêchée de revenir ? Tu as couru après la mort des centaines de fois. Une fois de plus ou de moins, qu'est-ce que ça aurait changé pour toi, Emma ? Je me trompe ?

Je suis bouche bée. Je vais finir par croire que son amnésie n'est que temporaire. Il a vu tout à fait juste, et ce, même s'il ne me connaît plus comme avant. Rentrer chez moi me démangeait au plus haut point, même si je me sentais bien avec Nayden. Tôt ou tard, il a fallu que je rentre chez moi.

En revanche, un détail m'a fait tiquer. Il sous-entend presque que j'allais me faire prendre à nouveau et ça, ça ne ressemble pas au Caleb que je connaissais il n'y a pas si longtemps. L'ancien Caleb avait des raisons de me protéger, celui-là, je l'ignore...

Quand le malaise se dissipe, il me semble que ma barque tangue moins entre les vagues. Le soleil s'est couché et, aussi incongru que cela puisse paraître, je m'endors sur la chaise, les jambes repliées, coincées entre la table et ma poitrine. Avec eux, je suis en confiance, j'arrive à dormir sans être constamment sur le qui-vive bien que notre situation soit extrêmement précaire.

Quand j'étais dans ma cellule, j'étais toujours dans la peur que le général Tchekhov ou quelque sergent entre dans ma « chambre » durant le peu de sommeil qu'on m'accordait. C'est pourquoi je me réveillais toutes les heures, en sueur et en panique jusqu'à ce que je me rende compte que j'avais beau m'affoler et me mettre à suffoquer, il n'y avait rien que je pouvais faire pour m'en sortir excepté attendre. Attendre qu'on m'offre la porte de sortie que je n'avais pas encore trouvée.

C'est ainsi que je me suis endormie à la table, les bras sur mes genoux en guise d'oreiller, les murmures de Nayden et de Caleb en arrière-plan. Parce que leurs voix à eux sont d'un genre rassurant, à la façon d'un feu de foyer ou d'un coulis de caramel chaud, non pas glacial comme les murs d'une geôle ou bien glacé comme une pluie d'hiver.

Malgré mon apaisement momentané, mon sommeil est beaucoup trop léger. C'est pourquoi, à la suite d'un cauchemar où je revoyais tomber l'homme que j'ai tué, je me réveille, sur les coussins du canapé. J'entends les garçons qui discutent, toujours assis à table. Plutôt que de me lever, je préfère me taire et écouter ce qu'ils racontent. Le ton monte drôlement entre les deux. En y repensant, c'est sûrement eux qui m'ont réveillée et non mon rêve.

— Je n'ai pas demandé cette perte de mémoire, Nayden.

— Oh, parce que tu crois qu'elle l'a demandé, *elle* ?

— Ce n'est pas ce que j'ai voulu dire…

— Il n'est pas question de toi là-dedans, Caleb, mais de la fille qui s'est fait torturer pendant deux semaines pour te sauver et qui s'est torturée elle-même à attendre que tu l'aimes à nouveau ! As-tu seulement une idée de ce qu'elle a enduré pour te protéger ? Pour te sauver la vie ? Tu as une idée du nombre de fois où on lui a posé la question et qu'elle a juré que personne ne l'aidait ? Elle préférait qu'on la tue à petit feu plutôt que de te vendre !

Par mes paupières entrouvertes, il me semble voir Caleb se prendre la tête. Leur conversation qui m'apparaissait amicale me donne la fâcheuse impression de dégénérer.

Nayden poursuit sur sa lancée :

— Tu sais ce que ça signifie ? Qu'elle aurait préféré mourir au lieu de te dénoncer alors qu'en disant ton nom, ça n'aurait rien changé puisque tu ne te souviens de rien qui la concerne ! Tu n'aurais rien pu divulguer sur elle à moins de vouloir vraiment sa mort ! Ce qui, j'ose espérer, n'est pas le cas si, toi, tu tiens à ta vie.

Il pousse un soupir et je devine au son qu'il produit qu'il a enfoui son visage dans ses mains.

— Je n'ai pas demandé à l'oublier, Nayden ! répète Caleb les dents serrées.

— Je n'en ai rien à faire ! Regarde-la ! Tu as vu ses blessures ? Et ça, ce n'est qu'en surface. Elle est autant, sinon plus, blessée psychologiquement. Alors je t'en prie, arrête de faire comme s'il n'y avait que toi dans cette histoire, Caleb, parce que je peux te donner mille raisons de te faire sentir coupable de ce qui lui est arrivé.

— Tu dis ça uniquement parce que tu ne supportes pas l'idée qu'elle soit encore amoureuse de moi. D'un souvenir plus précisément, que je ne partage plus, mais qu'elle, elle continue de nourrir.

J'ouvre les yeux à l'instant où leurs chaises tombent au sol et je vois Nayden prendre Caleb par le collet et le plaquer si violemment au mur que tout le wagon en bouge. Je sursaute sur les coussins. Caleb se débat un moment, mais finit par abdiquer. Nayden est beaucoup plus fort et entraîné qu'il ne le sera jamais uniquement à cause de son grade militaire. Et ce n'est certes pas sa blessure à la jambe qui va l'empêcher de faire la peau à Caleb s'il en a envie.

J'espère de tout cœur qu'ils sont trop absorbés par leur échange, qui grimpe d'un ton, pour réaliser que je me suis réveillée. C'est sûrement le cas d'ailleurs sans quoi ils se seraient depuis longtemps rendu compte qu'avec tout le bruit qu'ils font, je ne dors plus. Cependant, je me doute que Nayden l'a remarqué parce qu'il a l'air de s'assurer que j'entende tout ce qu'ils se disent.

— Tu ne penses vraiment qu'à toi, hein ? renchérit-il.

— Oh, parce que toi tu t'es oublié là-dedans ? Tu profites d'elle autant que moi, Keyes, sinon plus.

Le wagon se secoue de nouveau et j'entends Caleb pousser une expiration étranglée.

— Oui, je me suis oublié, figure-toi. Je me suis oublié parce que je l'aime. Exactement comme elle l'a fait avec toi, pauvre imbécile. C'est ce qui se passe quand on aime quelqu'un. On s'oublie soi-même, et tu peux me croire, de tout le temps qu'elle a pu passer avec moi avant de prendre la décision de rentrer chez elle, il n'y a pas une seconde, pas une seule seconde, répète-t-il en l'enfonçant davantage dans le mur, où elle ne pensait pas à toi en me regardant.

Il le relâche et Caleb toussote. Nayden soupire.

— Tu n'es pas mon ami, Caleb. Pas plus que tu n'es mon ennemi. Je te respecte uniquement parce qu'elle, elle t'aime. Ne tiens pas ma gentillesse pour acquise. Tu n'es pas mon ami et tu ne le seras jamais.

Caleb ne répond rien avant un bon moment. J'en viens même à penser qu'ils ne diront plus rien du reste de la nuit.

Je suis très loin du compte puisqu'il enchaîne en posant une question à Nayden.

— Pourquoi avoir fait appel à moi, dans ce cas ? Si tu me détestes à ce point ?

— Ne joue pas sur mes mots, Fränkel. Je ne t'apprécie pas. Ça ne veut pas dire que je te déteste. Et si j'ai fait appel à toi, c'est parce que je savais que tu m'aiderais même si tu n'avais plus de souvenirs d'elle.

— Emma te l'a aussi demandé, à ce que je sache.

À la tension qui plane dans l'air et au silence qui accompagne la remarque de Caleb, j'en déduis que Nayden vient de le foudroyer du regard. Il peut avoir l'air terriblement menaçant. Je ne jouerais pas à ce jeu avec lui. L'arrogance n'a pour résultat que des répliques encore plus acerbes de Nayden. Son sens de la répartie est imbattable. Caleb risque de perdre s'il n'apprend pas à se taire.

— Tu me crois vraiment si faible, ou quoi ? Le fait que je sois amoureux d'elle ne veut pas dire que je suis incapable de penser par moi-même. Je ne lui obéis pas au doigt et à l'œil contrairement à ce que tu peux penser ! Réfléchis un peu, bon sang ! Elle était au bord de l'évanouissement quand elle m'a demandé de te chercher ! Et d'ailleurs, c'était déjà dans mes plans de demander ton aide, enchaîne Nayden d'un seul souffle.

— Sérieusement ?

Nayden claque la langue d'un geste agacé.

— J'ai des questions qui restent sans réponse, moi aussi. Et je te signale que mon but premier était de te faire la peau. C'est ce que je devrais faire d'ailleurs avec toutes les imbécilités qui peuvent sortir de ta bouche, mais je lui ferais du mal en te tuant.

— Pourquoi tu devrais me faire la peau ?

— Je suis lieutenant-général, Fränkel ! Je dois éliminer ceux qui contreviennent à la loi. *Tu* contreviens à la loi. Tu es la taupe que je cherchais dans le régiment !

— Attends une minute… C'est *toi* le lieutenant-général ?

— Oui, ça te surprend à ce point ?

— Non. Ça ne fait que confirmer ton air snob et ton attitude condescendante.

Encore une fois, le wagon est secoué comme en plein tremblement de terre. S'ils croient que j'ai le sommeil lourd, ils se trompent sur toute la ligne et je dois lutter contre l'envie de me lever. Je veux savoir comment ça va se terminer et j'ai peur de les interrompre en me levant. À moins bien sûr que Nayden parle si fort pour précisément me faire comprendre tout ce qu'ils se disent.

Or, je suis persuadée qu'ils pourraient tous les deux s'entretuer sans même réaliser que je suis juste à côté en ce moment.

Nayden est furieux, et plus Caleb parle, plus il me semble ne plus reconnaître celui qui me servait de passeport entre les deux côtés. Il a toujours eu un peu de mal à respecter l'autorité, mais à ce point ? Jamais. L'armée est censée instruire d'une ligne de conduite stricte, pas apprendre à défier l'autorité en répliquant sans arrêt !

— Attention à ce que tu dis, Caleb. Je suis tolérant, mais je ne le serai pas éternellement. Ma patience a des limites et je dois t'avouer que la ligne sera encore plus mince pour toi. Tu pars désavantagé. N'ambitionne pas sur mon amabilité, tu risques de me faire regretter mes paroles et de me retirer l'envie de t'épargner.

Il relâche Caleb, qui retombe sur ses pieds pour une seconde fois.

— On l'a sûrement réveillée, tu sais…, chuchote alors Caleb.

— Elle sera au courant, c'est tout. Je n'ai pas l'intention de lui mentir.

— Arrête avec ça, Nayden ! Ne prétends pas jouer la carte de la vérité.

— Tu crois que je ne suis pas sincère ? Si c'est le cas, tu es vraiment encore plus con que je ne l'aurais cru ! lui crache-t-il au visage.

Les poings menacent de devenir leur prochaine arme si je n'interviens pas.

Je me lève en croisant les bras, à la fois exaspérée et découragée par leur attitude à tous les deux.

— Ça suffit ! Bon sang, ça fait à peine une journée qu'on est en cohabitation et vous vous menacez déjà ! Si vous le voulez bien, vous allez la fermer tous les deux ! Et puis même si vous ne voulez pas, je m'en fiche ! Taisez-vous. Si je vous ai demandé de m'aider, ce n'est pas pour qu'à ma sortie de cellule, vous vous entretuiez ! Surtout pas à cause de moi en plus !

Les deux garçons sont bouche bée et ce n'est qu'une fois que je décroise les bras qu'ils daignent réagir. Caleb ouvre la bouche sans rien dire. Quant à Nayden, il me fixe en silence d'un air froid, pareil à un bloc de pierre.

Je chasse mes paroles d'un geste de la main, lasse, non sans soupirer d'un air exaspéré pour leur manifester mon découragement ; je me recouche dans un silence total.

Pour les dernières heures de règne qu'il reste à la Lune sur ce ciel sans nuages, je dois avouer n'avoir jamais connu de nuit si calme depuis fort longtemps.

Trente-quatre

Nayden est rentré dans le wagon entraînant à sa suite un courant d'air glacé qui s'est glissé sous mes vêtements en moins de temps qu'il n'en faut pour le dire. J'ai échangé quelques mots avec Caleb pendant la courte absence de Nayden, mais tellement peu qu'ils n'avaient aucune valeur proprement dite.

Depuis la conversation entendue la nuit dernière, une barrière encore plus étanche que sa perte de mémoire s'est installée entre nous. Et plus le temps file, plus je réalise qu'elle sera beaucoup plus difficile à démonter que la précédente.

Jadis, il a été l'étoile autour de laquelle j'orbitais jour après jour. Maintenant, je n'ai qu'une envie, qu'on me désaxe sous peine de m'autodétruire en rencontrant un autre corps céleste… Bien que j'aie déjà rencontré ce corps céleste un soir où des milliers d'étoiles semblaient tomber du ciel, et qu'il entre justement dans la pièce, son ordinateur entre les mains.

— Sors ça d'ici, lâché-je aussitôt d'un ton aussi glacial que la bourrasque qui m'a fait trembler.

Il me dévisage en retirant son écharpe puis ses bottes d'un coup de pied. Il sait déjà que j'ai fait la rencontre d'Ezra. Cette stupide machine doit le lui avoir dit, mais ce qu'elle ne lui a pas dit, par contre, c'est que je la déteste.

— On va en avoir besoin. Tu la remercieras plus tard.

— Jamais en cent ans.

Nayden lève les yeux au ciel et pose son ordinateur aussi mince qu'un calepin sur la minuscule table et l'ouvre.

— C'est ton ordinateur ? lui demande Caleb tandis qu'un pli d'intérêt se forme entre ses sourcils.

Nayden acquiesce.

— Ne te fie pas à l'attitude haineuse d'Emma. Elle a, du moins je crois, débuté sur de mauvaises bases avec Ezra.

— Ezra ?

— Le nom du programme « intelligent » que Nayden a installé dans son ordinateur, soupiré-je en insistant beaucoup trop sur les guillemets.

Je me laisse lourdement retomber sur le sofa. Mon hypothèse est confirmée : il sait que j'ai utilisé Ezra. J'aurais dû la détruire quand j'en avais encore l'occasion.

— Oh… Je vois. Et qu'est-ce que tu comptes en faire ? rétorque Caleb.

— Il faut que je sache si ta puce est encore en fonction, Caleb. Si elle l'est, ils vont nous retrouver si rapidement qu'il ne nous aura servi à rien de nous enfuir.

— Ma puce ? s'étrangle-t-il. Mais quelle puce ?

J'enfouis mon visage entre mes mains pendant que Nayden se laisse aller à un long soupir. Nous avons oublié que Caleb ignore qu'il a une puce en lui. Je lui explique donc, le plus calmement possible, ce que la

République a implanté en lui à son insu. Et ajoute que c'est sûrement ce qui a provoqué son amnésie et, pour ma part, ma réanimation.

Il est tellement abasourdi par ce déluge d'informations qui s'abat sur lui qu'il s'assoit ou, plutôt, se laisse tomber sur la chaise la plus près.

— Vous voulez dire que j'ai quelque chose en moi, un bidule électronique de je ne sais quoi qui dicte ma conduite ?

— Pas un *bidule*, mâchonne Nayden en appuyant sur quelques touches du clavier. Une micropuce qui t'a fait oublier Emma et plusieurs de tes valeurs aussi. Ça t'empêche de penser par toi-même, la majorité du temps, tout ça sans que tu ne le réalises, et le combattre est quasi impossible. Seulement, il paraîtrait que le programme ne fonctionne pas sur tout le monde. Sur Emma, par exemple, il ne fonctionne pas. Elle est insoumise. C'est peut-être la raison pour laquelle tu l'as oubliée aussi ; parce qu'elle va à l'encontre de ton programme à toi. C'est plus sournois qu'un simple bidule comme tu le dis.

— Peu importe…

Sans porter attention à sa remarque, Nayden se lève en posant ses mains de chaque côté de son portable.

— Ezra, tu es là ?

— Je suis rarement hors connexion, Monsieur, entonne la voix synthétisée de l'ordinateur.

— Cette chose parle ? s'écrie Caleb d'un ton qui trahit sa surprise.

Manifestement, il est tout aussi inaccoutumé que moi à voir ce genre de technologie se déployer. Seule exception : je déteste cet ordinateur et, lui, il l'admire.

— Vous n'êtes pas seul à ce que je vois. Mademoiselle Kaufmann doit sûrement y être et l'autre qui s'est adressé à vous doit être le colonel Fränkel.

Les yeux de Caleb s'écarquillent.

— C'est exact, marmonne Nayden en passant une main lasse sur son visage.

— Comment ça, elle me connaît ?

Je m'empresse de mettre fin à son admiration inconditionnelle :

— Ce n'est *pas* une personne. Elle ne connaît rien. Elle ne détient que des informations et les associe par je ne sais quel moyen.

— Elle te connaît parce que j'ai un dossier sur toi, Caleb, se hâte d'ajouter Nayden.

— Toujours aussi amère à mon égard, Emma. J'aurais cru que votre séjour en cellule vous aurait fait changer d'opinion sur moi, « soupire » Ezra.

Je me lève aussitôt avec une seule idée en tête, celle de balancer cet ordinateur ridicule par l'unique fenêtre du wagon. Nayden m'arrête en prenant doucement mon poignet par-dessus mes bandages et darde son regard dans le mien.

— Emma. Ne t'emporte pas comme ça. Ce n'est qu'une machine.

— Une machine vachement désagréable, tu veux dire, grogné-je les dents serrées en avançant mon visage près du sien.

— Si tu veux... Ce qui importe maintenant, c'est qu'elle peut nous être utile. Tu comprends ça ? C'est tout ce qui compte. D'accord ? Essaie de faire abstraction de ce qu'elle peut dire, ce sera plus facile.

— Rien ne m'empêche de l'insulter.

— Emma ! C'est un programme, bon sang ! Essaie d'agir de manière plus mature qu'elle, au moins !

— Dois-je te rappeler que c'est *toi* qui l'as créée ? Tu n'avais qu'à la rendre moins désagréable !

— J'avoue que son niveau d'inhibition est anormalement élevé, mais c'est uniquement ainsi qu'elle peut nous être vraiment utile. Tu comprends ? Fais un effort, s'il te plaît.

Je le foudroie du regard et retire mon bras de sa poigne en lui lançant un regard noir qu'il saisit au passage pour le métamorphoser en un sourire amusé qui se loge aux coins de ses lèvres.

Je claque malgré tout sa poitrine du revers de la main. Il frotte l'endroit où je l'ai frappé en grimaçant alors que je sais pertinemment que je lui ai fait autant d'effet qu'un papillon se butant aux carreaux d'une fenêtre.

J'ai eu plus mal que lui et ce détail m'enrage encore plus.

— Bon. Caleb, lève-toi, s'il te plaît, et place-toi devant l'écran. Ezra ?

— Oui, Monsieur ?

— J'aimerais que tu l'analyses. Vois si un quelconque circuit électronique est toujours en activité dans son corps.

— Tout de suite.

Un faisceau de lumière bleuté jaillit du haut de l'écran pour glisser sur Caleb du haut de sa tête jusqu'à ses pieds. Il sursaute en même temps que moi tout en observant d'un air à la fois inquiet et incertain la lumière qui le balaye. Elle s'éteint d'un seul coup.

— C'est bon, tu peux te rasseoir, lui indique Nayden.

— C'est censé trouver quoi au juste ?

— Ta puce. Ou quelque chose qui lui ressemble.

Nous attendons plusieurs secondes en silence quand finalement Ezra se remet à parler.

— L'analyse ne se révèle pas très concluante.

Nayden fronce les sourcils et ses traits se tendent légèrement.

— Qu'est-ce que tu veux dire ?

— Il y a quelque chose qui fausse mon introspection. Il y a effectivement quelque chose, mais ce n'est pas une puce à proprement parler. Ce sont des composants nanoélectroniques répartis un peu partout dans le corps du sujet. Comme si la puce se fragmentait au fil du temps et à mesure que le sujet vieillit.

— Je ne veux pas des hypothèses, Ezra, mais des affirmations. Précise.

— Les résultats de l'analyse confirment la présence de nanoparticules de type électronique. Seulement, pas en puce complète. Et je tiens à ajouter que ce qu'il en reste est toujours en fonction.

— Pourrait-on nous retrouver à cause de ça ?

— Oui. La puce serait très facile à repérer. Seulement, elle est impossible à extraire. Les morceaux sont épars, ici et là, et tellement petits dans le corps du sujet qu'il est statistiquement impossible de les récupérer tous sans l'endommager, voire le tuer. Le facteur d'endommagement est donc considérable et non négligeable.

— Quel facteur d'endommagement ? demande Caleb en fronçant les sourcils avant de s'avancer sur le bout de sa chaise, les coudes sur les genoux.

— La personne concernée s'expose à de graves dommages cérébraux et physiologiques dans l'optique où elle souhaiterait entreprendre de retirer tous les fragments. À la base, il est clair que ce programme n'est pas fait pour être extrait du sujet. Je vous déconseille donc fortement d'entreprendre des démarches dans ce but.

— Quoi ? Je vais donc être pris le reste de ma vie avec tous ces… trucs en moi ?

— En l'occurrence, oui. Les chances que vous surviviez à une opération cérébrale aussi précise sont de 2,97 % et cette statistique est extrêmement relative.

— OK. Dans ce cas on écarte cette idée, lâche-t-il en passant ses mains sur son visage.

Nayden se remet à faire les cent pas. C'est manifestement son processus favori pour réfléchir. À le voir, je me dis que le temps presse. Il misait sans doute sur le temps avant que le gouvernement ne nous localise. Maintenant, nos secondes sont comptées.

— Es-tu en mesure de désactiver la fonction de localisation ?

— Pour une durée limitée, oui.

— Combien de temps ?

— Quarante-huit heures au maximum.

— Fais-le.

— Je m'y mets tout de suite.

Les minutes qui suivent me semblent longues. Nayden répond aux questions de Caleb le plus brièvement possible. Seulement, les questions de Caleb sont récurrentes et il empêche Nayden de se concentrer et de réfléchir.

— Nayden, qu'est-ce que tu cherches à faire au juste ? lui demandé-je après un moment.

Il se tourne vers moi en se prenant la nuque à deux mains.

— À gagner du temps. On a beau avoir éliminé une bonne partie des caméras de surveillance, il y en a sûrement qui nous ont échappé et qui nous ont captés suffisamment longtemps pour nous identifier. Le système intégral des caméras n'a pas planté.

— Ce qui veut dire ?

— Ce qui veut dire qu'en n'éliminant qu'une portion des caméras de surveillance, quand tu tirais dessus par exemple, ils n'avaient plus de visuel, mais ils ont pu suivre le chemin que nous avons emprunté.

— Je vois...

— Ta puce à toi, Emma, est inactive alors tout va bien. Moi, je n'en ai pas, mais ils me connaissent et mes plaques ont une fonction de pistage. Ne t'en fais pas, je les ai laissées chez moi, s'empresse-t-il d'ajouter en levant la main pour m'interrompre. Or, Caleb, lui, a toujours une puce en activité qui peut vendre notre position.

C'est la réponse la plus complète qu'il donne depuis longtemps. Je vois Caleb secouer la tête du coin de l'œil ; la question qu'il pose ensuite ne me surprend guère.

— Bon sang, tu es qui au juste ? lâche-t-il en relevant les yeux vers lui.

Nayden me regarde, demande mon approbation. Je la lui accorde en acquiesçant.

— Je m'appelle Nayden Prokofiev Keyes. Keyes est le nom de ma mère.

Caleb lâche une série de jurons qu'il étouffe sous sa main avant de la laisser retomber. Il recule au dossier de sa chaise en le dévisageant autant que s'il venait d'apprendre que Nayden était en réalité une femme.

— C'est une blague… Emma, tu n'es pas vraiment tombée sur le fils du général le plus influent de la République ? Et, ai-je omis d'en parler, mais également le plus jeune soldat promu lieutenant-général ? !

— C'est lui qui m'est tombé dessus, répliqué-je pour ma défense en pensant au soir où Nayden est entré dans le café de Lanz alors que je croyais avoir verrouillée la porte.

Je me demande d'ailleurs ce qui serait arrivé si elle l'avait effectivement été. Les choses auraient-elles été si différentes ? Caleb secoue la tête, le visage rivé au plancher. Puis, il pouffe d'un rire sans joie en passant une main dans son cou.

— Lieutenant-général Prokofiev… J'ai entendu parler de toi. Seulement, j'ignorais que c'était toi. Ça explique ton habileté au tir, ta voiture et tout le reste. Oh, et ne te monte pas la tête, Keyes, mais tu es reconnu pour être un génie !

Nayden grimace.

— Mon grade militaire et mon nom de famille ne font pas de moi qui je suis.

— Non, mais ils aident en tout cas, précise Caleb. Aïe !

Il se prend la tête d'une main en fermant les yeux tandis qu'un cri de sa part me fait avancer d'un pas dans sa direction.

— La fonction de géolocalisation de la puce est désactivée pour une durée de quarante-huit heures, Monsieur, nous informe Ezra.

— Oui et ça ne s'est pas fait sans douleur, grommelle Caleb.

— Excellent, Ezra, poursuit Nayden sans se préoccuper de l'état de Caleb. Peux-tu vérifier s'il y a eu une corrélation entre le programme et son amnésie ?

— Je ne comprends pas votre demande.

— Je veux savoir si le programme de sa puce est véritablement responsable de sa perte de mémoire ou si c'est une substance qu'on lui a injectée à son insu qui l'a provoquée. S'il s'agit de sa puce, Caleb n'est probablement pas le seul à qui une situation semblable est arrivée. S'il s'agit d'une injection, je veux savoir ce que c'est.

— Je procède à l'analyse, opine-t-elle.

Nayden continue de faire les cent pas. La main sur le menton, tantôt sur la nuque, il réfléchit, fixe le sol, marche et se retourne pour recommencer son manège, malgré sa blessure qui ne devrait pourtant pas lui permettre autant de va-et-vient.

— Le résultat est positif, Nayden. Il y a bien une composante qui a enclenché une partie du processus causant momentanément l'amnésie de monsieur Fränkel. Cependant, elle n'est pas irréversible. En réalité, il s'agit d'une barrière qui l'empêche d'accéder à des souvenirs antérieurs concernant sa famille proche ou des amis, plus particulièrement envers ceux montrant une résistance au programme comme c'est le cas avec mademoiselle Kaufmann. Les émotions n'ont pas été altérées outre mesure et les relations qu'il entretient avec ses camarades n'ont pas été changées. En bref, on sélectionne les souvenirs qui garderont le sujet lucide et vivant; quant au reste des souvenirs, ils sont gardés sous silence et impossibles d'accès. Les émotions y sont donc encore et l'activité cérébrale à ce niveau a toujours lieu. Seulement, comme je l'ai mentionné, les souvenirs y étant rattachés lui deviennent inaccessibles.

— Il pourrait donc se souvenir de tout ? m'exclamé-je en me levant d'un bond. Au fond, c'est à cause de moi qu'il m'a oubliée ? Parce que je suis classée comme Insoumise pour sa puce ?

— Oui et oui, mais en partie seulement. L'amnésie programmée par la composante électronique incluait indirectement l'effacement des souvenirs se rattachant aux Insoumis. Le fait que vous en fassiez partie a simplement occasionné des torts de votre côté, me répond-elle.

— Je ne suis pas sûre de comprendre...

— En d'autres mots, toutes les puces prévoient une amnésie dans ce but.

— Quel but, Ezra ?

— Effacer de la mémoire des Asservis, la présence et l'existence des Insoumis.

— Qui ?

— Si je me fie aux dossiers, c'est ainsi que les responsables du programme les appellent. Afin que les Insoumis ne les influencent pas, un autre programme se déclenche et fait en sorte qu'ils n'aient plus aucun souvenir d'eux. Ainsi, les Insoumis sont localisables et ils ne représentent plus un danger de rébellion pour les autres. Dans le cas de Caleb, cette amnésie n'est pas permanente.

— Je vois... Donc il pourrait se souvenir de moi et de tout ce qui s'est produit avant ?

— Affirmatif. Cependant, il est possible que ce retour à la normale ne concorde pas avec ce que monsieur Fränkel est devenu aujourd'hui. Par ailleurs, le programme prévoit qu'une nouvelle amnésie aura lieu à une date à laquelle je n'ai malheureusement pas accès. Ce qui signifie que monsieur Fränkel continuera d'oublier. À moins que le programme ne soit interrompu et que…

— Peut-on reformater la puce ou ce qu'il en reste avant le déclenchement du programme ? l'arrête Nayden d'un ton sec.

Le temps suspend son vol durant quelques secondes. Je n'ai pas la chance de les saisir pour les enfermer dans une boîte, histoire de m'accorder un moment de répit dans ce flot d'informations, que la conversation reprend.

— Pourquoi une telle question ? questionne Ezra.

— Je n'ai pas à m'expliquer. Réponds, c'est tout.

— Oui, bien sûr, pardonnez-moi. Je confirme à l'instant qu'il est possible de reformater le programme sans endommager le sujet au niveau cérébral. Cela causerait la perte de la partie du programme responsable des amnésies.

Nayden acquiesce en silence. Je me tourne vers lui, les bras croisés.

— Elle n'a peut-être pas le droit de te poser la question, mais, moi, je le ferai. Pourquoi ? Pourquoi voudrais-tu reformater la puce de…

Puis, je réalise ce qu'il veut faire. Il veut reformater sa puce, du début à la fin. Faire en sorte qu'il se souvienne de moi et la ramener au plan initial pour ensuite la déprogrammer sans danger.

Arrêter le processus d'amnésie, provoquer l'annulation de la puce, tout comme ça s'est produit avec la mienne le soir du solstice d'hiver. Pour que Caleb se souvienne de moi.

Pour que je revienne sur les pages que j'ai si difficilement réussi à tourner et dont les dernières lignes restaient malheureusement encore à écrire.

Nayden est vraiment prêt à s'oublier pour mon propre bonheur ?

Trente-cinq

Je vois tout ça, cette solution si évidente à présent que je l'entends dans ma tête. J'y assiste dans le court moment où le regard de Nayden croise le mien avant qu'il ne le détourne – de honte ou bien de peine ? – pour regarder ailleurs.

Il ne ferait pas vraiment ça ? Je ne peux pas le croire. Il accepterait vraiment d'aider Caleb à se souvenir de moi ? Au risque de s'oublier lui, complètement ? Il était vraiment sincère cette nuit quand il disait cela à Caleb ?

Ma peau se couvre d'une pellicule glacée qui me fait trembler des pieds à la tête.

Pour la première fois, cette perspective me fige d'horreur. Pour la première fois, je n'ai pas envie de revenir en arrière.

Pour la première fois, j'étais prête à passer par-dessus ces pages noircies de mon histoire.

Pour Nayden, j'étais prête à le faire.

Pour moi, il est prêt à faire complètement autre chose.

— Quelqu'un pourrait bien m'expliquer ce qui se passe ? demande Caleb après un moment de silence aussi long que l'hiver.

— Il veut faire en sorte que tu te souviennes de moi, lâché-je d'un ton morne, sans aucun enthousiasme bien que j'aurais dû en manifester.

— Ce serait possible ? Moi, je n'ai rien compris du charabia qui est sorti de ce machin qui parle.

— Ce serait effectivement envisageable, entonne lentement Nayden en pianotant sur le dossier de la chaise devant lui. Il faudrait reprogrammer la puce, ce qui retirerait ses effets sur ta mémoire. Ainsi, tu aurais de nouveau accès à tes souvenirs avec Emma.

Ça lui brise le cœur. Je le sais. Je le sens. Sans doute parce que le mien aussi vient de se briser. Personne, pas même Ezra, n'aurait donc l'oreille assez fine pour entendre le dernier souffle poussé par mon cœur qui s'éteint ?

— L'inverse est aussi possible, j'imagine, pas vrai Ezra ? demande Nayden.

— Tout à fait, Monsieur. Le programme est d'ailleurs prévu à cet effet.

— Quel effet ? demande Caleb d'une voix tendue.

— À ce que tu ne te souviennes de rien du tout. Tu as donc le choix. Soit tu te souviens de tout, et je ne parle pas que d'elle : je parle aussi de ta famille et de tous les gens que tu as probablement oubliés sans même t'en rendre compte, au risque que tes souvenirs d'avant ne concordent pas avec ceux d'aujourd'hui ainsi qu'à la personne que tu es devenu. Ou bien tu oublies tout d'Emma, du Caleb que tu étais avant et tu recommences à zéro.

— Tu te prends pour qui au juste à me dicter tout ça ? Je ne laisserai pas ma place comme ça, Nayden, alors remballe cette idée tout de suite parce que je ne suis pas près de disparaître! s'emporte Caleb en se levant pour le confronter.

— Caleb, rassieds-toi, coupé-je aussitôt. Il s'agit de ta décision. Nous n'avons rien à voir là-dedans tous les deux, ajouté-je en glissant un coup d'œil entendu à Nayden qui semble vouloir éviter de me regarder depuis un certain moment. C'est ta mémoire, ce sont tes souvenirs. Tu en fais ce que tu veux.

Caleb fronce les sourcils. J'ai eu besoin de toute ma volonté pour empêcher ma voix de chanceler. Parce que s'il n'en tenait qu'à moi, je serais déjà à des lieues d'ici, hors de tout ça. Même s'il n'y a pas si longtemps, j'aurais tout donné pour que Caleb retrouve ses souvenirs de moi, tout à coup, je n'en suis plus si certaine.

J'aimerais lui dire qu'il a tout le temps qu'il faut pour y penser, mais c'est loin d'être le cas.

— Caleb ? Tu as une décision à prendre, dis-je.

Il opine de la tête et me jette un bref coup d'œil.

— Je vais aller marcher, je crois.

Sans nous laisser le temps de réagir, il prend son manteau et sort dans l'air glacial en claquant la porte. Je me laisse choir sur le canapé et m'entoure les jambes de mes bras.

Nayden abaisse l'écran de son ordinateur et s'assoit à ma droite. Son corps est si près du mien que je sens la chaleur qu'il dégage.

— Pourquoi ai-je l'impression que ce n'est pas ce que tu veux, Emma ?

Les mots se bousculent dans ma tête, déboulent dans ma bouche que je tiens fermée de peur qu'ils ne se transforment en une avalanche que je ne pourrai arrêter.

Je secoue donc la tête pour les faire taire. Ils ne font que se mêler davantage en réalité.

— Emma, regarde-moi, murmure Nayden en effleurant mon épaule du bout des doigts.

Je tourne la tête vers lui après avoir compté cinq battements de cœur effrénés à mes oreilles.

Ses yeux sont pareils à deux cercles de mousse verdoyante sous un soleil d'or et je m'y perds comme toutes les fois où il me regarde.

Je rêverais de chérir cet espoir d'aurore, qui fait scintiller ses yeux quand ils se posent sur moi, pour l'éternité si j'en avais la possibilité.

Je peindrais un million de tableaux avec la couleur de ses yeux si seulement je savais dessiner.

Au lieu de quoi je sais chanter alors je fredonnerais ses louanges jusqu'à ma mort s'il le faut pour que tous connaissent la teinte que ses yeux possèdent.

Pour que tous sachent à quel point je peux m'embraser en le regardant. Comme si cette étincelle en moi n'avait besoin que d'un coup d'œil de sa part pour qu'elle s'enflamme pour ne plus jamais s'éteindre.

— Nayden…

— Je suis amoureux de toi, Emma, me coupe-t-il. Je suis amoureux de toi. C'est cliché, pas vrai ? De tomber amoureux de la fille que je devais arrêter.

— Tu veux dire que…

— J'étais censé t'arrêter le soir où je t'ai entendue chanter, Emma. Au lieu de quoi je t'ai défendue contre ton patron ignoble et j'ai attendu. Je t'ai pris en filature presque tous les soirs pour étoffer mon rapport. J'avais toutes les preuves nécessaires à ton arrestation et ton exécution. J'avais même convaincu le général Tchekhov de ce que j'avançais, lui qui supervisait d'ailleurs mon enquête. Mais il y avait quelque chose en toi, Emma, quelque chose qui m'a fait sentir que je ferais une erreur en t'arrêtant. Que ce serait une erreur de te faire exécuter. Parce que pour risquer ta vie tous les soirs de cette façon, tu avais sûrement quelque chose qui en valait la peine derrière ce mur.

Je me noie dans mon propre regard et je sens un sourire étirer mes lèvres. Je tends la main vers son visage sur lequel ma paume se pose. Sa main couvre la mienne quand mon visage ne se retrouve plus qu'à quelques centimètres du sien.

— J'ai commencé à trahir ma nation le jour où je suis tombé amoureux de toi, Emma. Et j'ai su à partir de ce moment que je ne pourrais plus reculer. Je ne suis pas mon père et mon devoir en tant que membre de l'État ne sera jamais supérieur à celui que j'ai en tant qu'homme. Je ne pouvais pas me résoudre à te faire mourir, Emma. Pas en sachant que tu risquais ta liberté de cette façon-là.

— Et pourquoi accepter de t'éloigner pour me laisser avec Caleb si ce n'est pas ce que tu souhaites ? murmuré-je.

— Je n'ai jamais dit que je l'accepterais, Flocon de neige.

Il secoue doucement la tête. Je glisse mes deux mains sur chacune de ses joues.

— Je le ferais si tu me le demandais.

— Tu attendras longtemps dans ce cas, gloussé-je entre deux vagues de larmes. Je n'ai pas l'intention de te laisser partir, Nayden. J'ai tourné la page. Tu es ce qui m'a permis de le faire.

Son nez effleure le mien. Sa respiration chatouille mes lèvres qui ne demandent qu'à prendre le goût des siennes. Je ferme les yeux, savoure cet instant délicat que je tiens au creux de mes mains.

C'est à ce moment que je réalise que mon cœur bat plus vite pour une raison toute simple qui se trouve devant moi. Mon cœur s'envole et j'ai beau galoper à sa suite, il court se loger dans un autre qui était prêt à m'accueillir : le sien.

— Je t'aime, Nayden.

Un petit soupir vient faire trembler ses lèvres. Il attendait ce moment. Il l'attendait depuis ce soir-là dans l'ascenseur où nous nous sommes tous deux abandonnés à cette étincelle devenue flamme, puis brasier.

— Je t'aime aussi, Flocon de neige.

Sa main ramène mes cheveux vers l'arrière et glisse jusqu'à ma nuque, qu'il caresse doucement.

Voilà, c'est dit. C'est fait. Je ne regrette rien parce que c'est vrai. C'est vrai.

Trente-six

Il faut presque deux heures à Caleb avant de revenir. Je me suis vaguement demandé s'il n'avait pas décidé de nous trahir, mais je préfère taire cette inquiétude. Nous n'échangeons aucun mot à son retour. Il reste incroyablement silencieux et je crains qu'il se soit passé quelque chose pendant sa longue marche. Finalement, il nous dit qu'il a besoin de temps encore pour y réfléchir. La nuit suivante est extrêmement silencieuse dans le wagon.

Je suis étendue sur le canapé, les bras serrés sur la poitrine dans l'espoir vain de combler le vide qui me martèle de l'intérieur pendant que Nayden cherche un plan pour les jours à venir en compagnie d'Ezra et que Caleb réfléchit toujours. Définitivement, Caleb n'est plus celui que j'ai connu. Il a changé, contre son gré, pour quelqu'un qu'il n'a jamais véritablement été. La République l'a forcé à devenir ainsi. Il ne l'a pas demandé… mais je ne peux me rattacher à un souvenir plus longtemps. Parce que même avec la possibilité qu'il redevienne comme avant, j'ai trop souffert pour courir le risque de passer par-dessus une seconde fois. J'ai déjà gravi la montagne, je ne suis pas prête à l'escalader de nouveau avec encore plus d'embûches que la première fois.

Le lendemain, je prends une douche. Du moins, ce qui y ressemble. Incomplète certes, mais assez longue pour me rafraîchir de toutes les tortures que j'ai subies. Ce qui ne m'empêche tout de même pas d'être nostalgique de la douche de l'appartement de Nayden et de me faire penser à la suite.

J'ai connu tout type de confort, revenir à ce à quoi j'étais habituée avant ne me dérange pas. Nayden a pris soin de récupérer quelques vêtements au loft en prévision de notre fuite.

Nous sommes donc prêts à partir dès qu'il le faudra. J'ai enfilé un jean, un pull couleur taupe et des sous-vêtements complets pour la première fois depuis des jours.

Quand je sors de derrière le paravent, je ne vois aucune trace de Caleb, mais Nayden est devant son ordinateur à pianoter sur les touches. Ses omoplates musclées se dessinent merveilleusement sous sa chemise blanche, identiques aux ailes repliées d'un aigle avant son envol.

Je pose mes effets sur le canapé le plus silencieusement possible et je drape sa poitrine de mes bras en posant mon menton sur le sommet de son crâne.

Il rejette la tête en arrière pour me regarder et me sourit en serrant doucement mes doigts contre son cœur.

— Qu'est-ce que tu faisais ? chuchoté-je en me penchant vers l'avant pour regarder son écran.

— Je faisais des recherches.

— Sur quoi ?

— Rien de bien important, lâche-t-il en un petit soupir avant de ramener son visage vers son ordinateur, sa joue contre la mienne.

Un muscle dans ma mâchoire s'est tendu et il l'effleure du bout des lèvres. Je ne le crois pas. Pourquoi est-ce qu'il me ment ? Je jette un regard à son ordinateur.

— Ezra est là ?

Il secoue la tête.

— Non, je lui ai donné congé, ajoute-t-il en abaissant l'écran de l'ordinateur.

Je pouffe dans ses cheveux, contourne sa chaise pour m'asseoir sur ses cuisses tout en prenant soin d'éviter sa blessure qui lui fait d'ailleurs faire un petit saut quand je l'effleure en m'assoyant. C'est encore sensible, c'est évident, mais il a une telle maîtrise de soi – et probablement beaucoup d'orgueil aussi – qu'il ne laissera jamais paraître qu'il a mal.

Il baisse les yeux sur mes clavicules à découvert et trace le chemin de mes os saillants avec son index. Je penche la tête sur le côté quand il récupère une de mes mèches, toujours brune, entre ses doigts.

— Elle m'a dit pour ton frère Noah, lâche-t-il tout bonnement d'un ton tellement doux qu'il pourrait servir à rembourrer un oreiller.

Sans le vouloir, je me raidis d'un seul coup et sa main gauche remonte le long de mon dos. Je me détends quelque peu à son contact. Parler de Noah m'inquiète toujours, simplement parce que je n'en parle jamais avec personne.

— Il est autiste, c'est ça ?

J'acquiesce faiblement, les yeux perdus droit devant moi.

— Oui.

— C'est pour ça que tu voulais rentrer chez toi ?

— Entre autres. J'ai peur pour lui, Nayden, et ce que tu m'as dit qu'ils faisaient avec eux est loin de me rassurer.

— Je comprends.

Je baisse les yeux sur sa main sur laquelle je trace mille et un motifs de mes doigts.

— Ça fait huit ans qu'on le protège, depuis qu'on a découvert qu'il était autiste en fait. On le protège de la République, de la société, des regards… de lui-même. Il représente tellement pour moi et j'ai peur qu'il ne le réalise jamais tout à fait.

— Pourquoi ne comprendrait-il pas ?

— Il n'est pas toujours conscient de ce qu'on fait pour lui. Il… il y a toujours une espèce de décalage entre nos actions et ses réactions. Un moment qui peut ressembler à une éternité avant qu'il ne fasse quelque chose en retour pour nous, mais quand ça arrive, c'est tellement particulier, on se sent tellement spécial.

Je souris tristement. Il me manque terriblement. Je suis tellement inquiète de le savoir à la maison sans Adam pour le soutenir, sans moi pour le calmer. Noah a toujours eu un besoin criant de stabilité. Deux membres de notre famille en moins, c'est suffisant pour faire tanguer sa petite barque. Nayden me regarde, caresse doucement le bas de mon dos. Pour me faire sentir qu'il est là. Pour me faire sentir que je peux me confier à lui. Qu'il me suffit de lui faire confiance. Et je lui fais confiance.

— Tu penses à un moment en particulier, n'est-ce pas ?

Je replace une mèche de cheveux derrière mon oreille et m'empresse de lui redonner ma main qui avait quitté la sienne pendant cet instant.

— Oui. Une fois, il a mis trente minutes à réaliser qu'Adam et moi venions de l'empêcher de se faire écraser par un train qui passait à toute vitesse. Tu imagines ? Une demi-heure avant de comprendre que sans nous, il ne serait plus là. Il m'a d'ailleurs demandé pourquoi nous avions fait ça. Je lui ai répondu que c'était parce que nous l'aimions, puis il m'a ouvertement dit qu'il ne comprenait pas ce que ça voulait dire. Malgré tout, cela a fait son bout de chemin dans sa tête, peu à peu, et il a fini par comprendre. Et tu sais ce qu'il a fait une fois qu'il a compris ?

Nayden secoue faiblement la tête.

— Il est venu me voir dans ma chambre et il m'a serrée dans ses bras. Tout simplement. Je…

Ma voix s'éteint en un tout petit souffle, incapable de poursuivre. Les bras de Nayden se resserrent sur ma taille et j'entrelace mes doigts aux siens.

— Je n'avais jamais rien senti d'aussi fort, de sa part en tout cas. La première manifestation directe de son amour pour moi. J'en tremble encore rien qu'à y penser. Et tu sais… J'ai peur qu'ils le retrouvent à cause de moi. On a beau avoir détruit les papiers de Tchekhov, rien ne me garantit qu'il n'en ait pas fait des copies ou qu'il ne les ait pas mémorisés avant d'entrer dans ma cellule.

Nayden acquiesce, embrasse doucement ma mâchoire meurtrie. D'un seul coup, toutes les couleurs qui me couvrent semblent tomber en pétales entre lui et moi.

— Il l'a sûrement fait.

— Je ne veux pas qu'il s'en prenne à lui pour m'atteindre. Noah est innocent. Effie, Adam et mes parents aussi. Ils n'ont pas à payer pour mes erreurs.

— Je sais, c'est pourquoi on va les sortir d'ici avant que ça n'arrive, d'accord ?

Mes doigts remontent jusqu'à ses épaules puis à sa nuque où ses cheveux coupés court se hérissent. J'embrasse sa pommette et ses cils taquinent la peau de mon visage contusionné.

— Qu'est-ce que Juliette représente pour toi, Nayden ?

Il soupire, me jette un regard en biais. Je devine que cette expiration n'a rien de péjoratif, qu'elle trahit seulement une certaine mélancolie de sa part.

— Tellement de choses. Elle est ce petit éclat de soleil qui est tombé au creux de ma main quand elle est née alors que je n'avais que sept ans et, pourtant, je l'aimais déjà. Je me suis promis de la protéger de tout. Coûte que coûte. Et regarde ce qui lui est arrivé. Elle est dans un coma dont j'ignore si elle sortira un jour...

— Je crois que tu ne m'as pas dit comment c'était arrivé, murmuré-je en effleurant son front du bout des lèvres.

— Un accident de voiture. C'est moi qui conduisais.

Ma main se cale contre sa mâchoire, qu'il presse dans ma paume. Ses yeux se ferment sous l'effet de la douleur. Une douleur qui n'est pas physique, mais émotionnelle. Il se sent coupable, c'est normal.

— Elle ne t'en tiendra pas rigueur, Nayden. Elle s'en sortira. Tout comme mes frères et sœur. Je crois qu'on sous-estime trop souvent leur amour pour nous, tout comme leur force. Il suffit de leur faire confiance. Tu ne crois pas ? De les laisser aller. D'arrêter de vouloir les surprotéger et d'attendre un peu pour voir ce qu'ils pourront accomplir d'eux-mêmes plutôt que de toujours vouloir tout faire à leur place.

Il acquiesce doucement, un fin sourire aux lèvres. Un silence apaisant s'ensuit; il me semble que la Terre a cessé de tourner.

— Chante pour moi, mon amour, chuchote-t-il contre ma joue.

Je me redresse.

— Que veux-tu que je chante ?

Je m'éloigne légèrement, le temps de voir ses yeux se soulever pour me regarder.

— Ce que tu chantais à ces flocons de neige.

Je ne peux m'empêcher de sourire devant son air émerveillé avant qu'il n'embrasse délicatement mon front. Et pour lui, je me mets à chanter cette même chanson qui faisait danser les flocons de neige, endormir mes frères et sœur quand il faisait trop froid lors de ces glaciales nuits d'hiver, alors que des raids faisaient rage dans le voisinage ou quand les coups de feu résonnaient dans les ruelles à en faire trembler même les plus forts.

Cette chanson nous rappelait que si nous avions à mourir, nous le ferions tous ensemble, mais que, d'abord, nous allions vivre. Avant Nayden, il me semble que je n'avais jamais véritablement vécu.

Oh, bien sûr, j'ai eu mes moments de bonheur, d'espoirs fugaces et de joie, mais aucun d'eux ne m'apparaissait aussi durable que celui que j'ai entre les mains, à cette seconde, à cette minute, à cette heure où je ne pense qu'à une chose : vivre.

De vivre parce que j'en ai assez de m'accrocher à un souvenir qui ne reviendra pas.

De vivre parce que jamais je n'en ai eu autant envie.

De vivre parce qu'au fond, il est celui qui, un jour, me prendra la main pour me faire toucher la Lune et cueillir les étoiles.

Alors je chante pour Nayden ce soir parce que je crois encore que nous puissions d'abord vivre.

Trente-sept

Je me fais réveiller en sursaut par des mains qui me secouent et une voix pressante tout près de mon visage.

— Emma ! Emma, réveille-toi !

La voix de Nayden me tire du sommeil en même temps que ses bras qui m'extirpent du canapé. J'ouvre les yeux aussi rapidement que possible bien que le sommeil m'embrouille encore.

— Qu'est-ce qui se passe ? marmonné-je en me remettant sur pied.

— Il faut partir maintenant.

— Pourquoi ?

Je n'ai pas le temps de me poser la question plus longtemps parce qu'un coup de feu fait voler la fenêtre en éclats. Je crie en faisant un écart, ce qui a pour effet de me projeter tout près du mur de droite. Je constate alors qu'il n'y a pas que Nayden et moi dans le wagon. Caleb est là aussi. Il nous dévisage tour à tour, également alerté par le coup de feu. Il s'est levé de son lit. Il nous regarde sans comprendre ce qui se passe.

Je connais cet air. Je l'ai déjà vu étampé sur son visage. Il ne se souvient pas de qui nous sommes.

— Qui êtes-vous et que faites-vous chez moi ? demande-t-il d'un ton qui trahit une grave anxiété.

Nayden se poste devant moi en un éclair quand il l'entend aussi menaçant. De toute évidence, nous n'avons pas le temps d'user de diplomatie, mais surtout, de délicatesse non plus à son égard et, ça, Nayden l'a compris.

— Pardonne-moi, Fränkel...

Et il lui balance son poing au visage. Si fort sur la tempe que je crains qu'il ne l'ait tué plutôt que juste assommé. Caleb bascule vers l'arrière et tombe sur le plancher face contre terre, inconscient.

— Oh, bon sang ! m'écrié-je en plaquant ma main sur ma bouche.

À ce moment, une volée de balles fracasse le wagon. Nous nous projetons tous les deux au sol en même temps.

Ils nous ont retrouvés. Beaucoup trop rapidement pour que la puce de Caleb ait cessé de fonctionner comme je le croyais quand Nayden l'a demandé à Ezra. C'est d'ailleurs peut-être ça qui a fait en sorte qu'ils puissent nous retrouver... Quoi qu'il en soit, ils sont ici et je n'ai pas le temps de me poser davantage de questions.

Nayden fourre son portable dans mon sac qu'il fait glisser vers moi. Je l'attrape d'une main et récupère mon manteau de l'autre après qu'il m'ait hurlé de le prendre.

Pourquoi mon sac et pas le sien ? Pourquoi c'est seulement moi qui ai à me vêtir et pas lui ? Pourquoi est-ce que j'ai l'impression qu'il restera ici et pas moi ?

Mes mains tremblent autour de la bandoulière quand je tente de la passer sur mon épaule. J'enfile mes bottes rapidement en me penchant pour éviter les balles qu'ils tirent sur nous à présent.

Heureusement, la plupart d'entre elles ricochent contre le métal dont est constitué le wagon, mais j'ai peur qu'il ne résiste pas longtemps. Nayden s'accroupit sous la fenêtre et tire quelques coups d'un pistolet qu'il a sorti de son sac. Il y a très peu de balles dans ce chargeur.

Nayden fait ensuite glisser le Beretta du général jusqu'à moi et mes doigts se referment sur la crosse.

Qu'est-ce qu'il veut que j'en fasse ? Je ne sais toujours pas tirer et je ne crois pas être prête à faire feu de nouveau sur qui ou quoi que ce soit. Au moment où Nayden se relève pour tirer, une balle se plante dans son épaule gauche. Il titube vers l'arrière en jurant de douleur, une main sur la plaie qui suinte déjà.

— NAYDEN !

Je me précipite vers lui. Les soldats à nos trousses ne tarderont pas à rentrer et j'ignore d'ailleurs pourquoi ils ne l'ont pas encore fait.

— Emma, va-t'en. Il y a une trappe derrière le canapé.

— Je ne partirai pas sans toi.

— Ils ne me feront rien, c'est toi qu'ils veulent avant tout. Va-t'en avant qu'ils ne défoncent la porte.

— Pas sans toi, Nayden, répété-je en voulant l'aider à se relever. Je ne partirai pas sans toi.

De nouveaux tirs s'abattent sur le minuscule véhicule. Je suis forcée de me pencher et je me couvre la tête des bras. Nayden pose sa main sur mon poignet pour capter mon attention dans la frénésie d'un moment qui crépite d'adrénaline.

— Suis le chemin de fer. Cours, Emma. Ne t'arrête pas. Ne te retourne pas. Quand tu penses être assez loin, continue de courir.

Mes joues se couvrent de larmes.

— Non, Nayden. Non. Je ne peux pas. Je ne veux pas. S'il te plaît, relève-toi…

— Va-t'en. Maintenant.

Il agrippe le collet de mon manteau, écrase sa bouche contre la mienne avant de me repousser vers le fond du wagon.

— Va-t'en !

Voyant l'urgence dans son regard, je tire le canapé avec la force du désespoir et vois au bas du wagon la trappe dont Nayden m'a parlé. À peine assez large pour que j'y passe, mais suffisamment pour que je le fasse et je remercie le ciel de ne pas être plus costaude.

Je tire sur le loquet de sûreté et pousse la trappe avec mes pieds. Je cogne, une, deux, trois, quatre fois avant qu'elle ne saute enfin. Les coups de feu reprennent et se logent dans les coussins de la causeuse qui me fait office de protection.

Le bruit des tirs couvre le vacarme que je déclenche.

Je me tourne une dernière fois vers Nayden qui, étendu sur le dos, me murmure qu'il m'aime alors que le sang s'étend sous lui.

Je roule par l'ouverture et m'engouffre dans l'air glacial.

Trente-huit

La nuit n'a jamais été aussi noire et rouge tout à la fois. Ce que je vois n'est que brouillard et un certain mélange de terreur qui me serre les tripes. Le wagon étant en travers du chemin de fer, il me dissimule complètement de la troupe qui nous hurle à présent de nous rendre. Je fais glisser mon sac sur le côté et enfouis le Beretta dans la poche de mon trench-coat.

Je me mets à courir.

Sans me retourner.

Sans m'arrêter.

Je cours sur ce chemin de fer, entre les carcasses de wagons renversées, à peine à découvert sous la neige scintillante. Le ciel est noir, sans Lune pour me guider ni m'épauler. Je ne suis qu'une ombre aussi filante qu'une étoile qui souhaiterait ne jamais briller de sa vie. Je m'éloigne du minuscule logis de Caleb, de la cohue, de ceux qui étaient venus pour me tuer une bonne fois pour toutes.

Mes poumons s'enflamment, ma gorge s'embrase, mes pieds martèlent le sol glacé à un rythme si rapide qu'il pourrait le faire flamber. Je suis en feu. Je cours. L'hystérie qui s'est emparée de moi me laboure l'estomac encore et encore.

J'ai peur.

L'air est une rafale de glace qui se transforme en lampée volcanique dès que j'inspire. J'expire des nuages qui risquent de me trahir. J'accélère de peur de me faire rattraper, vendue par ces gros ballons blancs qui sortent de mes lèvres entrouvertes.

J'ai les jambes en coton, la bouche sèche, des points partout sur le corps qui me mitraillent de douleur. Mon sac me ralentit; l'avoir collé contre la hanche me rend chaque foulée plus difficile. Je redouble d'ardeur malgré la douleur. Je m'étrangle un peu plus à chaque expiration, mais je ne peux m'arrêter. J'ai promis à Nayden de ne pas le faire.

J'ai l'impression d'avoir parcouru des mètres seulement, mais quand je m'arrête pour jeter un coup d'œil par-dessus mon épaule, je ne vois rien d'autre qu'une plaine à l'horizon et le léger reflet du métal de la voie ferrée sous les étoiles. Sur ma gauche, la clôture de fils barbelés ne m'a jamais semblé si imposante et intimidante.

C'est le calme plat.

Plus un coup de feu ne trouble l'air, pas un souffle de vent ne fouette mon visage non plus. Il n'y a que le froid pour faire instantanément geler la sueur qui me coule sur le corps et qui me rappelle d'ailleurs que je suis encore en vie.

Je ne sais pas où je suis.

Je n'ai aucune idée de ce qu'ils feront à Nayden.

Je ne sais pas plus ce qu'ils feront de Caleb. Lui qui ne se souvient plus de rien. Manifestement, sa puce a entamé le programme plus vite que prévu. Résultat, il est de nouveau amnésique.

Je suis complètement seule.

Sans vraiment savoir pourquoi, et surtout comment, je me remets à courir.

L'adrénaline galope dans mes veines et tire mes muscles déjà ankylosés. J'ai à peine eu le temps de me réveiller qu'il me fallait m'enfuir. À peine eu le temps de me reposer qu'il me fallait encore m'échapper. M'échapper, encore et toujours parce que je ne suis plus en sûreté nulle part.

Comment vivre en sachant que jour après jour je suis une menace pour les gens que j'aime ?

Personne ne m'a suivie. Personne d'autre que mon ombre qui m'épie et les traces de mes pas dans la neige. Je laisse à peine une marque de mon passage derrière. C'est tout juste si je marque le sol. La steppe est incroyablement solide, sans nul doute martelée par ce froid intense.

Je m'éloigne de plus en plus du wagon. La ville à ma droite se fond dans la noirceur du ciel et les lumières me font penser aux étoiles qui scintillent au-dessus de ma tête. Sur ma gauche, rien d'autre qu'une étendue infranchissable, délimitée par une frontière de métal.

Je continue de courir parce que c'est ce que j'ai promis à Nayden de faire. Il me semble entendre sa voix dans ma tête, sentir ses mains sur ma peau, ses lèvres sur les miennes, dans un dernier moment de passion qui ne s'est pas éteint.

Suis le chemin de fer. Cours, Emma. Ne t'arrête pas. Ne te retourne pas. Quand tu penses être assez loin, continue de courir.

Je cours, Nayden. Crois-moi, je ne suis pas près de m'arrêter.

Mon sang s'est changé en lave. Je ne sais toujours pas où je vais, je ne sais pas non plus ce que je fais, mais je sais que c'est pour me garder en vie.

Je compte chaque battement de mon cœur pour rester consciente de ces kilomètres que je parcours, pour me convaincre qu'il me faut continuer d'avancer.

Quand finalement, au bout de ma voie, je vois un boisé couvert de neige et de glace. Je comprends que je me suis éloignée de la voie ferrée; il ne peut passer aucun train dans ce bois aux arbres si près les uns des autres. Je m'arrête, tourne sur moi-même en passant une main aussi frivole qu'un battement d'ailes dans mes cheveux.

Le chemin de fer a disparu.

Je me tourne vers la forêt.

C'est ma seule issue.

Mes larmes se figent dès qu'elles jaillissent. Je suis morte de froid, de fatigue et de douleur.

Je traverse les broussailles, descends un petit fossé puis trébuche. Je tombe à genoux en gémissant dans un ruisseau à peine figé par le froid; le courant l'en empêche, mais j'ai quand même eu la malchance de glisser sur une fine plaque de glace que le ruisseau a laissée tout près.

L'eau imbibe mes vêtements et gèle au contact de l'air dès que je me relève. Je claque des dents en serrant les bras autour de mon corps. Je tente en vain de frictionner mes membres glacés, mais mes mains ne sont plus que deux blocs de glace qui se frottent à des morceaux de neige. J'accélère le pas et m'enfonce dans le boisé. Je relève sur ma nuque mon collet doublé de fourrure et trébuche de plus en plus. Mes jambes supportent de moins en moins le poids de mon corps.

Mes pieds s'enfoncent peu dans la neige tellement la croûte est épaisse et le froid, mordant. Les troncs d'arbres sont étroits et ils s'enchaînent à perte de vue. Leurs branches lourdes de neige tendent vers le bas et m'écorchent le visage quand je ne porte pas suffisamment attention. On croirait de fines silhouettes blanches qui se dessinent sur une toile de fond sombre, teintée d'étoiles qui me narguent par leur présence.

La paranoïa me gagne. Je l'entends ricaner tout près de mon visage avant de galoper au loin puis de revenir à la charge.

Mes pieds sont gelés et me font un mal de chien. Je crève de soif et la neige brûle ma langue quand je tente de me réhydrater. Je zigzague entre les arbres, tombe à genoux à plusieurs reprises. J'ai beau me relever, je retombe à peine quelques mètres plus loin.

À la onzième fois où mes genoux raclent la neige, je me laisse tomber sur elle. Je n'en peux plus.

Je suffoque dans l'air glacial en quête d'une brise plus chaude, d'un souffle bouillant qui suffirait à ranimer la flamme que j'étais devenue il n'y a pas si longtemps.

Je n'ai jamais eu si froid, si peur.

Je ramène mes genoux à ma poitrine dans l'espoir de me réchauffer. Le froid me mord la peau, les os et tout ce qui constitue mon enveloppe charnelle. La fourrure de mon manteau ne m'est plus d'aucune utilité. La température est largement sous le seuil du zéro et la mienne chute terriblement.

Mes yeux se ferment, mes paupières sont lourdes. Je souffre d'hypothermie, mais je n'ai rien pour la contrer. Je grelotte, claque des dents. Mon corps se raidit. Les battements de mon cœur sont de plus en plus sourds à mes oreilles et je sombre dans un sommeil polaire.

Le temps s'est transformé en une bouteille scellée qu'on secoue au-dessus de ma tête. J'ai beau tendre les mains, je ne suis pas en mesure de l'attraper pour la garder en guise de trésor. Les secondes se moquent de moi et s'écoulent tellement lentement que je pourrais marcher sur chacune d'entre elles sans avoir à sauter pour les rattraper. Je sombre. Les étoiles s'éteignent peu à peu. En même temps qu'elles, je m'éteins moi aussi.

On murmure dans le noir des paroles que je ne comprends pas. Il n'y a qu'une seule personne, calme et sereine tout près de moi. Elle retire mon sac, le passe sur son épaule puis me tourne sur le dos. Elle ouvre ma paupière contre mon gré quand celle-ci se referme.

Mon regard se pose sur le visage d'une femme magnifique aux traits fins, chaudement emmitouflée et qui doit sans l'ombre d'un doute avoir beaucoup plus chaud que moi. Je referme les yeux et elle s'empresse de me les rouvrir.

— Reste éveillée, ma chérie, me dit-elle d'une voix tellement douce que je dois être en présence d'un ange et non d'une simple femme. Je te ramène en lieu sûr. Je t'attendais, ma belle. Tu as de la chance, mon garçon est un homme avisé.

Son garçon ? Qui est son garçon ?

Je bats des paupières, du moins j'essaie, et les rouvre sur son visage tout près du mien, sur ses yeux dont la dorure me rappelle l'aurore d'un matin d'automne où les feuilles flamboyantes des arbres embrasent le ciel.

La mère de Nayden.

Trente-neuf

Je somnole. Je ne sais pas ce qui se passe. Quand j'ouvre les yeux, tout autour de moi ressemble à une mauvaise esquisse d'un apprenti artiste tant ça m'apparaît flou. Ma peau est couverte de chair de poule. Je ne sens ni mes lèvres ni le bout de mes doigts. Ma respiration est lente. Mon cœur bat en trois temps en sautant la deuxième note. Ou la troisième et parfois même la première. Un métronome n'arriverait pas à lui rendre un rythme stable.

Une voix au-dessus de moi s'élève, assourdie comme si elle était dans un coussin. J'ignore si c'est à moi qu'elle parle ou à quelqu'un d'autre. Je comprends à peine ce qu'elle dit. Sauf peut-être des mots comme *bain*, *chaleur*, *réchauffer*, *tout de suite*. Des mots qui, dans ma tête, n'ont ni queue ni tête, et que je n'arrive pas à assembler.

Mes paupières sont maintenant soudées l'une à l'autre. Mes lèvres qui se sont remises à trembler murmurent des mots contre mon gré auxquels la femme qui m'a sauvée répond vaguement.

On m'a sauvée.

C'est ce qu'on fait toujours ces temps-ci parce que je suis incapable de me sortir moi-même de quoi que ce soit.

Trop d'idées se bousculent dans ma tête, trop de questions. Je ne pense plus clairement. Cela doit être le froid qui me fait réagir ainsi.

La chaleur me redonne enfin la force de parler, mais j'ignore ce que je balbutie. Sûrement rien de bien sensé, exactement comme mes pensées qui déboulent derrière mes paupières tremblantes. Je peux sentir le bout de ma langue contre mes dents puis contre mon palais quand je formule cet unique mot que je répète sans arrêt.

Deux syllabes qui font palpiter mon cœur. Ce que je murmure, c'est un prénom: *Nayden.*

Mon cœur se serre rien qu'à m'entendre le dire.

On tire sur mes vêtements. La chaleur de la pièce me submerge, mais j'ai encore trop froid pour accepter si aisément de me départir de ce tissu qui me couvre. Ce que je ne ressentais pas il y a quelques secondes m'agresse de toute part.

— Détends-toi, ma chérie. Tout ira bien. Je dois te réchauffer, tu comprends ? Laisse-moi…

Sa voix se casse. Je ne la vois pas, car mes paupières sont toujours closes, mais j'arrive à comprendre, grâce à mes autres sens, qu'elle m'a retiré mon chandail et a aperçu toutes mes ecchymoses. À sa place, je réagirais pareil.

On m'a torturée pour que j'avoue un crime qui n'en est un qu'à leurs yeux à eux. Pas aux miens. Peut-on me condamner d'avoir voulu vivre et d'avoir protégé ceux que j'aime pour qu'ils puissent vivre eux aussi ? Non. Vouloir vivre n'est pas un crime, c'est un droit.

Pas plus que de traverser un mur ne devrait l'être quand la vraie vie se trouve derrière. Mais ça, personne ne doit le savoir et ce détail, les autorités l'ont bien compris.

Je voudrais le dire à cette femme, mais je m'en sens incapable.

Mon esprit vogue entre l'instant présent et mes propres songes.

La folie me gagne.

Elle a la gentillesse de me laisser mes sous-vêtements et tire sur mon pantalon couvert d'eau glacée. Elle frictionne chacun de mes membres de ses mains aussi ardentes que des tisons. J'ai encore les yeux fermés. Le sommeil me guette et je n'ai pas la force de les rouvrir pour la regarder.

Elle me soulève alors en soupirant et me dépose dans une bassine. Je suis un bloc de glace qu'on lance dans une eau bouillante.

J'éclate.

Mes membres paralysés par le froid se dégourdissent, pleurent, hurlent, gémissent de douleur. Je voudrais crier si ce n'est que ma gorge s'est transformée en désert condamné à des années de sécheresse. Le choc thermique est tellement intense que je suis persuadée de m'être brûlé le corps en entier au huitième degré. Je dois être raisonnable, me dit-elle; c'est le seul moyen de me réchauffer.

Bientôt, je suis certaine qu'on ne retrouvera de moi que des cendres. C'est le cas, parce que je prends feu. Je m'embrase d'un seul coup. J'ai mal à m'en trouer la gorge par ces cris que je retiens prisonniers. Au fond, serait-ce là mon châtiment final ? Celui de mourir brûlée vive pour avoir osé aimer un homme qui n'aurait jamais dû poser les yeux sur moi ? Malheureusement pour lui, autant que pour moi, je suis trop amoureuse pour cesser de me battre dans ces flammes qui me consument; celles d'une passion dévorante qu'il nourrit de son absence et d'une envie de vivre tout aussi vorace que j'ai découverte de l'autre côté de ce mur.

Je suis loin d'avoir compté mes dernières secondes. Il me reste encore des temps à chanter et bien des notes à faire naître sur cette partition qu'on me force à jouer.

Je m'agrippe au rebord du bain. Mes doigts, que je sens à peine, s'y retroussent et je grimace. Je suis mitraillée d'aiguilles chauffées à blanc qui me perforent la peau une à une. On me blinde d'été en plein hiver et, pourtant, tout ce que je ressens ce sont des milliers de gifles de chaleur sur ma peau de glace. Je finirai en lambeaux avant même que le soleil se lève. Sa main chaude contre ma peau qui fond sous ses doigts capte mon attention.

— Ouvre les yeux, ma belle, tu ne dois pas t'endormir.

Je m'exécute, bien qu'il soit impossible que je m'endorme avec un choc thermique pareil. Mes paupières se soulèvent, mes cils gelés se détachent ou, plutôt, s'arrachent l'un à l'autre. La lumière m'aveugle, je referme les paupières aussi rapidement que possible.

Mes dents claquent dans ma bouche. De l'eau, très chaude, coule sur ma nuque. J'ai froid et chaud en même temps. Ce que je voudrais, c'est prendre une flamme, la serrer contre mon cœur et ne jamais la laisser s'éteindre.

— Julyan, tamise les lumières pour notre invitée, s'il te plaît.

Une nette diminution est perceptible, mais je ne perçois aucune réponse de l'interlocuteur de la mère de Nayden, ni aucun son. Je comprends instantanément que ce à quoi elle s'est adressée n'est pas humain.

Elle parlait à un ordinateur.

Son fils a de qui retenir, pensé-je.

Je me suis remise à grelotter, mon corps est incontrôlable comme tout le reste. Je n'ai qu'une envie, me rouler en chien de fusil et me contenter du peu de chaleur qui se logera dans ma poitrine en pensant à Nayden, à ses yeux d'ambre et d'émeraude dont la richesse seule suffirait à me faire vivre pendant des siècles.

M'endormir à ce souvenir de lui et ne plus jamais me réveiller.

Voilà qui me semble une solution sensée.

— Ça va, tu peux les rouvrir maintenant, murmure-t-elle en faisant glisser de l'eau chaude sur mes épaules pour faire taire mes soubresauts.

En ouvrant les yeux, je croise les siens. Elle me sourit. De ce sourire identique à un feu de foyer réconfortant lors d'une froide nuit d'hiver. De ce même sourire qui m'a si souvent redonné courage dernièrement. Elle ressemble tant à Nayden. Mon cœur, déjà en charpie, se ronge de l'intérieur, s'agrippe aux dernières miettes qu'il en reste.

Je grelotte, frissonne, tremble si fort que je pourrais créer un tsunami dans cette baignoire.

— Comment tu t'appelles ?

Mes mâchoires sont soudées l'une à l'autre. Je suis tellement crispée que je pourrais rester figée ainsi des années durant. Mes lèvres frissonnent devant cet unique mot que je peine à prononcer. On me l'a tellement demandé récemment que l'évoquer me rappelle tous les coups que j'ai encaissés. Certains en silence, d'autres dans des cris de supplication qui ne m'ont menée à rien. Sauf peut-être à mon humiliation. Et puis, quel est mon nom à moi ? J'en ai deux maintenant. Lequel m'appartient vraiment ?

— Je ne te ferai aucun mal, je te le promets, ma chérie. Tu n'as pas à avoir peur.

Peur. Ce mot se lit à l'infini dans mon regard qui se couvre de larmes.

Ma confiance s'est éteinte et mon courage aussi. Malgré cela, un petit quelque chose dans son regard, rien qu'une étincelle, suffit à m'embraser de nouveau. Assez longtemps pour que j'aie la force de dire ce nom que j'ai si craint de prononcer dans les jours qui ont passé. Assez pour croire qu'il causerait ma perte plutôt que mon absolution. Assez pour ramener à ma mémoire cette personne que j'ai continué d'être malgré les circonstances.

— E… e… e… mm… a…

Son sourire se fait encore plus franc, me couvre comme une caresse chaleureuse. Cette femme inspire la douceur, l'instinct maternel, respire l'altruisme et la gentillesse. Je peux sans doute lui faire confiance même si je ne peux croire qu'elle a abandonné ses enfants. Je reste sur la défensive. En revanche, ce qui est important pour le moment, c'est que je me réchauffe pour rester en vie. Petit à petit du moins.

— Enchantée, Emma. Moi, c'est Lauren.

Je voudrais lui rendre son sourire, mais j'en suis incapable. Alors je ne fais qu'acquiescer pour lui dire que j'ai compris, les bras serrés autour de mes genoux que j'ai ramenés à ma poitrine.

— À combien se situe sa température corporelle ? demande-t-elle à Julyan sans même se retourner ; je sais que c'est inutile avec ce genre de technologie omniprésente.

D'ailleurs, c'est sûrement une des raisons pour lesquelles je n'aime pas les ordinateurs. Ils sont toujours là, partout, tout le temps. Comme les autorités de la République.

— Elle est encore en hypothermie, Madame. À 34,7 degrés Celsius pour être précise. La garder éveillée serait la solution idéale en attendant que son corps recouvre une température adéquate. En attendant, je vous conseille de lui faire boire une boisson tiède sans alcool ni caféine. La bouilloire est déjà en marche.

— OK. Merci, Julyan. Informe-moi dès qu'elle aura recouvré une température stable. Je reviens tout de suite, chérie.

La voix synthétisée ne se manifeste plus. Sans être identique à celle d'Ezra, l'ordinateur de Nayden, elle possède les mêmes intonations très neutres que je trouve particulièrement agaçantes.

Lauren se lève et revient quelques minutes plus tard en me tendant une tasse. Mes doigts toujours bleus s'enroulent autour de la céramique. Je porte le contenu à mes lèvres. C'est tiède, sucré et délicieux. Un chocolat chaud. La femme croise les bras sur le rebord de la baignoire et me regarde. La vapeur qui s'échappe de l'eau me couvre la peau du visage de gouttelettes qui se demandent si elles doivent se glacer ou s'évaporer comme tout le reste. Mes yeux veulent se fermer et je voudrais pouvoir satisfaire leur envie. Or, mon hôtesse m'effleure la joue dès que mes paupières s'abaissent rien qu'un peu trop longtemps.

— On garde les yeux ouverts, ma toute belle, souffle-t-elle après un moment de silence paisible entrecoupé par le clapotis de mes tremblements dans l'eau.

J'acquiesce, parviens à murmurer un merci qui ne grelotte pas trop. C'est grâce à elle que je suis ici. Elle et son fils. Son fils que j'ai abandonné dans un wagon pour sauver ma peau. Un wagon sur lequel des soldats tiraient. *Ses soldats*. Ils l'ont touché. Quand je me suis enfuie, il était faible…

Je pose mon menton sur mes genoux, les doigts croisés pour qu'il s'en sorte. Nayden est fort, il y arrivera. Le regard fixe devant moi tout en buvant à petite gorgée mon chocolat, je frissonne.

Je suis plongée dans une condensation épaisse, un brouillard chaud comparable à une forêt tropicale. Humide, collant, désagréable pour quiconque n'ayant pas froid. J'ignore comment Lauren arrive à le supporter, il doit bien faire au-delà de quarante degrés. Et pourtant, elle reste tout près de moi, sans broncher, exactement comme ma propre mère l'aurait fait.

Ma poitrine se serre de nouveau.

Mes muscles se relâchent les uns après les autres, accentuant l'effet d'engourdissement que je ressentais déjà. Malgré tout, je tremble encore et l'eau refroidit pendant que, moi, je me réchauffe petit à petit.

— Sa température est de nouveau acceptable, Madame Keyes: 37,1 degrés Celsius. Seulement, elle a du mal à la réguler.

— OK.

— Le mieux serait de la couvrir et de la garder près d'une source de chaleur pour le reste de la nuit.

— Elle peut dormir?

— Tout à fait, ce n'est pas trop risqué. Il faut seulement qu'elle reste chaudement emmitouflée.

— Compris.

Elle se lève, prend une serviette et me tend les bras après m'avoir débarrassée de la tasse dont j'ai englouti la moitié du contenu.

— Viens, Emma. Dépêche-toi, il ne faudrait pas que tu attrapes froid, ajoute-t-elle en me faisant un clin d'œil soutenu d'un magnifique sourire sur ses lèvres roses.

Je hoche la tête d'un air toujours aussi crispé quand je lève les yeux vers elle. Je serre la mâchoire pour empêcher mes dents de claquer et me lève les poings serrés.

J'ai beau avoir une température dite acceptable, je ne m'en sens pas mieux pour autant.

Les bras en appui sur le bord du bain, j'en sors en claquant des dents malgré tous mes efforts de les faire taire, et me love dans les siens qu'elle referme sur mes épaules. La serviette est chaude, duveteuse et terriblement apaisante. Lauren s'active à me frotter les bras et le corps afin de me sécher le plus vite possible. Ensuite, elle serre ma couverture de fortune sous mon menton et me demande de l'attendre une petite minute. Elle revient, des vêtements en main.

— On va t'enfiler ça. Les tiens sont glacés et humides. Ça risque d'être un peu grand pour toi, mais cela devrait faire l'affaire, me sourit-elle.

— Merci…

Mes lèvres raides s'étirent un tout petit peu et elle me passe le chandail par la tête tandis que je retire mon soutien-gorge humide par-dessous. Elle m'aide avec les pantalons quand elle réalise que je n'arrive plus à me pencher après que j'ai changé de culotte.

Je tire les manches de son pull de laine sur mes

poignets en courbant les épaules. Les pantalons de coton épais glissent sur mes hanches, mais je ne peux rien y faire. Je tombe rarement sur un pantalon à ma taille que je peux porter sans ceinture. Je ne compte même plus le nombre de fois où ma mère a dû retaper les miens pour qu'ils me fassent.

Mes paupières sont lourdes et je me remets à trembler même si je sens une certaine chaleur m'envahir. Lauren passe un bras sur mes épaules et m'entraîne jusqu'à sa chambre. J'ai l'esprit tellement embrouillé par la fatigue que je ne regarde que mes pieds, sans détailler la pièce qui m'entoure.

Je trébuche dans le bas du pantalon beaucoup trop long pour mes jambes. Elle passe une main sur ma taille et me guide jusqu'à un lit douillet et chaud tout près d'un feu qui crépite. J'en bondirais de bonheur si je n'étais pas si faible.

Elle m'étend sur le matelas et remonte les couvertures épaisses sous mon menton comme si j'étais une enfant qu'on borde. Je suis trop épuisée pour protester et encore moins pour être méfiante. Je dois lui faire confiance même si je n'en ai pas envie. Elle est peut-être la seule personne qui puisse m'aider.

Les yeux fermés, je marmonne contre la douillette:

— Je ne sais comment vous remercier.

Ses doigts effleurent ma joue.

— On parlera plus tard. Repose-toi, ma belle.

J'ignore si elle ajoute quoi que ce soit ensuite et je ne le saurai jamais parce que le sommeil me prend dans ses bras.

Quarante

L'odeur du feu chatouille mes narines. Les braises crépitent doucement sur ma gauche et leur lumière caresse mon visage comme un candide lever de soleil. Mes muscles sont tendus, étirés, endoloris. J'ai mal à des endroits où je ne croyais jamais que ce soit possible d'avoir mal. Je suinte de sueur et ma tête me semble aussi lourde qu'une tonne de briques.

Je roule sur le dos en portant une main à mon front. J'écarte les couvertures d'un coup et m'attarde sur ma respiration rauque et grasse qui m'écorche la gorge.

Je passe mes mains sur mon visage. Une, deux, trois fois avant d'ouvrir les paupières sur un plafond de bois clair. À droite, la lumière du soleil tombe à l'endroit exact où se trouvait mon visage contre l'oreiller. Je grimace en m'assoyant contre la tête de lit et lâche une profonde expiration. Lauren arrive dans l'embrasure de la porte, légèrement décalée en face de moi, en un rien de temps.

Je réalise à ce moment à quel point elle est grande. Au moins un mètre quatre-vingt, peut-être même un peu plus. Elle est svelte, bien qu'elle possède de belles rondeurs accentuant sa silhouette en forme de sablier.

C'est une femme magnifique qui me fait instantanément penser à un mot pour la décrire : *élite*. À voir son fils, je ne l'aurais pas imaginée autrement qu'ainsi, c'est-à-dire parfaite à tous les niveaux.

Elle me sourit. Malgré toutes les bonnes intentions de ce sourire, je voudrais le faire taire. Il me fait davantage de mal que de bien. Ou du moins, pour qu'il me fasse du bien, il faudrait qu'il arrête de me faire penser à Nayden.

— Comment vas-tu, ma belle ?

Je hoche doucement ma tête qui continue de peser une tonne.

— Bien.

— Tu as faim ?

— Un peu, oui.

En réalité, je meurs de faim, mais ce serait déplacé de le dire ainsi. J'espère que mon mal de tête se dissipera en mangeant.

Elle me fait signe de la suivre. Je balance mes jambes par-dessus le matelas et replie les orteils au-dessus du sol, pensant qu'il sera glacé malgré mes chaussettes de laine. En fait, il est agréablement chaud grâce au feu qui se trouve tout près.

Mes pas sont lents et mes jambes claquent chaque fois que je déplie le genou. Évidemment, elles se plaignent de ma course de la veille. Je suis loin d'avoir la forme physique d'un athlète et je ne l'aurai jamais même après avoir repoussé mes limites hier.

Je pose une main sur le mur du petit couloir et mes doigts glissent dessus par précaution jusqu'à la salle à manger. Maintenant que j'ai toute ma tête, je peux enfin voir à quoi ressemble la maison de Lauren.

Malgré la petitesse de l'endroit, l'intérieur est magnifiquement décoré et chaleureux. Des bois clairs et des touches de bleu ici et là. C'est l'essentiel, mais c'est suffisant. D'un côté il y a une cuisine et la salle à manger, de l'autre, un minuscule salon contenant essentiellement une causeuse et un bureau sur lequel se trouve mon sac. Ouvert. Je déglutis, inspire, expire à quelques reprises. Il faut que je garde mon calme. Lauren veut mon bien, sinon elle m'aurait laissée mourir dans ce boisé.

Lauren me tire l'une des chaises de la salle à manger sur laquelle je prends place en esquissant un sourire.

Elle dépose devant moi une assiette d'œufs battus, une tranche de pain grillée accompagnée d'une jolie salade de fruits colorée. Des protéines et des vitamines. Exactement ce dont j'ai manqué dans les derniers jours. Elle s'assied en face de moi, les effluves de son café chatouillant mes narines quand je me mis à piquer la nourriture dans mon assiette avec ma fourchette.

Elle m'observe, détaille le moindre de mes mouvements. Je devine aisément qu'elle se pose des questions, qu'elle attend le bon moment pour me les poser. Cette femme est une diplomate dans l'âme en plus de transpirer l'intelligence et bien d'autres choses encore. Elle ne me brusquera d'aucune manière et obtiendra les réponses qu'elle veut en levant à peine le petit doigt. Je le sais et cela ne m'enchante guère.

Pour ma part, je ne me demande qu'une chose. Une seule: pourquoi est-elle partie en laissant ses enfants derrière elle ?

— Tu n'es pas brune naturelle, n'est-ce pas ?

J'arrête de mâcher. Je relève les yeux vers elle en secouant la tête. C'est une drôle de question je trouve, considérant que tellement d'autres doivent se bousculer dans sa tête.

— Tu es blonde, pas vrai ?

— Oui.

— Le brun te va tout de même à ravir; il fait davantage ressortir la couleur de tes yeux.

Elle continue de m'observer. Sans méchanceté, sans mépris, seulement curieuse et intéressée. Intéressée par moi, vraiment ?

— Ce serait déplacé de te demander de quel côté tu viens ?

J'avale ma bouchée, pose mes ustensiles sur le rebord de mon assiette.

— Non, plutôt légitime, murmuré-je en essuyant subtilement le coin de mes lèvres.

Elle me sourit.

— Tu viens de l'autre côté du mur ?

— Cela dépend de quel côté on se trouve d'abord, Madame…

Elle glousse et chasse ces paroles d'un geste de la main. Cet éclat de rire ressemble au gazouillis d'un oiseau. Même en chantant, je ne crois pas être en mesure de reproduire ce genre de son.

— Oui, tu as raison, et appelle-moi Lauren, je t'en prie. Pas du même que moi, dans ce cas ?

Je hoche la tête. Elle plisse les paupières et glisse ses mains sur sa tasse en avançant légèrement au-dessus de la table pour manifester son intérêt.

— Tu es déjà venue de mon côté par contre ?

— Oui.

— Et souvent, commente-t-elle. Tu n'agis pas de la même façon que ceux qui viennent du tien, mais tu connais la vie des deux côtés parce que tu l'as toi-même vécue.

Je baisse les yeux sur mon assiette et fais tourner ma fourchette entre mes doigts.

— C'est pour ça toutes les marques sur ton corps ?

Je reste de marbre, du moins j'essaie. Ma mâchoire se tend malgré moi.

— Entre autres…

— Ils t'ont battue ?

Sa voix jusqu'à présent si douce connaît des intonations dures que je ne lui croyais pas possibles.

Je hoche la tête.

— Tu as de la chance de ne pas être morte, ajoute-t-elle doucement. D'habitude, quand les soldats ramènent quelqu'un au parlement pour l'interroger, ils l'exécutent. Tu as sûrement dû faire quelque chose pour qu'ils refusent de t'éliminer.

— J'ai surtout eu de la chance d'avoir quelqu'un pour me sortir d'où j'étais.

Elle soulève le menton en un fin sourire qui étire sa bouche magnifique.

— Veux-tu savoir qui je suis ?

— Je le sais déjà… du moins en partie.

— Tu connais mon fils, voilà pourquoi tu me connais. Tu as murmuré son nom en arrivant ici et je connais bien peu de gens qui le portent.

— Comment saviez-vous que j'allais venir ici ?

— Nayden a tenté de prendre contact avec moi hier.

— Comment ça *tenté* ?

— Julyan est protégée par mille et un pare-feu et protections en tout genre, Emma. Nayden a réussi à capter un signal, mais ça aurait très bien pu ne pas être moi.

— Je vois.

— Tu l'aimes ? souffle-t-elle aussi légèrement qu'une brise.

Mon corps se fige d'un seul coup. Je le sens d'abord comme une question, mais à la regarder, il me semble que ça n'en est plus vraiment une ; c'est davantage une affirmation. Cela se voit à ce point dans mes yeux ? Dans ma façon d'agir ? Ou bien le sait-elle simplement ? Comment cacher ça à une mère, après tout.

— Oui, que je marmonne en pinçant les lèvres.

Elle soupire, les épaules s'affaissant lors de chaque seconde que je tente de saisir au passage. Je ressemble à une enfant devant des bulles de savon. Elles éclatent toutes sans que je puisse en attraper une seule intacte.

— Ma puce ne fonctionne pas sur toi ; c'est pour ça qu'ils t'ont épargnée, j'en suis sûre, dit-elle en rompant le silence.

— Quoi ?

— Ma puce. Elle ne fonctionne pas sur toi.

— Comment ça, *votre* puce ?

Mes sourcils se froncent, formant un pli en leur centre.

— Je suis à l'origine des puces qu'on vous implante, ma belle, et de bien d'autres programmes encore. Je suis un ancien membre du gouvernement et femme du général Prokofiev. Ou plutôt, ex-femme.

— Je sais ça.

— Tu sais la seconde partie, pas la première à laquelle tu n'as pas accordé beaucoup d'attention, rectifie-t-elle en souriant. Et l'ordinateur qui se trouve sur le bureau et que j'ai trouvé dans ton sac est celui de mon fils.

— Comment le savez-vous ?

— C'est moi qui le lui ai offert. J'ai fabriqué cet ordinateur, et lui a conçu le programme.

Je me lève, les sourcils froncés. Je rembobine. Elle a créé les puces. C'est à cause d'elle que Caleb a tout oublié ? Rien que d'y penser, cette femme me dégoûte.

— Rassieds-toi, Emma. Je ne te veux aucun mal. Je veux seulement t'aider à assembler les pièces manquantes.

— Vous ne me voulez peut-être pas de mal à *moi*, mais vous en voulez à ceux qui vivent de l'autre côté du mur !

— Je suis à l'origine du programme, pas de ce qui en a découlé, se défend-elle calmement.

Je pince les lèvres. Je ne suis pas certaine de comprendre. Il faut que je reste pour ça. Je ne suis plus sûre d'en avoir envie. Elle glisse sa main autour de mon poignet. Je suis tentée de m'en dégager, son contact hier apaisant me semble aujourd'hui terriblement irritant.

— Je t'expliquerai à condition que tu décides de m'écouter. Je peux t'apporter beaucoup, Emma. Bien plus que tu ne peux le croire. Je suis prête à t'aider, à cent pour cent, mais pour ça, il faut que tu m'aides aussi.

— Quelqu'un m'a dit un jour que tout ce qui venait avant le mot *mais* n'avait aucune importance. Pourquoi devrais-je vous croire si cette hypothèse s'applique dans tous les cas ?

Elle hausse les épaules.

— La confiance se gagne, Emma, la mienne je te l'offre sur un plateau d'argent. Je te promets de ne jamais te mentir. J'ai pour principe de ne jamais rompre mes promesses. Tu veux savoir ? Dans ce cas, rassieds-toi et je t'expliquerai.

Comme son fils. Je veux savoir. Alors je reste. Seulement parce qu'il faut que je sache.

Quarante et un

J'inspire un bon coup en tirant les manches du pull sur mes poignets jusqu'à les coincer entre mes paumes et mes doigts. Je fixe Lauren qui fait de même, sans aucune honte ou gêne, ni malaise. Elle est sincère, elle ne me mentira pas.

— J'ai…

Elle prend un temps d'arrêt, les yeux au plafond – pour peser ses mots sans doute –, puis reprend :

— J'ai créé les puces. J'ai déposé le brevet parce que notre gouvernement a jugé bon d'avoir un œil sur ce avec quoi nous ne traitons pas directement. Pour vous protéger, ceux de l'Autre Côté, en quelque sorte.

— Protéger de quoi, Lauren ? Nous ne sommes pas une menace quand même ! claqué-je exaspérée avant même qu'elle ait ne serait-ce qu'amorcé le sujet.

Je suis sur la défensive, elle le sait et revêt immédiatement des gants de velours pour la suite.

— Je sais. Au départ, nous implantions ces puces seulement dans l'intention de protéger tout le monde. Bon, d'abord je dois admettre que les autres partenaires du projet n'étaient pas très chauds à l'idée de vous rendre plus forts.

— Comment ça, plus forts ?

— Avec ce genre de technologie, il est impossible de contracter quelque maladie que ce soit à l'exception des virus qui traînent ici et là et qu'il nous est impossible de détruire à tout jamais. Tu ne t'es jamais rendu compte de quoi que ce soit ? Que personne autour de toi ne mourait jamais de maladie grave ?

— Non, car nous mourons de bien d'autres choses. Peu de gens meurent de façon naturelle là d'où je viens, Lauren, outre des virus qui nous achèvent en un claquement de doigts et qui ne devraient pourtant en aucun cas constituer une menace à cause d'une malnutrition et d'un système immunitaire défaillant qui n'a rien à voir avec les maladies héréditaires.

— Je sais..., soupire-t-elle. Et j'en suis terriblement navrée.

Ma bouche se fige en une ligne sur laquelle se lit la méfiance. Elle sait qu'on meurt de froid, de faim et de misère avant que le temps n'ait raison de nous. Derrière elle, ce même temps tapote contre sa tête. Tic-tac, tic-tac. Je les compte tous. Elle est sincère ; elle ne souhaite pas notre extinction, elle est trop gentille pour ça.

— Étions-nous un test ? Moi et tous ceux de l'Autre Côté ?

— Oui, avoue-t-elle. Nous testions la technologie sur vous afin de voir si elle était efficace à grande échelle. Le cas échéant, nous l'aurions implantée de notre côté. Navrée que vous ayez servi de cobayes, vraiment, et plusieurs sont morts pendant le processus. Seulement voilà. J'ai instauré le programme et une puce a été implantée dans chaque membre de la Basse République depuis. Toutefois, les intentions du projet ont été modifiées au fil du temps et il était trop tard pour reculer quand j'ai appris que ce que les autorités voulaient faire, y compris mon mari. Ce qu'ils veulent faire, c'est vous détruire, Emma.

— Ça a déjà commencé.

Elle grimace.

— Malheureusement, oui. Quoi qu'il en soit, les autres chercheurs avec qui je travaillais ont dévié de mes véritables intentions en bafouant toutes les règles que nous avions préétablies à ce sujet. Une fois que le programme se serait avéré concluant, nous aurions désactivé certaines de ses fonctions pour n'en conserver que l'essentiel. C'était l'objectif. Tester un programme, vérifier son efficacité et ne garder que la localisation sur vous. J'étais loin du compte.

— Alors ils ont choisi de nous éliminer. Pourquoi ?

Elle inspire, fixant à présent sa tasse.

— Ils aspirent à la suprématie d'une race qui n'a jamais existé, basée sur un fondement humain qu'ils se sont imaginé. Celui d'une élite sociale issue d'un milieu fortuné, exempt d'ancêtres criminels. À la suite d'une guerre, ils se sont proclamés supérieurs à vous. Je n'ai jamais adhéré à cette idée, encore moins à celle qui consistait à vous détruire.

Je me repasse ses paroles en tête. On croirait une comptine pour enfants et pourtant c'est d'un génocide planifié dont elle parle.

— C'est à ce moment que vous avez fui.

— Non, je n'ai pas…

— Si, vous vous êtes enfuie, la coupé-je sèchement, retenant amèrement le mot *lâche* qui sautille sur ma langue à ce moment. Vous êtes partie parce que vous ne pouviez supporter l'idée d'être l'instigatrice de ce programme.

Elle devient de glace. Je la vois déglutir puis acquiescer d'un imperceptible coup de menton. J'ai peut-être été un peu dure avec elle. La culpabilité me ronge déjà et je m'en veux de ne pas être en mesure de me tenir debout, en mesure d'assumer ce que je dis comme je le voudrais. Au lieu de quoi je m'effondre. Un peu plus chaque seconde.

— Très bien. Alors oui, je suis partie, mais sache que j'avais d'autres raisons, Emma. Avant de partir par contre, je vous ai créés, vous.

— Qui ça, *vous* ?

— Les Insoumis. Ma puce ne fonctionne pas sur toi, ou devrais-je dire le dérivé de ma puce ne fonctionne pas sur toi, parce que j'ai corrompu le programme sur des sujets aléatoires afin de faire changer le cours des choses. C'est pour ça que j'ai dû partir. Parce qu'ils ont appris ce que j'avais fait. Parce qu'ils ont appris que j'avais altéré les fonctions de leurs puces et qu'ils ont compris que leur propagande n'avait plus aucun effet sur certains sujets de la Basse République sans pourtant qu'ils puissent savoir lesquels étaient insoumis et lesquels étaient asservis, parce que ce dérivé ne s'enclenche qu'après un certain temps. Et puisque les puces avaient déjà été fabriquées en quantité phénoménale pour parer à la demande, ils n'étaient pas en mesure de les détruire et d'en refaire d'autres. Sans moi, ce programme n'est rien. Donc oui, je suis partie, Emma, non pas parce que j'avais honte de ce que j'avais créé, car tu peux être certaine d'une chose, c'est que je n'en aurai jamais honte, j'ai seulement honte des hommes qui se sont servi de mon programme pour assouvir leurs idéaux en réglant votre façon de penser et en contrôlant tout ce sur quoi personne ne devrait avoir de contrôle excepté la personne concernée: votre destin. Et ça, ça va à l'encontre de tout fondement humain.

— Lauren, attendez une minute! Je suis peut-être insoumise, mais la puce qu'on m'a implantée est inactive à présent! Elle ne fonctionne plus depuis que je me suis fait tirer dessus. Elle m'a réanimée! J'étais morte depuis plusieurs secondes avant qu'elle ne se formate et me fasse revivre pour ne plus fonctionner par la suite.

— Je sais, dit-elle d'un ton calme.

Je m'arrête. L'intérieur de ma bouche s'assèche d'un seul coup.

— Comment ça, vous le savez? que je souffle d'une voix étranglée.

Elle me regarde. Le silence valse entre nous sur des notes que seules les secondes qui s'écoulent arrivent à suivre. Je tente de deviner ce qu'elle s'apprête à me dire, mais ses yeux sont obstinément muets. Je m'humecte les lèvres sans succès. La peur me balafre le corps de blizzard, la terreur me glace le sang, l'horreur se dessine sur mon visage à gros traits de neige.

— C'est moi qui ai tiré sur toi, Emma.

C'est impossible. Non. Elle ne peut pas. Cette femme si douce, si aimante ne peut s'être servie d'une arme contre moi. Pas cet ange qui m'a sauvée d'une mort certaine au centre d'un bois tout droit sorti de l'enfer.

Non. Non. Non. Non.

Une seconde passe où tout cesse de tourner.

Je suis persuadée que c'est un homme qui m'a tiré dessus.

Deux battements de paupières incrédules.

Elle ne peut être responsable de ça.

Trois coups dans ma poitrine assez puissants pour m'en briser les os.

La mère de Nayden ne peut pas avoir fait ça.

Quatre fois où je suffoque à en mourir.

Lauren me regarde.

Cinq expirations calmes de sa part.

Je me décompose sur place.

Tic-tac, tic-tac. Le temps cogne contre ma tête.

Il ricane tout près de mon oreille et s'envole en me laissant coite, avec rien d'autre que des poussières entre les mains.

Quarante-deux

Je ferme les yeux pour me soustraire au ricanement de ce temps qui m'échappe. Ma tête se secoue d'elle-même tandis que l'incrédulité m'embrouille l'esprit à n'en plus savoir ce que je dois croire ou non. La mère de Nayden a voulu me tuer et je suis sous son toit. Je n'ai plus la force de courir alors que c'est pourtant ce qu'il me faudrait faire et ce que j'aurais dû faire plutôt que de m'effondrer au centre d'un boisé, épuisée. Partir et ne plus jamais revenir. M'enfuir. M'envoler. Mais je ne peux pas abandonner. Trop de choses me rattachent encore à ce sol qui s'écroule sous mes pieds et que je ne sens plus, qui s'effrite et qui déboule, qui m'entraîne dans une chute sans fond. Je sombre jusqu'à ce que je retrouve un filet de voix qui me permet de me raccrocher à ce qu'il reste de ma vie.

— Non. C'est impossible, articulé-je enfin, la voix chevrotante, les jointures blanchissantes.

— Emma. Écoute-moi.

— Non ! C'est vous qui allez m'écouter ! Vous avez essayé de me tuer, Lauren !

Elle ouvre la bouche pour répliquer, mais je la devance aussitôt.

— Pourquoi ?

— C'est grâce à ma puce que tu es en vie, Emma. Grâce à cela que tu n'es pas morte.

— Je n'aurais jamais frôlé la mort si vous n'aviez pas tiré sur moi ! que j'éclate. Répondez à ma question !

— Tu faisais partie d'un test, soupire-t-elle aussitôt. Il fallait que je vérifie si la puce d'un Insoumis pouvait faire en sorte qu'en cas d'interruption de programme, cette dernière pouvait sauver celui en qui elle avait été implantée.

Je n'en reviens pas. Elle a fait feu sur moi uniquement pour savoir si son stupide programme allait pouvoir me sauver ?! À cause de ce simple tir, toute ma famille aurait pu y passer ! Les criminels ne sont jamais les seuls à payer pour leurs fautes dans ma République et je n'aurais pas été surprise du tout de savoir que tout le monde qui m'entourait d'un peu trop près allait y passer. C'est un excellent moyen pour le gouvernement de garder le contrôle. Les criminels ont toujours servi d'avertissement. A-t-elle seulement conscience de toutes ces répercussions qui se bousculent dans ma tête et qui font écho à ce qu'elle vient de m'avouer ?

— Étiez-vous sûre de ce que vous avanciez, Lauren ?

Elle garde le silence. Je la vois déglutir. J'insiste. *Ce n'est pas vrai.*

— Lauren, étiez-vous certaine que votre programme allait me sauver et que j'allais survivre ?

— Non, je ne l'étais pas, avoue-t-elle enfin.

Je m'étrangle de rire. C'est un étrange amalgame de nervosité, de colère, d'anxiété et d'ironie du sort qui me prend d'assaut.

— Je n'y crois pas... Et après m'avoir dit ça, vous pensiez quoi ? Que j'allais oublier que vous avez essayé de me tuer et tout bonnement me dire qu'aujourd'hui vous me sauvez la vie ? Pardonnez-moi, Lauren, mais vous êtes malade. Malade d'avoir jeté vos espoirs sur un programme informatique qui était censé m'épargner d'une mort certaine.

— Essaie de comprendre, Emma. Je t'ai dit que je n'en étais pas sûre à cent pour cent, c'est vrai, mais aujourd'hui tu es là, tu es en vie parce que ce que j'ai créé a fonctionné. J'ai déjoué la mort, tu es la première à qui une chose pareille arrive, s'exclame-t-elle en tendant la main vers moi dans une tentative de réconciliation.

Je me lève d'un bond, renversant ma chaise. Elle tombe violemment au sol et il s'en faut de peu qu'elle ne se brise. Insinue-t-elle que je ne suis pas la première auprès de qui elle le teste ? Je crois que je vais être malade.

— Je t'ai étudiée, je t'ai observée, j'ai noté tous les effets que ce dérivé avait sur toi. Tu étais le sujet parfait pour ce genre de puce bien que cette décision soit due au hasard. Tu n'as jamais surréagi, tu n'as jamais contesté l'autorité au point de te faire réprimander. Tu étais parfaitement normale avec un petit quelque chose en plus : cette capacité que les autres de ton côté n'avaient pas et que ceux du mien n'ont pas non plus, cette faculté à voir au-delà du mur, poursuit Lauren toujours aussi calme bien qu'il me semble voir sa patience s'étioler.

C'est trop d'information en même temps. Je secoue la tête. Non. Je ne veux pas y croire, je ne *peux* pas y croire. Je suis dans un cauchemar et je vais me réveiller. Il faut que je me réveille. *Allez, réveille-toi Emma, la nuit est terminée, reviens dans le monde réel.*

— J'avais foi en toi et je ne l'aurais pas fait si j'avais douté une seule seconde que ça ne fonctionnerait pas.

— Je crois que nous n'avons pas tout à fait la même définition du mot *foi*, Lauren. Quand on a foi en quelqu'un, on l'épaule, on l'aide. On n'essaie pas de l'assassiner, renchéris-je d'une voix cassante.

— Que t'ai-je apporté en faisant feu sur toi, Emma ? Que t'ai-je donné ? demande-t-elle en plissant légèrement les paupières, assez pour lui donner un air menaçant. Je t'ai apporté mon fils, une vie de *mon* côté.

— Oui, en menaçant toute ma famille du même coup ! m'écrié-je. Vous avez une idée du pétrin dans lequel vous les avez mis en tirant sur moi ? Il est clair que cela vous a également beaucoup rapporté, mais en ce qui me concerne, vous n'avez fait qu'anéantir tous les efforts que j'avais tentés pour les faire survivre. Au lieu de miser tous vos efforts sur moi, c'est votre fille dans le coma que vous auriez dû aider.

Elle s'affaisse dans sa chaise. Ça y est, je l'ai eue. Moi-même je ne sais plus trop que penser. C'est trop insensé, trop malsain que d'être là, à cet endroit, en compagnie de celle qui est la cause de bien de mes tourments.

— Bon sang, qui êtes-vous, Lauren ?

C'est moi qui dis ça, mais je n'en ai pas l'impression. Ma voix est trop déconnectée. Comme prise dans un étau tandis que mon esprit va et vient entre un brin de raison et un champ de folie. Il faut que je me calme, que je me ressaisisse. Je n'ai jamais pensé à quelque chose d'aussi insensé. Comment suis-je censée me ressaisir quand je n'ai rien de concret auquel m'accrocher ? Même quand je suis partie de chez Nayden, tout ça me semblait plus respectable parce que mon but était clair : rentrer chez moi. Aujourd'hui, je suis dans la même pièce que mon assaillant. Devant celle qui m'a sauvée. D'ailleurs, à quel prix m'a-t-elle sauvée ?

Elle se lève, pousse doucement sa chaise contre la table et s'approche de moi. Je prends appui sur le comptoir. J'ai atteint la limite de ma fuite. Je dois faire face au danger maintenant.

— Qui je suis, moi ? La bonne question serait plutôt : qui es-tu, toi ? Que sais-tu de toi ? D'où viens-tu vraiment ? lâche-t-elle d'une voix étrangement calme.

— Vous savez très bien d'où je viens.

Elle m'arrête en secouant la tête d'un air las.

— Non. Pas *toi* directement. Tes racines. Que s'est-il passé après la guerre ?

— Quel est le rapport ? Je ne suis pas ici pour parler d'histoire.

Elle s'esclaffe tellement doucement qu'on croirait qu'une colombe a battu des ailes entre nos deux visages.

— Le rapport, c'est que j'ai fait germer en toi ce qu'on a jadis fait taire, Emma. Tes réponses, elles sont derrière toi. Plus anciennes que tes parents, plus vieilles que tes grands-parents. Remonte plus loin encore, au fond de ta lignée, au tout début de notre République. Que s'est-il passé, Emma ?

— Ils nous ont séparés.

Elle croise les bras sur sa poitrine.

— Et pourquoi ?

— Parce que nous ne pouvions pas vivre ensemble.

— Tu y crois à ce mensonge ? Je ne pense pas que tu y aies un jour vraiment cru, je me trompe ? Cette raison qu'ils vous enseignent à l'école a autant d'importance qu'une babiole pour enfants. Elle ne veut rien dire. Elle ne sert qu'à livrer une explication facile à une question pourtant simple à laquelle le gouvernement a toujours refusé de répondre.

— C'est vrai, je n'y ai jamais cru, approuvé-je plus pour moi-même que pour elle.

Elle me sourit. D'un sourire franc qui parvient presque à me faire oublier que la femme qui se trouve en face de moi s'avère aussi la raison pour laquelle je me suis trouvée du mauvais côté du mur pendant aussi longtemps.

— Voilà pourquoi tu es une Insoumise. *Ils nous ont séparés parce que nous ne pouvions vivre ensemble.* Quelque chose cloche, non ? C'est dans cette petite phrase que l'erreur se trouve. La note qui fausse dans la partition qu'ils vous ont chantée pour vous bercer vers le sommeil pendant tellement, tellement longtemps. Ce n'est pas parce que nous ne pouvions vivre ensemble qu'on nous a séparés. C'est parce que vous êtes ceux qui se sont rebellés contre l'autorité. Vous êtes ce pourquoi, il n'y a pas si longtemps, le gouvernement a frémi et est tombé pour se relever chancelant et craintif. À ce point craintif qu'il a préféré vous enfermer derrière un mur plutôt que de vous regarder en face. Vous étiez la rébellion, Emma.

J'ai arrêté de respirer. Je suis tellement immobile que j'ai peine à constater mon propre souffle. Tellement immobile qu'une fois le menton relevé pour la regarder, je sens tout mon corps se fissurer.

— On vous a coincés derrière un mur en tuant tous ceux qui avaient le mot *révolte* peint sur les lèvres et puis, on vous a tous fait désapprendre la signification de ce mot.

— Je n'ai rien d'une héroïne, contrairement à ce que vous pouvez penser. Je ne suis qu'une pauvre fille, d'une République médiocre, qui aurait mieux fait de rester de son côté plutôt que de souhaiter voir ce qu'il y avait derrière le mur qui la bordait, dis-je d'une traite.

Une larme coule sur ma joue, s'incruste entre les fissures de mon visage qui se morcèle sous ses yeux.

— Non, Emma, souffle-t-elle en l'essuyant du bout des doigts. Tu n'es pas une pauvre fille. Tu avais raison de rêver par-delà le mur parce qu'ils ont brimé votre rêve. Il est temps que tu te secoues et que tu le saisisses entre tes mains. Car tu peux me croire, tu n'es pas la seule à le vouloir. Mais au contraire de tous ceux qui partagent ton rêve, toi tu as décidé de faire le premier pas vers lui.

— Je n'en veux pas de ce rêve, Lauren... Je n'en veux plus. Pas au prix qu'il m'en coûte pour l'avoir.

— Qui a parlé de prix à payer ? Tu n'as pas à payer quoi que ce soit pour vivre. La vie est un cadeau et on vous l'a enlevée. C'est juste, tu crois ?

— C'est facile à dire pour vous, parce que vous n'avez rien à perdre.

— Seulement parce que j'ai déjà tout perdu.

Le sourire qu'elle affiche dans la seconde qui suit parvient à peine à faire scintiller son regard comme il le devrait. Au mieux, il semble l'obscurcir encore plus. Cette femme a tout perdu... tout perdu aux mains d'une République qui m'a aussi tout pris. Ou, du moins, qui s'apprête à tout me prendre.

Or, je n'ai rien de ces jeunes filles courageuses qui combattent des armées entières, qui défient l'autorité le nez en l'air en pensant que les jupes de leur mère les sauveront du courroux qui se retournera contre elles. Je n'ai rien de tout ça parce que j'ai plutôt peur de cette armée et que j'ai constamment tremblé devant l'autorité. Parce que j'ai toujours su que dans cette vie, il ne me faudrait compter que sur moi-même.

Pourtant, ce que je vois dans les yeux de Lauren pourrait me donner la force de combattre cette armée, de défier cette autorité parce que enfin, il me semble voir ce qu'elle voyait en moi. Il faudrait juste à ce film qui défile dans ses yeux quelques séquences de plus pour faire rester le courage qui monte avec peine dans ma poitrine.

Au lieu de quoi je le laisse tomber. Je laisse cette flamme s'éteindre d'elle-même. Je laisse la dernière goutte de pluie au sol s'évaporer au soleil. J'expire le dernier souffle de vent sur terre. Parce qu'au fond, je suis égoïste. Et que ce que je souhaite le plus au monde en ce moment, c'est de rentrer chez moi.

— Non, Lauren. Je ne suis pas ce rêve. Je ne suis pas cet espoir que vous avez placé en moi et je ne le serai jamais. Je n'ai rien de commun avec les élus des grandes épopées. Ma vie se résume à un mur et des frontières. À de la peur et à de la survie.

— Mais tu n'en as pas assez de vivre ainsi ?

— Peut-être bien, mais si c'est le cas, je ne suis pas la seule et je ne serai certainement pas cette fille courageuse qui mènera tout le monde à une mort quasi certaine. Et vous voulez savoir pourquoi ? Parce que personne ne me suivra. Parce que personne ne croit autant que moi à ce monde qui borde le nôtre.

— Dans ce cas, partage ton rêve avec eux, Emma. Fais-leur voir ce que tu as vu de tes yeux. Fais-leur voir ce monde que tu as touché. Ce n'est pas pour que tu te retrouves seule devant Goliath que je t'ai tiré dessus. C'est pour que tu puisses faire monter en toi le sentiment de liberté qu'ils ont fait taire. Personne ne devrait vivre en cage, Emma.

Je n'ai pas l'étoffe de cette jeune femme forte et brave qu'elle voit peut-être danser au fond de mes prunelles comme j'ai pu en admirer un bref instant le reflet dans les siennes. En revanche, j'ai également appris que dans cette vie que je mène, rares étaient les fois où j'avais vraiment eu le choix.

Cette fois-ci, l'absence de choix s'avère aussi flagrante que cette balle qui m'a perforé l'abdomen. J'ai maintenant l'impression d'avoir été fusillée deux fois plutôt qu'une. Parce qu'en me tirant dessus, Lauren a changé mon destin. Sur lequel, de toute évidence, je n'aurai jamais tout à fait le contrôle.

Quarante-trois

Je marche dans une rue sombre, sans étoiles, ou plutôt là où elles semblent tomber du ciel. De la neige. Je devrais la sentir fondre sur ma peau. Ce n'est pas le cas. En fait, je ne sens qu'un poids dans ma main droite. Froid, à dire vrai, glacé. Je voudrais baisser les yeux pour le regarder, mais j'en suis incapable. J'ignore ce que c'est, cela reste uniquement froid, terriblement froid. À mesure que j'avance, le paysage se dessine alors que, derrière moi, mes pas s'effacent. Je connais cette rue. Je la reconnais enfin grâce au bâtiment tout au fond, tellement éclairé qu'il en a l'air stérile. D'ailleurs il l'est. C'est un hôpital. Quelqu'un en émerge.

Le père de Nayden. J'ai l'impression qu'il est encore plus grand que la dernière fois que je l'ai vu. Il est calme, comme à son agaçante habitude. Les mains le long du corps, il me détaille de pied en cap en secouant doucement, trop doucement, la tête.

— Pourquoi es-tu revenue, Emma ?

— Pour lui.

Ma voix presque détachée d'entre mes lèvres ne provoque aucune buée devant mon visage. Ce n'est pas normal.

— Je croyais pourtant avoir été clair. Éloigne-toi de mon fils.

— Non.

— Oublie-le.

— Impossible.

Oublier Nayden, c'est exactement comme de me demander de me souvenir de quelqu'un que je n'aurais jamais rencontré.

Son père soupire, enfouit ses mains dans ses poches en m'écoutant.

— Je veux le voir. Je veux que vous nous laissiez partir. Tous. Ma famille, lui et moi. Je ne reviendrai jamais. Je vous le promets. À condition que vous nous laissiez d'abord partir.

Le général Prokofiev pose chaque syllabe de ma demande sur une balance pour mesurer leur valeur. Ce qu'il gagne dans cet échange. Ce qu'il y perd aussi. Mes mains devraient être moites, ma voix plus chevrotante.

Pourquoi ne l'est-elle pas ? Et qu'est-ce que j'ai dans la main, bon sang ?

— C'est d'accord, lâche-t-il enfin.

J'en reste abasourdie. Ma mâchoire tombe un peu et je m'empresse de la refermer. Il fait un pas de côté. Derrière lui se découpe la silhouette de Nayden. En me voyant, son regard s'illumine, scintille autant que ces minuscules étoiles qui tombent du ciel pour se fragmenter dans son regard. Il marche vers moi aussi rapidement que sa blessure le lui permet. Blessure dont il a écopé à cause de moi.

Je pleurerais si j'en étais capable. Pourtant, je ne ressens rien d'autre qu'un serrement intense dans la poitrine et ce froid dans ma main. Je ne peux toujours pas baisser les yeux. D'ailleurs, je n'en ai pas envie. Voir Nayden. C'est tout ce que je veux pour le moment. Il se rapproche, me rejoint en quelques enjambées. Ses bras me soulèvent, s'enroulent autour de ma taille avec force. Je me sens comme un nuage entre ses bras. Comment puis-je le savoir si près sans être en mesure de le sentir ?

Il me relâche et se poste derrière moi sans un mot. Ça ne lui ressemble pas. *Parle-moi, Nayden. Parle-moi, je t'en prie. Dis quelque chose !*

Je me retourne vers son père qui, le poing brandi dans ma direction, tient un pistolet braqué sur nous.

— Je t'avais dit de l'oublier.

Bouge, cours, enfuis-toi, Emma ! Je hurle dans ma tête. Personne ne m'entend, pas même mon propre corps. Mes pieds sont cloués au sol et mes membres lourds comme du béton. La détonation m'assourdit sans que le son ricoche comme il le devrait entre les murs. Je pivote vers Nayden. Dans ma main droite, le froid s'intensifie. Je baisse brièvement les yeux vers elle, avant que la balle ne fasse éclater mon crâne en gouttelettes vermeilles. Sous mes yeux, mon amour en fait de même. Ce que je tiens, c'est une petite locomotive jaune, couverte d'un liquide écarlate. *Noah.*

Tout est d'un mélange de rouge et de noir, de cris et d'horreur. D'une seule et même balle, il nous a abattus, son fils et moi. Je le sais. Je le sens dans ma tête. Sa main sur mon épaule. Sa dernière vague d'amour – dans son regard tendre et langoureux – aussi chaude qu'une flamme. Cette flamme, *la* flamme que je serrerais dans mes bras coûte que coûte.

Je vais mourir. Je le sens, ça aussi.

Je me redresse dans mon lit en hurlant les cris que je ne pouvais laisser échapper et qui cette nuit électrisent l'air. Je deviendrai muette en rendant tous ceux qui m'entourent sourds si je ne m'arrête pas. La porte de la chambre s'ouvre et on se précipite vers le lit pour me serrer contre soi. Je m'accroche à Lauren dans un élan de douleur sans nom tout en me débattant pour qu'elle ne m'approche pas. Je suis un ouragan de contradictions, de mal-être, de peine, de larmes, de sanglots entrecoupés par les éclats de cœur brisé. Je suis à la tête d'une armée de sentiments torturés qui se dévorent, gueule ouverte, prêts à m'engloutir tout entière.

J'ai besoin de quelqu'un tout en ayant peur du genre humain. Lauren ne me lâche pas. Bien au contraire, elle sait que je me morcèle entre ses bras et sa mission est de me rebâtir, un fragment à la fois.

Je finis par me détendre sous son étreinte. Elle me caresse les cheveux, murmure à mon oreille des paroles réconfortantes que mon cerveau malmené par mes émotions en charpie n'arrive pas à assembler. Je pleure, sanglote, mon corps se secoue dans des tressautements incontrôlables. J'ai trop peur et je tremble, tremble et tremble encore.

Elle murmure à mon oreille, pendant que je gémis entre ses bras. Je me balance d'avant en arrière. Incapable de retirer de ma tête la vue du crâne de Nayden qui explose en même temps que le mien. Et cette horrible sensation de rester coincée au centre de mon rêve… mon cauchemar.

— Ce n'était qu'un cauchemar, ma belle. Rien qu'un cauchemar, souffle-t-elle contre ma joue.

— Il va le tuer… Il va le tuer. Il va…

— Qui ça ?

— Le général Prokofiev. Il va tuer Nayden. Je l'ai vu.

— Non, Nayden ne mourra pas. Dmitri ne tuerait pas son propre fils. Pas *mon* fils.

Dans sa voix, je sens qu'elle tente de se convaincre elle-même que ce rêve ne doit en aucun cas devenir réel.

— J'ai tellement peur, Lauren. Je ne veux pas le perdre. Je ne *veux* pas.

— Je sais, et tu ne le perdras pas. Mon garçon est là pour toi et il le restera.

— Il a reçu une balle à l'épaule par ma faute. La nuit où vous m'avez trouvée. Il est peut-être mort. Il était blessé. Il y avait du sang partout…

Elle prend mon visage entre ses mains pour me regarder au fond des yeux, au fond de mon âme. Et Caleb… qu'est-il advenu de Caleb ? Lui qui ne souvient de rien ? Lui qui ne comprendra sans doute rien de ce que les militaires lui diront ? Lui qui m'a oubliée malgré lui ?

— Ce n'était pas de ta faute. Mon fils serait mort pour toi ce soir-là s'il avait dû.

— Ne dites pas une chose pareille, sangloté-je, les yeux clos.

— Il va bien. Ce n'était qu'un cauchemar, Emma.

Ma lèvre tremblote, le goût de mes larmes s'y faufile. J'acquiesce dans un lourd silence.

Quand je me réveille quelques heures plus tard, c'est la joue collée à un oreiller humide. Je suis seule, du moins tout me porte à croire que je le suis ; il n'y a aucun bruit dans la maison. Je m'extirpe du lit comme une morte de son cercueil. Sans envie, sans motivation, sans énergie malgré la longue nuit de sommeil que je viens de passer. C'est plutôt à cause d'un cuisant mal de tête que je décide de me lever. Je fais le tour de la chaumière. Aucune trace de Lauren, excepté une petite note sur Ezra. Une écriture magnifique, fine et délicate, tout à fait à l'image de mon hôtesse.

Je suis sortie pour quelques heures. Je reviendrai avant la nuit tombée, c'est promis.
Lauren
N.B : Ezra et Julyan pourraient t'être utiles.

Et c'est tout. Rien d'autre que ce petit mot griffonné d'une si belle calligraphie. Une nausée âpre au bord des lèvres, je m'assois au bureau sans toutefois me préparer à déjeuner. Ezra peut m'être utile. Comment ? Je ne le sais pas encore.

Je soulève l'écran de quelques millimètres d'épaisseur à peine non sans craindre de le briser.

J'appuie sur le bouton de démarrage. L'écran s'illumine quasi instantanément et la voix synthétisée que je déteste tant jaillit de je ne sais où.

— Mademoiselle Kaufmann… Ai-je raison de croire que vous n'allez pas bien ?

Je poufferais bien de sarcasme, mais elle n'y comprendrait rien du tout. Au lieu de quoi, je ne fais que répondre :

— Qu'est-ce qui vous fait dire ça ?

— Eh bien, vous vous apprêtez à demander mon aide. C'est assez inhabituel venant de vous.

Cette fois je m'esclaffe bel et bien. Mon moral est bas, ma tête lourde, mon cœur vide. Si un ordinateur arrive à me faire rire, c'est qu'effectivement, ça ne va pas super bien. C'est alors que je me demande pourquoi je la vouvoie. Je n'ai pas à lui témoigner une quelconque marque de respect.

— Je ne sais même pas pourquoi je le fais, Ezra.

— Voulez-vous que je vous éclaire sur quelque chose ?

— Je ne sais pas. Je n'ai rien à perdre après tout, pas vrai ? que je soupire.

— Vos chances de perdre quoi que ce soit dans ce que je pourrais vous dire sont inférieures à 3 %, Mademoiselle.

Je roule les yeux et pose mon visage au creux de ma main, le coude sur le bureau. Du bout des doigts, je trace des spirales sans début ni fin sur la surface de travail, l'esprit ailleurs, tandis que de l'autre main, je pianote une partition que je n'ai pas jouée depuis des mois, comme si je n'avais jamais arrêté de jouer. Difficile de se départir de vieilles habitudes.

— Qu'attendez-vous de moi, Mademoiselle ?

— Si seulement je le savais moi-même…

— Demandez-moi quelque chose, ce que vous voulez.

Je soupire, repousse doucement l'ordinateur pour croiser mes bras sur le bureau, le menton contre mon poignet toujours couvert d'ecchymoses violette.

— Je peux te tutoyer ?

— Bien sûr.

Je réfléchis à ce que j'ai entendu dernièrement. J'assemble les pièces d'un puzzle gigantesque dont les trois quarts semblent s'être perdus. Alors j'énonce tout haut quelques-uns de ces morceaux dans l'espoir qu'Ezra puisse me montrer où ils vont dans ce casse-tête géant.

— Tu m'as dit que c'était Nayden qui t'avait créée, mais Lauren m'a dit que c'était elle qui t'avait offerte à lui.

— C'est exact.

— Approfondis, s'il te plaît.

— Madame Keyes a offert à son fils l'ordinateur que je suis devenu, mais je n'existais pas encore à ce moment. Un programme se crée, puis s'intègre à n'importe quelle machine. C'est ce que monsieur Prokofiev a fait avec moi.

J'acquiesce, bien qu'elle ne me voie pas, et continue de fixer l'écran où se détache subtilement la moitié d'un visage synthétisé. Une femme. En réalité, ce n'est que la personnification de son programme, rien qu'un logiciel imagé. Elle est donc une série de pixels qui s'alignent et bougent pour me faire croire que ce que j'ai en face de moi est humain. C'est une belle illusion, je dois bien l'admettre.

— Et vous, Julyan ? lancé-je tout haut.

— Vous pouvez me tutoyer aussi, Mademoiselle Kaufmann.

— C'est pas possible, j'ai une conversation avec des ordinateurs, que je marmonne en enfouissant brièvement mon visage dans mes bras avant de me redresser, les sourcils froncés face à un détail agaçant. Comment savez-vous mon nom de famille au fait ?

— J'ai eu accès aux données d'Ezra la nuit dernière. Excusez-moi si cela vous a offusquée.

— Non, ça va, ce n'est pas… si grave. Tu n'as pas répondu à ma question.

— En effet. Madame Keyes m'a créée, précise Julyan.

Dit ainsi, cela semble tellement facile à croire que je pourrais le faire aussi.

— Qu'a-t-elle créé d'autre ?

— J'imagine qu'il s'agit de choses qu'elle aimerait vous dire elle-même, me répond gentiment Julyan.

— Répondez-moi quand même, ça comblera le temps perdu.

Elle s'exécute aussitôt.

— Le programme des nanopuces, qui ont elles-mêmes été créées par des jeunes aux talents exceptionnels.

— Des autistes ?

— Oui, confirme-t-elle. Lauren a donc créé ce programme et bien d'autres encore tous en service à travers la République, en plus du réseau informatique gouvernemental encore en activité aujourd'hui puisqu'il n'en existe pas de meilleur et finalement moi. Mon nom vient d'ailleurs de celui de ses deux enfants, Juliette et Nayden formant l'anagramme Julyan.

— Impressionnant, commenté-je en haussant les sourcils, non sans parvenir à cacher mon étonnement à cent pour cent.

Après un court moment de silence, je relance la conversation. Après tout, ce n'était sûrement pas elles qui allaient le faire.

— Et sa maison, comment l'a-t-elle eue ? Il me semble que cela se sait facilement, une maison aussi loin du centre-ville et à l'écart de toute caméra.

— Cette chaumière appartenait aux parents de madame Keyes. Elle l'a acquise à leur décès et les autorités n'ont jamais eu connaissance de cet endroit. Elle est, pour ainsi dire, invisible sur quelque carte que ce soit et son existence totalement méconnue des autorités. C'est une cache idéale.

Impressionnant. Une maison qui échappe au radar de la République ? Je ne croyais pas cela possible.

— Pour la nourriture et tout ça, comment fait-elle ?

— Elle a un complice en ville qui lui apporte ce dont elle a besoin à un point de rencontre. Elle doit beaucoup marcher pour s'y rendre.

— Vous dites que je peux vous demander ce que je veux ? poursuis-je dans un autre ordre d'idées.

— Dans la mesure où cela entre dans nos capacités, oui, Mademoiselle, me dit Ezra la première.

Je fronce les sourcils.

— Tu me semblais pourtant bien réticente à me répondre à l'appartement de Nayden.

Il me semble l'entendre rire.

— C'est vrai, mais vous êtes maintenant identifiée comme l'une des administratrices de mon système, rétorque-t-elle. Quant à Julyan, son système d'exploitation est un peu plus flexible que le mien. C'est une décision qui n'appartient qu'au propriétaire.

Ma mâchoire tombe de quelques centimètres. Ce qui veut dire que, à présent, je peux lui ou, plutôt, leur demander ce que je veux ?

— Vous pourriez me montrer Nayden ? demandé-je en parlant aux deux ordinateurs.

On croirait qu'elles se consultent toutes les deux tellement les secondes s'étirent jusqu'à ce que je choisisse de rompre l'élastique en secouant la tête.

— C'est absurde, laissez tomber, répliqué-je.

— Légitime Mademoiselle, pas absurde. Il est dans la nature de l'être humain de s'inquiéter pour ses semblables, plus particulièrement pour ceux envers qui ils ont un attachement plus profond. Comme c'est votre cas avec le jeune Keyes.

Exceptionnellement, la voix d'Ezra ne m'irrite pas. Au contraire, je la trouve presque compatissante, gentille. Puis je me souviens qu'elle est programmée pour être gentille… Ça en est presque décevant. Je ne serai jamais capable de l'apprécier, je crois.

— Je suis en mesure de vous le montrer, m'informe alors Julyan qui s'était montrée silencieuse pendant notre court échange.

— Quoi ? m'exclamé-je.

— Je peux vous montrer où le fils de madame Keyes se trouve.

— Vraiment ?

— Je peux me connecter aux caméras de surveillance de l'établissement où il se trouve.

— Où est-ce que c'est ? demandé-je en me levant, sans vraiment savoir où je dois regarder.

— Je ne crois pas que vous souhaitez le savoir. Enfin, pas à l'endroit où il se trouve.

— Où est Nayden ?

Elle reste obstinément silencieuse. Ma tension monte, mes poings se serrent, ma mâchoire se crispe.

— Julyan, je t'ordonne de me répondre.

— Nayden a été jugé pour traîtrise, Emma. Ne croyez pas qu'il se trouve au chaud dans ses appartements.

— Où est-il ? répété-je en détachant chaque mot, en coupant chaque syllabe et en taillant chaque lettre.

— En détention.

Je soupire. Mes épaules s'affaissent. Mes paupières se ferment dans un élan de douleur qui accentue ma nausée de pair avec mon mal de tête qui persiste. *C'est de ma faute. Tout ça, c'est de ma faute. Affronte donc le résultat de ta stupidité, Emma, c'est tout ce que tu mérites.*

— Montre-le-moi.

Les lumières se tamisent d'elles-mêmes et de petits faisceaux lumineux se rencontrent jusqu'à former une image tellement claire que la pièce semble juste devant moi. Nayden est attaché à une chaise, celle sur laquelle il me semble que j'étais il n'y a pas tellement longtemps. Le haut du corps à découvert, il est ruisselant de sueur, de sang et de saleté. Sa poitrine se soulève doucement à intervalles irréguliers.

Je voudrais tendre la main vers son visage, écarter la mèche de ses cheveux qui a glissé sur son front. Qu'il ouvre les yeux pour me regarder, pour confirmer cet amour que j'ai vu briller dans ses yeux comme autant d'étoiles dans le ciel cette nuit dans ce qui était pourtant un cauchemar. Pour que je puisse lui dire que je m'en veux, que je vais le sortir de là comme il l'a fait avec moi. Qu'il n'est pas un traître, qu'il ne l'a jamais été parce que je n'ai jamais connu quelqu'un d'aussi fidèle.

Mes doigts se tendent dans l'espace devant moi, parce que la tentation est trop forte, que mon désir de le sentir près de moi l'est plus encore et que je voudrais tellement être avec lui en cet instant que je cracherais sur l'éternité pour être une seule seconde à ses côtés.

Quand mes doigts entrent en contact avec l'image, il y a à peine un petit grésillement. Je laisse ma main défaire les faisceaux de lumière qui la composent sans qu'elle ne se dissipe pour autant. Je voudrais détruire ces murs qui l'oppressent et en bâtir de tout nouveaux autour de lui. Des murs qui porteraient la couleur de mes sentiments pour lui. Simplement pour qu'il sache à quel point je l'aime.

J'essuie le coin de mon œil en me cachant avec mes cheveux bien que je sache pertinemment que ni Julyan ni Ezra ne me tiendront rigueur de pleurer pour lui. C'est de moi-même que je me cache.

Il faut absolument que je trouve un moyen de le sortir de là. Quitte à marchander avec son père pour lui rendre sa liberté. Aux dépens de la mienne s'il le faut. Ce n'est pas de la faute à Nayden et il ne mérite pas ce qui lui arrive.

— Tout va bien, Emma ? me demande Julyan.

— Oui, oui, ça va, que je réplique un peu trop rapidement tout en forçant un sourire – au cas où Ezra déciderait de me balancer une statistique sur la véracité de ma réponse en fonction de mon timbre de voix. Donc Julyan, tu peux te connecter à n'importe quelle caméra de la Haute République ?

— Tout à fait.

— Tu peux le faire en Basse aussi ?

Elle reste muette pour quelques instants, qui m'apparaissent hésitants.

— Oui.

— D'accord.

Mon regard bifurque vers le plancher où je frappe du bout des orteils contre les lattes de bois. Une odeur alléchante m'inonde alors les sens.

— J'ai pris l'initiative de vous préparer un chocolat chaud, Emma, me dit Julyan à la seconde où j'ouvre la bouche pour la questionner sur l'odeur.

— C'est gentil, merci.

Je marche jusqu'au comptoir et récupère la tasse pleine. Après en avoir avalé une longue rasade, j'enroule mes doigts autour pour les réchauffer. Ils sont encore glacés par l'image que j'ai défaite. À dire vrai, je n'aurais jamais pensé que de la lumière puisse être aussi froide. Je m'avance jusqu'au bureau.

— Tu pourrais me montrer Caleb Fränkel, s'il te plaît ? demandé-je encore à Julyan.

— Je crains ne pas être en mesure de vous fournir cette image, Mademoiselle.

— Pourquoi ? dis-je les lèvres au bord de ma tasse.

— Aucune caméra n'est près de l'endroit où je localise sa puce.

Je m'appuie sur le rebord du bureau, une main à plat contre le bois tiède.

— Il est dans une cellule lui aussi ?

— Non. Sa position nous l'indiquerait, ajoute Ezra. Il semble plutôt…

— Au bord du mur, complète Julyan.

— Au bord du mur ? Comment ça, au bord du mur ?

— Sa puce a été complètement reformatée. Il n'a aucun souvenir de quoi que ce soit. Il est donc inutile de le faire exécuter ou torturer comme Nayden puisque le jeune Fränkel ne représente aucun danger dans l'immédiat pour la République, ajoute Julyan.

— Je vois. Dans ce cas il va bien ?

Ma voix dénote une inquiétude que laisse passer Ezra, à mon grand soulagement.

Pour la première fois, son amnésie me semble réellement bénéfique pour lui. Parce que s'il n'est pas en cellule, c'est que le gouvernement ne le voit pas comme une menace. Or, pourquoi ne pas l'avoir éliminé quand même ? Pourquoi prendre le risque qu'il se souvienne ? Pensent-ils vraiment que leur système est à ce point infaillible ?

— C'est difficile à dire, Emma, poursuit Julyan coupant court à mon monologue mental. Considérant qu'il n'a aucun souvenir, cela peut être assez désarçonnant. Sa mémoire se trouve brimée à un peu plus de 75 %.

— C'est-à-dire ?

— C'est-à-dire qu'il ne se souvient que de l'essentiel. Parler, manger, son nom, son grade, son travail. C'est ça, l'essentiel pour un soldat de la Basse République. Pas d'amis, pas de famille, rien que des lieux préenregistrés dans sa tête pour qu'il puisse remplir son devoir, et des collègues qu'il n'identifie pas comme étant des ennemis, termine Ezra.

Je passe une main sur mon visage en acquiesçant lentement une fois que ma paume s'est arrêtée sur mes lèvres. J'ai compromis la vie de deux personnes que j'aime simplement en existant ? Ça, c'est sans compter Noah, Effie, Adam et mes parents. Adam. Je peux sûrement voir Adam. Oui, il faut que je voie Adam.

— Je veux voir mon frère.

— Votre frère ?

— Oui. Je veux voir Adam. Adam Kaufmann.

— Recherche en cours, entame Julyan.

— Pourquoi votre frère, Emma ? demande Ezra.

— Parce que cela fait presque deux mois que je ne l'ai pas vu et qu'il est probablement le seul dans le moment à qui je peux parler.

— J'ignore si cela sera possible, tient-elle à préciser. J'en doute même beaucoup. Comment comptez-vous lui parler ?

— À vous de me le dire une fois qu'on l'aura localisé, renchéris-je en vidant ma tasse d'une traite.

Je fixe le plafond, pianote encore, j'attends que Julyan me confirme qu'elle a trouvé mon frère et qu'il n'a pas la mémoire altérée et qu'il ne se trouve ni à l'hôpital ni dans une cellule.

— Adam Kaufmann. Localisé.

Je perds pied tellement je me redresse vite. J'ouvre la bouche, incapable de prononcer le moindre son. C'est sans doute pourquoi je ne formule qu'un seul petit mot de deux minuscules lettres.

— Où ?

— Il est en poste, tout près d'une école.

— Quel jour on est ?

— Nous sommes mardi, le 2 février, Emma.

— Ce qui veut dire qu'Effie est à l'école, marmonné-je pour moi-même. L'établissement est donc ouvert et s'il l'est je peux probablement…

Madame Hänzel! Mes yeux s'écarquillent quand le nom de la secrétaire de l'école retentit dans ma tête. Elle peut m'aider, je suis certaine qu'elle le peut. Elle n'est pas comme les autres. Elle est comme moi en fait. *Insoumise.*

— Julyan, garde la position de mon frère. Je veux un visuel sur lui ainsi que sur l'administration de l'école où se trouve la secrétaire, je sais qu'il y a une caméra dans le hall. Ezra, peux-tu appeler au bureau de madame Hänzel sans que nous nous fassions repérer ?

— Bien sûr, tout le système informatique de la chaumière est sécurisé, il n'y a donc aucun danger.

— Excellent, fais-le.

Je fais les cent pas devant la table de travail. Une main dans les cheveux, tantôt sur mon visage. Nayden a déteint sur moi on dirait… Je marche, sautille, me mordille la lèvre puis le bout des doigts. Si ça continue, je risque de ne plus avoir de peau nulle part. Julyan m'a fourni les images des caméras, mais je refuse de tourner la tête vers elles. Je ne veux pas me donner de faux espoirs. Pas avant d'être certaine de pouvoir parler à mon frère. Ezra met enfin terme à mon supplice en m'informant qu'elle est prête à passer l'appel dès que je le suis.

J'ai les mains moites, la bouche sèche, l'estomac noué. Ce ne sont pas des papillons d'excitation qui voltigent dans mon ventre, mais de grosses pierres qui me martèlent l'abdomen. Je vais parler à mon frère. Je vais *enfin* parler à mon frère.

Après deux mois sans nouvelles de ma famille, je vais entendre la voix d'Adam.

Quarante-quatre

Je m'éclaircis la gorge en essuyant brièvement la paume de mes mains sur mes pantalons avant de tirer mes cheveux vers l'arrière. Je hoche la tête, les doigts croisés derrière la nuque, un soupir coincé au creux de la gorge. Sur ma gauche, les deux caméras de surveillance diffusent les deux angles de vue que j'ai demandés à Julyan. J'ose enfin les regarder. Mon frère, que je n'ai pas vu depuis si longtemps, au bord d'un mur de briques, et madame Hänzel, le nez plongé dans une pile de papiers.

— Vas-y, appelle.

Quelques secondes tombent en poussière avant que le son caractéristique d'un appel que l'on passe résonne à mes oreilles. Deux sonneries plus tard, la secrétaire décroche.

Je suis muette. On m'a coupé la langue au moment où elle a posé la main sur le combiné. Mes cordes vocales ont fondu quand j'ai entendu sa voix qui me semble être partout autour de moi. Elle me parle, mais je n'entends qu'un gazouillis incohérent. Ce n'est pas parce que la communication est mauvaise, c'est parce que je suis complètement paralysée.

— Allô ?... Il y a quelqu'un ?

Je déglutis. On me tranche la gorge. Je me vide sur le plancher. Inspire, expire. *Réponds, Emma, réponds, c'est ta seule chance de parler à ton frère. Parle, bon sang ! Parle !*

— Madame Hänzel ?

Ma voix n'est qu'un murmure, le lointain écho d'un cri lancé du fond d'une cave. Sur la vidéo, je la vois retirer ses lunettes en demi-lunes et se reculer contre le dossier de sa chaise. Elle m'a entendue. Oh, mon Dieu, elle m'a entendue ! J'ignore par contre si elle m'a reconnue.

— Qui est à l'appareil ?

— C'est Em.

Ma voix se casse. J'ai trop peur de dire mon nom entier. Et si notre appel était sur écoute ? Je n'y avais pas pensé jusqu'à maintenant. Cela menacerait madame Hänzel avant même que j'aie eu la chance de parler à mon frère.

— La ligne est sécurisée. Votre appel n'aura jamais existé, me chuchote Julyan, vous avez peu de temps cependant.

Je suis soulagée, mais demeure sur mes gardes malgré tout. J'ai trop peur de mettre mon frère et cette pauvre dame plus en danger qu'ils ne le sont déjà.

— Madame Hänzel, c'est Emma... Emma Kaufmann.

Elle plaque une main sur sa bouche en jetant des regards à droite et à gauche.

— Mademoiselle, c'est bien vous ? Oh, seigneur, nous vous croyions tous morte !

Sans porter attention à sa remarque, je poursuis sur ma lancée. Maintenant que j'avance, il est trop tard pour reculer.

— Écoutez, j'ai une faveur à vous demander, seulement vous devrez me promettre que vous ne direz rien à personne, c'est très important.

— Bien sûr, que puis-je faire pour vous ?

— Vous me le promettez ? que j'insiste.

— Je vous le promets, Mademoiselle. Que voulez-vous ?

Derrière elle, la porte du directeur s'ouvre. Elle se redresse et fait mine d'écrire sur un bloc-notes. Elle joue bien la comédie, mieux que moi du moins. Il lui adresse un hochement de tête quasi imperceptible et j'arrive à entendre le mot *dîner*. C'est parfait. Elle acquiesce en souriant faiblement, j'attends qu'il soit parti avant de reprendre, légèrement plus rassurée qu'il ne soit pas dans la pièce d'à côté quand je parlerai avec Adam.

— Mon frère se trouve tout près de l'établissement, il est en ronde. Il faut que je lui parle.

— Naturellement. À quel endroit se trouve-t-il exactement ?

Je m'étire le cou, la lèvre inférieure coincée sous mes dents. Je fixe l'écriteau au-dessus de la porte où se trouve Adam et plisse les paupières dans l'espoir d'y voir mieux.

— Porte six. Il est seul.

— Je reviens.

Et elle me met en attente. Elle se lève, lisse subtilement sa jupe et empoigne le veston posé sur sa chaise. Elle se glisse hors de son bureau ; de là, je la perds de vue. Je recommence à faire les cent pas. De gauche à droite, je marche sans m'arrêter. Je dois trouver un moyen de passer mon angoisse. Je commence aussitôt à fredonner. Mais quelle angoisse ? Celle de parler à mon frère ? C'est ridicule. Je devrais être soulagée, mais j'ai tellement risqué ces derniers temps, je ne veux pas lui faire courir plus de danger qu'il n'en faut.

J'attends toujours quand la chaumière se met à trembler. Je connais ce genre de perturbation. Ce genre de secousse qui n'est pas naturelle, accompagnée d'un hurlement strident qui n'a rien d'humain. Un train. Il y a un train qui passe tout près d'ici.

— C'est un train que j'entends ?

— Affirmatif, Mademoiselle.

— Où passe-t-il ? que je demande à Julyan.

— À environ un kilomètre d'ici.

— Et que transporte-t-il ?

— Il est vide.

— Quoi ? Comment ça, il est vide ?

— Presque tous les trains le sont, Emma.

Un nœud se forme au creux de ma gorge. Peut-être que ce train représente enfin plus pour moi qu'un simple train. Je commence à comprendre pourquoi ils représentent tout pour Noah : parce qu'ils sont peut-être ce qui nous permettra à tous de sortir d'ici.

— Où passe-t-il exactement ?

— Je l'ignore, Emma. Le chemin de fer passe à travers toute la République puis file en dehors des frontières.

— Ezra, je veux que tu me décrives le trajet des trains qui passent sur cette voie.

— Je le ferai, Mademoiselle. Pour l'instant, je vous conseille de regarder les caméras.

Je pivote vers les hologrammes. La porte derrière mon frère s'ouvre. Il se tourne vers madame Hänzel. D'abord, la surprise qui étire ses traits. Puis, le doute qui les tend les uns après les autres. Ses sourcils se froncent, sa bouche se raidit. J'ignore ce qu'elle lui dit, je ne peux qu'essayer de deviner les mots qui glissent entre ses lèvres.

Suis-la, Adam... Allez, suis-la. Fais-lui confiance.

Il hésite. Elle pose sa main sur l'épaule de mon frère. Son regard est insistant. Elle lui fait signe de la suivre. Il entre enfin, non sans avoir jeté un coup d'œil par-dessus son épaule avant de se faufiler dans l'établissement. Quelques minutes plus tard, madame Hänzel entre au secrétariat en compagnie de mon frère et referme la porte derrière eux. Elle lui montre le combiné qu'il saisit après avoir retiré ses gants, un pli entre les sourcils. Il le porte à son oreille, s'humecte les lèvres, s'éclaircit doucement la gorge.

— Allô ?

— Adam ?

Mon aîné se décompose sous mes yeux. Sa mâchoire tombe et tout son corps en fait de même. Le dos contre le mur, il s'exhorte au calme alors que dans sa tête, je suis persuadée que c'est tout le contraire qui se produit.

Sa bouche tente de murmurer mon nom, mais aucun son n'entre dans le combiné à l'exception de sa respiration de plus en plus rapide. Je souris à travers mes larmes, la main tendue vers son visage holographique.

— Adam, c'est moi, Emma.

Je ne suis qu'un murmure, qu'une brise à ses oreilles qui, aujourd'hui, l'apaise, le rassure. Ce nom que j'ai dit et qu'il n'arrive pas à répéter étire le coin de ses lèvres en un sourire.

— Adam, dis quelque chose, je t'en prie.

— Coccinelle, c'est toi ?

Mes larmes redoublent. Je souris et sanglote en même temps. Mes jambes sont incapables de supporter le poids de mon corps plus longtemps. Je me laisse choir au sol en m'asseyant sur mes talons. J'ai les genoux en coton et les cailloux qui hier me taillaient les tripes ne m'ont jamais semblé aussi légers.

— Oui, Coquerelle, c'est moi.

Tout son corps se relâche. Il se laisse même aller à un petit rire. Sa poitrine se soulève pour pousser un long soupir et ses épaules se secouent d'un sanglot semblable aux miens. Deux mers inondent ses pommettes et il n'essaie même pas de le cacher.

— Je pensais… je pensais ne plus jamais entendre ta voix.

Je m'assois en tailleur, tout près de son image renvoyée par des faisceaux de lumière qui scintillent. Madame Hänzel, que je n'avais pas remarquée jusqu'à maintenant, monte la garde derrière mon frère.

— Tu vas bien ? s'enquiert-il.

— Oui, oui, je vais bien. Et toi, Adam ?

C'est un énorme mensonge, mais je ne peux l'inquiéter davantage en lui disant le contraire. D'autant plus que je dispose de très peu de temps. Pas assez du moins pour lui expliquer de long en large ce qui s'est produit dans les dernières semaines.

— Ça peut aller. J'ignore si je dois être fâché contre toi ou simplement soulagé de t'entendre.

— Je comprendrais que tu sois fâché.

Il hoche la tête puis réalise sa bêtise quand il murmure :

— On va laisser mon égoïsme de côté si tu le veux bien.

Adam ne sait pas que je peux le voir. Il me faudrait rendre toutes les minutes que j'ai volées dans les dernières années simplement pour étirer de quelques secondes ma discussion avec lui.

— Écoute, Adam, je n'ai pas beaucoup de temps. Notre ligne est sécurisée, mais j'ignore jusqu'à quand, tu comprends ?

— Oui. Où es-tu, Emma ? Et quand rentres-tu à la maison ? Effie a besoin de toi. Maman et papa ont besoin de toi. Noah a encore plus besoin de toi et tu me manques à moi aussi, petite sœur.

Je plaque mon poing contre ma bouche pour qu'il ne m'entende pas sangloter. Mes yeux lourds de larmes glissent au plancher.

— Je ne sais pas, Adam… je ne sais pas.

Je soupire, échappe de précieuses secondes pendant lesquelles je réfléchis à toute allure.

— Je fais tout ce que je peux pour vous protéger, Adam. J'essaie tellement, tellement fort.

— Je sais. Je ne t'en veux pas.

— Le mieux serait que tu partes.

— Que je parte ?

— Oui. Avec papa, maman, Effie et Noah. Partez d'ici. Le monde est grand, tellement plus grand que tu ne peux le croire, Adam ! Cette République n'est rien comparativement au reste du monde.

— Et toi ?

Je déglutis. Je m'apprête à lui mentir. Il saura que je mens. Adam a toujours su quand je mentais.

— Je vous rejoindrai. Vous êtes en danger à cause de moi.

— Tu es de l'Autre Côté, c'est ça ?

— Je ne sais même pas où je suis, Adam.

Il passe une main sur son visage.

— Je ne partirai pas d'ici avant d'avoir la confirmation que tu es en sécurité, Emma. Surtout si tu fais ça pour nous.

Je secoue la tête. *Non, Adam… ne réduis pas à néant tout ce que je me suis tuée à garder en vie. C'est vous que je protégeais tout ce temps.*

— Mademoiselle, la ligne ne sera plus sécurisée pour très longtemps, m'informe Julyan et je m'empresse d'en informer Adam.

Il acquiesce et je vois à son expression que c'est loin de lui faire plaisir.

— Nous t'avons laissée seule trop longtemps, Coccinelle. Cette famille, tu n'es pas la seule à devoir la protéger.

Le goût du sel m'inonde les lèvres, comme deux vagues qui se butent à une berge de rosée. Je lève les yeux au plafond pour retenir le flot qui me submerge en pensant à Nayden.

— Qui t'a dit que j'étais seule, Coquerelle ?

Ses sourcils se froncent en même temps que sa bouche qui s'entrouvre. Il la referme, en secouant brièvement la tête. Il ne s'éternisera pas sur le sujet. Je le connais trop bien.

— Adam, la ligne risque de couper.

— Tu veux bien chanter, Emma ? me demande-t-il le plus candidement du monde.

Comment puis-je refuser une chose pareille ?

— À condition que tu m'accompagnes comme quand nous étions petits, oui.

Savoir qu'il se souvient de tout après deux mois dans l'armée me rappelle durement à quel point sa mémoire est pourtant à risque. C'est sans doute pourquoi mon choix ne se fait pas attendre. Je crois encore, moi aussi, à ce rêve dont mon père m'a tant parlé.

Par contre, étant donné le peu de temps qui nous est accordé, il aurait fallu une chanson au rythme un peu plus rapide. Tant pis. Mon frère me l'a demandé et c'est bien la moindre des choses que je puisse lui offrir.

— *Imagine there's no heaven*[1].

— *It's easy if you try*, complète mon frère en un murmure étouffé.

Il chuchote avec moi les deux couplets suivants et me laisse avec le refrain. Ses sanglots l'en empêchent. Il serre le combiné entre ses mains, tout contre son oreille tandis que son visage se tord de peine.

Je suis l'aiguille d'une horloge qui laisse s'écouler autant de larmes que les secondes qui s'égrainent. Je sèmerais chacune d'entre elles pour qu'il en pousse plus encore la fois d'après. Seulement, je n'ai nul endroit où les mettre.

— *Imagine no possessions.*

— Adam, mon garçon, il faut que tu t'en ailles, le presse madame Hänzel la gorge nouée, en posant les mains sur ses épaules, assez près du combiné pour que je l'entende.

— *I wonder if you can.*

Je continue de chanter, parce que je n'en ai rien à faire que notre appel coupe.

— *No need of greed or hunger.*

— *A brotherhood of man*, souffle-t-il d'une voix étranglée.

— *Imagine all the people.*

---

1 *Imagine* est une chanson de John Lennon, 1971.

— *Sharing all the world...*

Je souris entre deux moments où je dois essuyer mes joues, sous risque de me noyer dans ma voix.

— *You may say I'm a...*

La communication coupe. L'image sous mes yeux grésille, puis s'évapore. Je tends la main vers elle. Comme si elle pouvait réapparaître à mon toucher.

— *Dreamer...*

Mes épaules se secouent d'elles-mêmes. Mes paupières se soudent l'une à l'autre. Je ne veux plus jamais les rouvrir. Ma poitrine se comprime. Les bras serrés sur l'abdomen, je me laisse tomber le front au sol, avec ce cœur coincé dans une armure de fer sur laquelle il mitraille de l'intérieur. Il en a assez de se battre. Un jour, j'en ai eu assez de courir, un autre jour j'en ai eu assez de pleurer et aujourd'hui c'est mon cœur qui n'en peut tout simplement plus.

Des pas feutrés me rejoignent. Ma voix, qui ne s'est pas encore cassée malgré mes pleurs, poursuit la chanson jusqu'au dernier vers.

— *And the world will live as one.*

Des mains me drapent les épaules comme pour alléger l'espace de quelques secondes le poids de ce monde qui m'oppresse.

— Oh, Emma...

Lauren. J'ignore depuis quand elle est là. Depuis que j'ai commencé à chanter peut-être ? Je l'ignore. Je gémis, pleure et murmure encore les toutes dernières paroles de cette chanson dans l'espoir qu'une brise les porte jusqu'à mon frère, à ma famille, que j'ai abandonnée du côté d'un mur où personne ne devrait être. Derrière une chose même qui ne devrait pas exister.

Elle embrasse mes cheveux et me couvre de paroles réconfortantes bien qu'il me semble que à cet instant, rien ne pourrait remplacer le temps que j'aimerais voler et qui s'écoule de plus en plus entre nous.

Elle me redresse doucement, mais c'est seulement pour me serrer plus fort contre elle. Je m'accroche à ses épaules. Je me noie encore. Je n'ai jamais nagé à ce point. Ça me fait mal à m'en détruire d'un simple claquement de doigts, d'une simple bourrasque dans cet ouragan qui me secoue.

Je suis ce loup solitaire qui a perdu sa meute lors d'une nuit sans Lune.

Je suis la Lune en éternelle quête d'un Soleil qu'elle ne rencontrera jamais plus.

Je suis la tempête qui obscurcit le Soleil et que tout le monde craint.

Je suis le cœur battant d'une vengeance tenue sous silence qui a suffisamment tardé.

Je suis celle qui vient enfin de trouver où réside son courage ; au cœur de ceux qu'elle aime.

Parce qu'au fond, je suis celle pour qui sa loyauté causera sans aucun doute sa perte.

Quarante-cinq

J'ai pris la journée entière pour me remettre de ma discussion avec Adam. Elle a été brève, trop brève, mais aussi douloureuse qu'un coup de poignard. Et j'ai eu besoin de ce temps aussi pour parler avec Lauren. Nous nous sommes assises à la table…

Ma vie a officiellement commencé à déraper le soir où mon cœur s'est remis en marche alors qu'il n'aurait pas dû. Je ne considère pas cette perte de contrôle sur mon destin comme étant bénéfique.

— Vous m'avez déjà dit que j'étais un test, maintenant ce que je voudrais comprendre, c'est comment j'ai pu revenir à moi cette nuit-là et pas l'homme qui arrachait des affiches que j'ai vu mourir et qui était pourtant un Insoumis comme moi ?

— Ta puce est différente, Emma. C'est l'une des dernières que j'ai faites. La particularité de celle-là est que quand ta vie est menacée, ton instinct de survie quadruple. La nuit où j'ai fait feu sur toi, ton programme a senti que tes fonctions vitales s'affaiblissaient jusqu'à provoquer un arrêt cardiaque. Le fait est que ta puce, elle, fonctionnait toujours même si, toi, tu étais morte depuis déjà plusieurs secondes. C'est grâce à cela que tu es revenue à toi. À présent, ta puce est pour ainsi dire quasi inactive, mais ses fonctions sur ton instinct de survie n'ont pas changé. Tu ne deviendras pas un soldat, mais tu peux certainement arriver à te sortir de certaines situations où tu n'aurais pas cru cela possible.

— C'est pour ça que j'étais si arrogante pendant mon interrogatoire avec Tchekhov ?

— Oui, parce que c'est ce qui te permettait de rester en vie.

— Je ne suis qu'une machine maintenant ? C'est ça ?

— Non, Emma. Tu es loin de n'être qu'une machine. Tu es simplement un peu différente.

Je cache mon visage entre mes mains.

— J'ai aussi découvert au cours de diverses expérimentations que sur certaines personnes la déprogrammation était fatale. Pour d'autres, simplement défectueuse. Mais toi, toi Emma, ça t'a ouvert les yeux sans pour autant que les idées de notre gouvernement les obscurcissent jusqu'à t'en faire perdre la tête. Sur toi, ma puce était parfaite.

Elle pouffe presque d'exaltation.

— Oui, parce que je pouvais penser par moi-même et que, au fond, c'est comme si elle n'avait jamais existé. Ça n'a pas été le cas pour tout le monde, vous savez ? J'ai vu un Insoumis qui est devenu fou à cause de votre satané programme.

Elle fronce les sourcils, recule contre le dossier de son siège.

— Vu ?

Je hoche légèrement le menton, les yeux rivés sur mes doigts que je dénombre. Toujours dix doigts effilés bien en place, je poursuis. C'est la première fois que je parle de lui depuis que je me suis promis de ne pas l'oublier.

— Oui, cet homme que j'ai vu mourir, Lauren, était ce que vous vous plaisez à appeler un Insoumis. C'est dans une ruelle complètement dévastée par le passage du gouvernement que je l'ai vu perdre la tête. Je n'ai pas compris à l'époque, parce que je ne savais pas tout ce que je sais aujourd'hui. Il arrachait les affiches de propagande, s'arrachait pratiquement les cheveux et la peau du visage. Parce que, croyez-le ou non, Lauren, il ne savait pas plus que vous ce qu'il faisait.

— Ce sont... des défectuosités du programme. Les puces ont été choisies aléatoirement, le gouvernement ne peut donc pas savoir quelle puce ne fonctionne pas comme il veut et sur certains, le programme ne fait pas effet comme il devrait, bafouille-t-elle rapidement. Bien entendu, il n'est pas parfait... il...

Je me lève d'un bond, renversant ma chaise du même coup. Je n'en peux plus. Il faut que je lui dise, que je crie, que je hurle s'il le faut, mais je dois lui dire.

— Votre programme nous tue autant que le leur ! Cet homme est mort, Lauren ! Ils l'ont exécuté sans se poser de questions parce qu'ils savaient pertinemment qu'il était insoumis. Pour eux, c'est simple : ils éliminent la menace parce qu'ils sont le pouvoir. J'étais là quand ils l'ont tué et je l'ai vu mourir sans se poser de questions parce qu'il n'avait aucune idée de ce qu'il était devenu.

Lauren me semble soudainement tétanisée, incapable du moindre son tandis qu'en moi, les mots s'enchaînent les uns à la suite des autres. Au fond, ça me fait presque plaisir de la voir aussi ébranlée.

Si personne n'est là pour lui ouvrir les yeux, moi, je le ferai.

— Il est mort à cause de votre puce, parce qu'il ne comprenait pas. On a craché le mot *Insoumis* sur son corps et on l'a fait disparaître je ne sais où. Ensuite, ils ont retapissé d'autres affiches les murs qu'il avait dénudés. Cet homme n'a existé aux yeux de personne excepté aux miens parce que je me suis promis de me souvenir. Sur combien de pauvres gens allez-vous encore faire vos expérimentations, Lauren ? Elles ne mènent à rien à part la démence. Et si c'est la folie le prix de la liberté, je peux vous garantir que personne n'est prêt à le payer. Moi la première.

Elle déglutit, se bat contre un rude adversaire intérieur qui ne la laissera pas gagner ; les larmes envahissent son visage. Cette femme est trop douce pour mériter ce que je lui fais subir aujourd'hui. Car aussitôt, c'est le remords qui m'envahit de la voir secouée de sanglots sincères. Elle ne joue pas avec mes sentiments, elle ne fait que laisser aller les siens. Je voulais qu'elle réalise que ce qu'elle a fait n'est pas bien, seulement en y repensant… ses intentions étaient nobles. Elle est la première à avoir souhaité notre liberté. À nous l'offrir. À affirmer que nous la méritions et à vouloir nous regarder la saisir. Pour ça, elle vaut bien que je ressente quelques remords de l'avoir traitée injustement, et ce, même si elle aurait bien pu me tuer ce soir-là. Je ne suis pas assez orgueilleuse pour ne pas m'en vouloir de la voir si misérable à présent et, ça, c'est un raisonnement d'humain à humain qui n'a rien à voir avec ma puce, mais plutôt avec l'empathie.

Je contourne la table pour la rejoindre et m'agenouille devant sa chaise. Je prends ses mains dans les miennes en cherchant ses yeux qui ne cessent de s'embuer pour fuir les miens.

J'aimerais être froide, ne rien ressentir parce que je continue d'éprouver du ressentiment à son égard, à la fois pour m'avoir tiré dessus, mais aussi pour s'être servi des gens de la Basse République en guise de test. Or, je ne serais pas humaine si je ne ressentais pas de compassion en la voyant pleurer et que je ne culpabilisais pas rien qu'un peu de la voir dans cet état.

— Ce n'est pas en contournant un programme que nous obtiendrons notre liberté, Lauren. La liberté, ça se gagne, ça se réclame haut et fort, non pas tapi au fond d'un composé électronique méconnu de la majorité des gens à qui on l'a implanté. Surtout pas quand tout ça repose sur le hasard parce que vous ne pouviez prédéterminer les sujets. Vous comprenez ?

Elle sèche ses larmes du revers de la main et acquiesce. En réalité, Lauren est aussi coincée que nous au sein de cette République, et par nous, c'est un peu sa liberté à elle qu'elle tentait d'atteindre.

— Je voulais juste vous aider, chuchote-t-elle.

— Je sais. Je ne vous en veux pas.

Une inspiration tremblante s'engouffre en elle. La mère de Nayden pose enfin les yeux sur moi et effleure ma joue du bout de l'index.

— Voilà pourquoi je veux que *tu* aides ces gens pour qui je n'ai rien pu faire. Pour qu'ils comprennent qu'ils ne sont pas inférieurs, Emma, mais aussi, qu'ils découvrent toute l'envergure de la République. Parce que tu es forte et intelligente. J'ai beau être intelligente, il y a longtemps que je ne suis plus forte. Je veux que tu les aides parce que tu as compris ce que bien d'autres ont négligé, y compris moi. Pendant le processus, je n'ai pensé qu'à votre liberté – à la mienne aussi je dois bien l'admettre – sans songer aux conséquences qu'un tel programme apporterait dans votre société. Le procédé que j'ai créé n'est pas conçu pour que les gens se taisent. Tu y es arrivée, comme d'autres peut-être qui ne se sont pas encore manifestés, mais ce sont ceux qui sont bruyants qui risquent de faire échouer l'opération. J'ai cru bien faire, voilà tout.

J'ouvre la bouche pour répliquer quand elle lève le doigt pour m'interrompre.

— Toi, tu t'es tue parce que tu as su le faire, mais d'autant plus, tu as su faire taire ta puce. Tu ne pensais pas comme les autres, mais cela ne t'empêchait pas de vivre ta vie telle la jeune fille soumise que le gouvernement voulait voir. Un préfixe, ça se retire bien quand on maîtrise l'uniformité et la conformation, renchérit-elle en me faisant un clin d'œil.

Je reste un moment à fixer mes mains qui ont retrouvé leur place sur mes genoux.

— Au fond, ce n'était pas une si mauvaise idée, que j'enchaîne en haussant les épaules. Seulement, il est difficile de se faire entendre quand on est assourdi par des milliers d'idées contraires aux nôtres. Vous voyez ce que je veux dire ?

Elle incline la tête sur le côté et fronce subtilement les sourcils.

— Oui.

J'acquiesce également.

— Et si on commençait à échafauder un plan pour que tu rentres chez toi ?

Elle se lève en poussant sa chaise et me tend les mains pour m'aider à me relever. Je lui souris tandis qu'elle sèche ses larmes d'un coup. Aussi improbable que cela puisse paraître, je l'admire. J'admire sa force bien qu'elle prétende ne plus en avoir. Elle est forte parce qu'elle a choisi de continuer de se battre. Pour qui et pour quoi ? Je ne saurais le dire et ça n'en tient qu'à elle. On a tous une raison de se battre quelque part, il suffit de la trouver.

Quarante-six

Lauren se tourne vers moi, tout juste après avoir demandé à Julyan de lui montrer une carte de la ville désignant aussi notre position actuelle. Pour la première fois, mon retour à la maison me semble plus réel, plus tangible, voire possible. Nous nous apprêtons à commencer le plan quand je réalise que quelque chose ne va pas. Je ne peux pas rentrer chez moi si…

— Nayden.

Je lâche ce nom qui me fait décoller les pieds du sol, qui laisse dans ma poitrine un sentiment indescriptible que je savourerai un millimètre à la fois simplement pour le faire durer plus longtemps.

— Il faut que je sorte Nayden de là avant de rentrer chez moi.

— Le sortir d'où ?

— De la cellule où ils l'ont mis.

Elle fronce les sourcils et ses yeux glissent tristement au sol. Son fils est quand même en cellule à cause de moi.

— Donc ils l'ont vraiment fait…, souffle-t-elle.

— Il est en danger là où il est.

— Dmitri marchandera *jamais* avec toi, Emma, et ses généraux non plus. Tu le sais ça, pas vrai ? C'est le général Tchekhov qui t'a fait toutes ces marques et blessures, je me trompe ? Si tu marchandes avec eux, Emma, dis-toi que jamais tu ne gagneras quoi que ce soit. Tu vas perdre. Ils te laisseront croire que le marché est équitable, mais garde à l'esprit qu'il ne le sera en aucun cas. Ces hommes ne négocient pas, ils exécutent. Compris ?

Je hoche la tête alors qu'un frisson me secoue en repensant à Tchekhov que j'ai laissé dans la cellule. Je suis prête à parier qu'il est encore en vie. Ce sont trop souvent les gens comme lui qui survivent aux dépens des gens bien qui en valent vraiment le coup. Je n'aurais jamais dû le laisser en vie parce que je sais que, lui, il n'aurait jamais fait preuve d'autant de clémence à mon égard. Considérant le sort qu'il me réservait, je n'ose pas, ne serait-ce qu'en pensée, négocier avec cet homme.

Je me souviens que le père de Nayden par contre… Lui, il m'a proposé un marché.

— Je ne peux pas le laisser là, Lauren. Il est venu me sortir de la cellule où j'étais. Je ne peux pas le laisser croupir en attendant un procès qui ne viendra jamais. Vous savez tout aussi bien que moi ce qu'on lui réserve. Nous connaissons toutes deux assez bien les autorités pour savoir qu'ils l'exécuteront.

À ces mots, j'ai peine à déglutir. Le marché du général Prokofiev marche doucement dans ma tête, puis trottine sur mes souvenirs de Nayden avant de galoper sur les émotions que j'ai pour lui et de les piétiner à pieds joints. Serait-ce là le seul moyen de le sauver ? L'oublier ?

Non. Il doit y en avoir un autre. Je ne peux me résoudre à prendre la première solution venue. Il faut que je le sorte de là, mais je dois aussi aider mon petit frère. Continuer de le protéger. Et Effie, lui assurer un meilleur avenir en la sortant de cette ville. Adam pourrait partir avec eux. Mes parents n'auront qu'à les suivre. Je dois les sortir de là. Il le faut. Quant à Caleb… Oh, grand Dieu, Caleb ! Je soupire, passe mes deux mains à plat sur mon visage. Elles tremblent, papillonnent sur ma peau torride tandis que mes mains m'apparaissent glacées. Je respire par petits coups, incapable de penser à autre chose qu'à les sortir tous d'ici. Les sortir de cette ville de malheur. De cette République qui nous oppresse. De ce gouvernement qui nous veut du mal.

— Allons-y par étape, Emma, tu veux bien ? me conseille Lauren en prenant mes poignets pour capter mon attention. Julyan, tu y es avec cette carte ?

— Oui, Madame Keyes, je vous la montre à l'instant.

— Je vais te préparer un petit quelque chose à manger entre-temps, Emma. D'accord ? Tu n'as pas mangé ce matin, n'est-ce pas ?

Je secoue la tête. Elle me lance un regard réprobateur et me prépare rapidement un sandwich. Pendant ce temps, les lumières se tamisent légèrement dans la pièce alors que d'autres scintillent devant moi pour nous offrir une carte satellite de la ville à vol d'oiseau. Lauren me tend l'assiette et s'avance vers la carte sans hésiter.

— Active la fonction tactile et sécurise le réseau, demande alors Lauren à Julyan.

Deux secondes plus tard, Lauren se met à manipuler la carte, retirant les éléments qui gênent notre vision d'ensemble. Augmentant ainsi le contraste des rues et des voies d'accès. Elle appose ensuite un point rouge lumineux qui clignote pour identifier notre position et recule de quelques pas.

— Julyan, localise mon fils et identifie-le d'un point bleu.

Dans la minute qui suit, un petit tintement accompagne le cercle de couleur qui clignote aussi, un peu plus loin de l'endroit où se situe le point rouge. Le parlement. L'endroit où j'étais il y a quelques jours.

— Et la maison d'Emma aussi. Un point vert.

— J'aurais besoin d'une adresse pour faire cette identification, Madame.

— Inutile, tu peux localiser ma mère, c'est clair qu'elle y sera. Mon petit frère Noah aussi, mais lui, j'ignore s'il a une puce, dis-je en croquant dans mon sandwich.

— Nom et prénom ? demande Julyan d'une voix posée.

— Kaufmann, Sofia.

Aussitôt, un point vert apparaît sur la carte, à l'extrémité ouest de la Basse République, à quelques kilomètres du mur. Si elle a pu localiser sa puce, le gouvernement le peut aussi. Nayden a supprimé les informations nous concernant, il me semble ? Mais Tchekhov en avait une copie… Impossible de savoir s'ils connaissent leur existence ou non.

— Comment savais-tu qu'ils allaient être à la maison ? Ta mère ne travaille pas ? Et ton petit frère devrait être à l'école, non ?

— S'il n'était pas autiste et que le gouvernement ne voulait pas s'en prendre à lui, oui, dis-je sans me retourner vers Lauren dont la mâchoire tombe subtilement.

Je joue avec mes doigts, ouvre puis ferme les mains en réfléchissant.

— Bon, très bien. Ezra, as-tu le trajet du train qui passe tout près d'ici ?

— Tout à fait, Mademoiselle.

— Montre-moi, dans ce cas.

Une ligne argentée irrégulière brille légèrement plus fort que les autres rues. Le train passe derrière ma maison et à moins d'un kilomètre d'ici avant de disparaître en dehors des frontières. Ce train sera mon transport jusque chez moi. Ce train sera la porte de sortie de ma famille. Ce train veut enfin dire quelque chose de plus ; quelque chose qui faisait briller les yeux de mon frère comme autant d'étoiles dans le ciel.

— Combien de fois passe-t-il par jour ?

— Très peu, malheureusement.

— Combien ?

— Deux fois.

— À quelle vitesse va-t-il ?

— Trop vite, Mademoiselle.

— À quelle vitesse ? répété-je plus fermement en me tournant brièvement vers Ezra posée sur le bureau.

Comme si le fait que je la regardais allait changer quoi que ce soit. *Idiote.*

— En moyenne, à 140 kilomètres à l'heure.

Je fais les cent pas en terminant de mastiquer la dernière bouchée de mon repas. Lauren s'est appuyée contre le bureau. Ses doigts tapotent le bois derrière elle.

— Est-ce qu'il ralentit à un moment ou à un autre ? que je demande en croisant les doigts pour que ce soit le cas.

— Il ralentit uniquement quand il arrive à proximité des résidences.

Je hoche la tête, une main dans les cheveux.

— À quoi tu penses, Emma ? m'interroge finalement Lauren.

— Je crois que mademoiselle Kaufmann veut sauter sur ce train en marche, lui répond Ezra à ma place.

Les yeux de Lauren s'écarquillent et elle me foudroie du regard. Je recommence à marcher de long en large pour éviter tous les éclairs et les couteaux qu'elle me lance.

Je suis certaine que c'est possible.

— Tu n'es pas sérieuse, Emma.

— Elle est sérieuse à…

— Je peux répondre moi-même, Ezra, merci ! claqué-je.

Je m'avance vers la carte. Moi, je veux la voir comme je verrais le train arriver. Je lève mes mains vers le plan et mes doigts se retroussent juste avant que j'y touche pour de bon. Toutes les fois où j'ai touché à ce type d'image, elle a soit disparu ou bien ma main est passée au travers. Je n'ai qu'à penser à la vidéo de moi qu'il y avait chez Nayden concernant la nuit du tir ou encore ce midi, quand j'ai vu Nayden dans sa cellule. Cette fois, j'espère bien pouvoir la manipuler.

Une main légèrement plus haute que la seconde, je fais basculer l'image en poussant dessus.

— Montre-moi le segment de son trajet le plus près d'ici, Julyan.

J'ai la sensation d'être aspirée dans un tunnel quand Julyan me fait virtuellement approcher de la voie ferrée. Elle passe au centre du boisé. Plusieurs arbres ont été coupés pour faire place au chemin de fer.

— Le terrain s'avère extrêmement plat. Vous ne pourrez donc sauter à bord que d'une façon.

— Laquelle ?

— En courant, puis en attrapant l'une des poignées sur le convoi, lâche Lauren d'un ton bourru.

— C'est exact. Mademoiselle Kaufmann, je me vois dans l'obligation de vous informer des dangers d'une telle manœuvre, enchaîne Julyan aussitôt. Les chances que vous en sortiez indemne sont extrêmement faibles.

— Je dirais 21,8 % pour être exacte.

— D'autant plus que vous êtes encore blessée, Emma, ce qui augmente considérablement les risques.

Je ne peux m'empêcher de pousser un grognement et de lever les yeux au plafond. Ezra ne peut manifestement pas s'empêcher de lâcher des statistiques quand ça lui chante.

— Mon but n'est pas d'en sortir indemne, mais de ne pas trop mal m'en tirer.

Lauren me tourne vers elle en posant une main sur mon épaule.

— Emma, c'est de la folie ! Tu n'y penses pas sérieusement ?

— Tout à fait.

— Il y a sûrement un autre moyen.

— Pour le moment, c'est le seul qui s'offre à moi et je suis prête à tenter le coup. Vous avez un autre plan ? Parce que, moi, je n'en ai aucun à l'exception de celui-là.

Je redresse les épaules, le menton relevé comme pour me convaincre moi-même que je suis aussi courageuse que j'aimerais l'être. Je n'ai rien d'une héroïne, rien des filles audacieuses qui tuent sans broncher, rien des reines de légendes qui ont bravé les tempêtes et les innombrables guerres. Or, une chose est sûre: je suis prête à faire n'importe quoi pour protéger ma famille. Quitte à sauter sur un train en marche à 140 kilomètres à l'heure et, ça, je crois qu'aucune reine ne l'a fait avant moi.

Elle essaie de me raisonner, mais je ne l'écoute pas; le temps me presse. Je suis une voleuse de temps prise la main dans un sac d'horloges. Il faut que je le rattrape avant qu'il ne s'enfuie de nouveau et que je me voie de nouveau arrêtée par le marchand de sable.

— C'est une chance sur cinq de plus que ce que j'ai déjà.

— Et pour en descendre, tu feras quoi?

— Je sauterai aussi.

— Les chances de s'en sortir sans blessures sont plus grandes pour descendre que pour monter, ajoute Ezra. Près d'une chance sur deux d'en sortir indemne, le terrain y est plus propice.

— Ne l'encourage pas! s'écrie Lauren en se tournant vers elle.

Pour la première fois, j'apprécie les statistiques excessives d'Ezra. Bien que je continue à croire que tout ne peut être expliqué à l'aide de calculs de probabilités; on peut toujours trouver un moyen de les contourner, voilà pourquoi je fais peu de cas de leur fiabilité.

La mère de Nayden soupire en enfouissant son visage entre ses mains. Le découragement se dépeint à gros traits sur son visage en dizaines de couleurs que j'applique moi-même avec mes plans insensés. Elle reprend soudainement contenance:

— Julyan, quel est le système interne de ce train ?

— Entièrement électronique, Madame. Il s'agit d'un des programmes informatiques que vous avez inventés.

Lauren sourit, satisfaite.

— Excellent. Tu peux l'infiltrer ?

— Naturellement.

C'est à mon tour de reculer jusqu'au bureau. Je croise les chevilles en fixant la carte.

— Vous voulez le faire ralentir ?

— Exactement, opine-t-elle.

— Vous n'approuvez pas, mais vous m'aidez quand même ?

— Qui le fera sinon ? renchérit mon hôtesse en tournant le cou dans ma direction pour m'adresser un clin d'œil qui me redonne confiance.

Je me poste à sa droite.

— Bon. Reprenons du début. Remets la carte à son aspect initial avec tous les points de repère que nous y avons mis, Julyan. Parfait. Ce train se rend jusque chez toi, Emma, comme de nombreux autres. Seulement, il s'agit de celui qui passe le plus près d'ici et donc du seul qui t'est accessible. C'est exact ? récapitule Lauren en digne chef de projet.

— Tout à fait, approuvé-je.

— C'est donc un problème de réglé. De là, que comptes-tu faire ? Tu ne peux arriver sans un plan en tête, Emma, sans quoi sauter sur ce train en risquant ta vie ne t'aura servi à rien.

Je hoche la tête. Puis, je tire mes cheveux vers l'arrière pour les attacher en chignon en y plantant un crayon que Lauren m'a tendu, geste qui me fait justement penser à un détail :

— Ça peut sembler ridicule, mais je ne peux rentrer chez moi en étant brune.

Lauren fronce les sourcils et tente de comprendre pourquoi, en vain.

— Noah déteste les changements. Me revoir après deux mois d'absence avec les cheveux bruns, bien qu'ils aient énormément pâli, cela le perturberait assez pour déclencher une crise. C'est à éviter considérant les nombreux autres problèmes qui m'attendent.

— Je vois. On trouvera un moyen de te rendre ta couleur naturelle avant que tu partes.

— D'accord.

— Ajoutons cela à la liste. Julyan, dresses-en une de ce que nous dirons à l'écart de la carte. Je veux l'avoir bien en vue.

— Ce sera fait, Madame Keyes.

Nous acquiesçons toutes deux et reprenons notre remue-méninges.

— Bon, très bien. Ton trajet est tracé d'ici à chez toi. De là, que comptes-tu faire ?

— Il faut que je sorte les membres de ma famille de la ville. Par n'importe quel moyen, mais je dois les sortir de là.

— Le train me semble un choix sensé.

— N'y a-t-il pas des arrêts obligatoires et des contrôles pour les trains de ce genre ? Et puis nous ignorons s'ils sortent vraiment de la ville, je crois que personne n'a jamais atteint la limite des rails.

— Tu as raison. Ezra, montre-nous tous les trajets des chemins de fer, s'il te plaît.

— Un instant, je vous prie.

Pendant que tous les trajets s'illuminent sur la carte, je me remets à réfléchir.

— Il y en a au moins six qui passent derrière chez moi, dis-je en voyant plusieurs chemins converger derrière ma maison.

— Cela nous offre donc plus de choix que tout à l'heure pour votre fuite, pas vrai ? murmure Lauren en passant un bras autour de mes épaules pour me serrer contre elle.

J'observe la carte un moment, puis touche l'un des trajets qui sortent des limites de la ville.

— Cette voie-là, où se dirige-t-elle ? Elle va vers l'ouest, non ?

— C'est exact, bien qu'elle soit double, m'informe Lauren.

— Double ?

— Oui, elle va d'ouest en est et d'est en ouest. Les convois peuvent venir d'un côté comme de l'autre. Les trajets sont coordonnés de sorte qu'aucun train n'en rencontre un autre. Ils passent derrière chez toi et tu n'as jamais remarqué dans quel sens ils allaient ?

Je secoue la tête.

— Il y en a tellement qui passent, je ne saurais dire si celui du matin va vers la gauche ou la droite.

Lauren se tourne vers son ordinateur et lui demande :

— Quelle est la limite ouest de cette voie ?

— Il s'agit d'un secteur de la Réforme.

— La Réforme ? Je crois que Nayden m'en a parlé.

— Oui, il s'agit de l'union de tous les pays sous une même bannière qu'ils ont appelée la Réforme. Il n'y a plus de pays, mais des secteurs qui, vraisemblablement, ne sont là qu'à titre administratif. Reste à savoir si celui où les rails se rendent est hostile ou pas, complète Lauren. L'est-il, Julyan ?

— Je l'ignore, je n'ai accès à aucune donnée à son sujet.

Mes lèvres se pincent pour ne former qu'une fine ligne. Je ne veux pas envoyer ma famille quelque part où elle risque de se retrouver dans le même pétrin qu'ici.

— Puis-je donner mon avis ? dit alors Ezra.

Je me tourne vers elle, bras et jambes croisés. Ezra qui donne son avis et pas une statistique ? C'est difficile à croire.

— Je pense, bien que je ne sois qu'une machine, qu'il serait préférable de les faire attendre.

— Attendre ?

— Oui. Faites croire au gouvernement qu'ils sont partis.

— Pour vivre en cavale après ? Non, ça n'a aucun sens, Ezra. Mon frère est autiste, il ne tolérera pas de changer de place aussi souvent.

— Mais vous ne changerez pas de place.

— Je ne te suis pas.

— Faites-les chercher ailleurs. C'est le seul moyen de faire en sorte que le gouvernement perde votre trace. Amenez-les où ils ne penseront pas vous trouver. Amassons les informations nécessaires à votre exil pendant qu'ils vous cherchent et qu'ils vous croient vraiment en cavale à constamment changer d'endroit comme le ferait n'importe qui traqué par l'État. Or, pour le moment, c'est la sécurité de votre famille qui importe, non ?

— Comment ferons-nous pour survivre ensuite si nous disparaissons ? De mon côté, tout est rationné, rien n'est accessible, et les clandestins meurent de faim en moins de temps qu'il n'en faut pour le dire. Particulièrement en hiver, argumenté-je.

— Amène-les ici, propose Lauren en haussant les épaules.

— Vous feriez ça ? Votre chaumière est trop petite pour nous accueillir tous, Lauren.

— Cette maison n'est pas la seule que je possède, ricane-t-elle. J'ai plusieurs propriétés sous différents noms. C'est facile de frauder le gouvernement quand on en a fait partie.

Je pouffe, à la fois soulagée de savoir que ma famille sera en bonnes mains avec elle que de savoir qu'elle trompe son propre gouvernement.

— Dans ce cas, ça me va. Je les conduirai ici d'abord et on verra pour la suite. C'est inutile de tout prévoir à l'avance, on risque de se buter à plus de problèmes encore.

Lauren acquiesce, beaucoup plus confiante qu'elle ne l'était au départ.

Peu à peu, notre plan se précise. Les étapes s'enchaînent, les décisions se prennent, mon programme se construit. J'ignore toutefois si j'arriverai à le suivre à la lettre puisqu'un peu comme les règles, les plans ne sont là qu'à titre indicatif.

Parce que, au fond, à quoi bon avoir des règles si on ne peut jamais les transgresser ?

Puis, Lauren et moi arrivons finalement à un consensus : je partirai dans la semaine suivante. D'abord parce que c'est le seul moment où je pourrai prendre le train – pour ne pas dire sauter sur le train –, puis ça me donnera la chance de me préparer en conséquence, de reprendre des forces et de laisser la chance à mes blessures de guérir un peu. Après tout, ce n'est pas une mince affaire que de sauter sur un train en marche.

Lauren m'a imprimé plusieurs cartes de la ville en fonction des secteurs où je vais être et je dois mémoriser plusieurs noms d'endroits et de caches sécuritaires qui pourraient m'être utiles en cas de problème. En revanche, ces endroits ne me seront utiles que pour une raison: sortir Nayden de sa cellule. En Basse République, je connais les moindres recoins du quartier où la maison de ma famille se trouve et je pourrai sans trop de problèmes les en sortir. De son côté, Lauren connaît la Haute République comme le fond de sa poche, et avoir ces emplacements en tête pourrait s'avérer d'une importance capitale.

J'ai cependant vite réalisé que me rendre jusque chez moi et amener ma famille ici ne sera pas le gros du problème, c'est la suite qui se corsera. J'ai prétendu auprès de Lauren, au moment d'élaborer le plan, avoir une idée claire de ce que j'allais faire, mais en réalité, je n'en ai pas la moindre idée. Parce que pour le moment, la seule solution qui s'offre à moi, c'est d'accepter le marché du général Prokofiev et d'oublier son fils comme il me l'a demandé. J'espère que ma balade forcée en train m'ouvrira l'esprit sur une autre option. Celle-là est bien loin de me faire plaisir.

J'ai toujours entendu dire que le sacrifice était synonyme de courage, mais j'ignore si je suis prête à faire preuve de ce genre de courage.

Également, nous avons réussi à me faire revenir à ma couleur naturelle, ce qui, je dois bien l'admettre, m'a beaucoup fait plaisir. En brune, je n'étais pas… moi. En brune, j'étais Lena Pavlova. En blonde, je peux de nouveau être celle que je croyais à jamais disparue: Emma Kaufmann. En brune, j'étais une couverture, un masque, une comédienne et rien de plus. En blonde, je suis la fille aux flocons de neige de Nayden, la princesse de mon père, la fille chérie de ma mère et la sœur de Noah, Effie et Adam. Bien qu'en brune j'ai aussi été celle qui a réalisé qu'il est inutile de respirer ou d'avoir un cœur qui bat pour vivre, qu'il suffit de toucher sa peau à *lui* pour le faire. Qu'il est inutile de rêver davantage puisqu'il est ce rêve. Ce rêve tant espéré. Cet espoir qui me fait vivre. Ce battement de cœur au même rythme que le mien.

Nous avons aussi calculé le temps qu'il me faudra rester sur le train avant d'arriver à destination. Je devrai attendre deux heures environ; pendant les quinze dernières minutes, je devrai me préparer à sauter de nouveau. Ce qui signifie qu'à pied, il m'aurait fallu plusieurs jours pour me rendre chez moi.

Je n'ai qu'une seule chance d'y arriver. Lauren fera ralentir le train à une vitesse qui me permettra d'y monter, mais pas trop. Elle réduira donc la vitesse d'un peu plus de la moitié. Le ralentir pendant trop longtemps alerterait les opérateurs autant que si nous arrêtions complètement le train. Chose que nous ne pouvons bien évidemment pas nous permettre, considérant que mon saut sur l'un des wagons provoquera probablement tout un vacarme si je ne trouve pas le moyen de m'agripper à un des derniers wagons. Une fois accrochée, il me faudra trouver un moyen d'entrer dans un wagon, sans quoi mon trajet sera pénible et probablement mortel.

Et soit trop tôt ou trop tard, le jour du départ arrive.

Le coucher du soleil est mon coup d'envoi, ou plutôt la fin du peu de repos auquel j'ai eu droit. J'enfile mon manteau, enroule soigneusement mon écharpe de laine, lace mes bottes aussi serrées que possible de peur de les perdre quand je devrai courir et enfile mes gants sans bouts aux doigts. Ces gants et ces bottes sont les deux seules choses qui me permettent de penser à la maison. Je m'apprête à passer mon sac que je trouve étrangement léger quand Lauren m'arrête.

— Prends celui-ci. Il sera beaucoup plus pratique que le tien.

J'approuve et le passe sur mes épaules. J'ai fait le test il n'y a pas si longtemps : un sac en bandoulière, c'est loin d'être l'idéal pour courir.

— Tout y est. Tu as de quoi manger pour plusieurs jours. Ce sont de petites portions protéinées et hyper vitaminées, tu n'auras donc pas à en manger plusieurs pour être rassasiée. Tous tes vêtements y sont aussi. Ezra est là, prête à t'aider en cas de problème. Si elle manque de batterie, pose-la en pleine lumière, elle se recharge à l'énergie solaire.

— Compris.

— Quant à moi, je surveille tes arrières et attends ta famille. Tu peux me contacter à tout moment avec l'ordinateur de Nayden. D'ailleurs, appelle-moi...

— Quand je voudrai aller le chercher pour que vous désactiviez les caméras, oui, je sais, Lauren.

Elle soupire et tire sur le collet de fourrure de mon manteau.

— Tout ira bien, j'en suis sûre, affirmé-je bien que je me convainque à peine moi-même.

— Oui. J'ai confiance en toi. Ne tarde pas trop avant d'aller chercher mon fils. J'irais moi-même, mais...

Elle secoue la tête.

— Je te serai plus utile avec Julyan. Je suis meilleure en informatique que sur le terrain.

— Et vous me serez tout aussi essentielle, l'encouragé-je, voyant qu'elle se sent inutile malgré tout ce qu'elle a déjà fait pour moi. Bientôt, c'est ma famille qui dépendra de vos ressources.

Lauren acquiesce, regarde l'heure. Je dois y aller.

— Mets ça dans ton oreille.

Elle me tend un petit appareil que je récupère entre mes doigts.

— Une oreillette. Je pourrai communiquer avec toi jusqu'à ce que tu sortes du périmètre de la Haute République. Ensuite, tu n'auras qu'à la détruire.

— D'accord. C'est gentil, la remercié-je en mettant le dispositif.

Je suis sur le pas de la porte, prête à partir outre l'au revoir que j'ai de coincé au fond de la gorge, quand Lauren m'interpelle.

— Emma ! Attends !

Je pivote vers elle quand elle me glisse sur la tête une tuque doublée de fourrure avec de longs rabats aux oreilles.

— C'est une chapka. Tu en auras besoin, je crois.

Je ricane en caressant la douce fourrure et hoche la tête.

— Merci, Lauren.

Sans préavis, elle me serre dans ses bras.

— Prends soin de mon fils, Emma. Pour moi.

— Je le ferai. Et vous, prenez bien soin de ma famille quand elle arrivera, murmuré-je tandis qu'elle embrasse ma joue.

Et pour ne pas éterniser les adieux, je m'empresse de sortir.

Le soleil se couche et le froid est aussi mordant que je m'y attendais. Il s'infiltre malgré tout sous toutes les couches que je me suis mises. Et sans plus attendre, je prends la direction que j'ai mémorisée avant de partir.

De l'extérieur, je constate que la chaumière est encore plus petite qu'elle n'y paraît et tellement bien dissimulée que c'est à s'y méprendre. C'est comme si personne n'habitait là. Je marche d'un pas rapide et me réchauffe autant que possible en secouant mes membres.

J'en vais même jusqu'à passer ma capuche sur ma tête bien que la chapka soit extrêmement chaude. Ce n'est qu'un moyen encore plus efficace de conserver ma chaleur jusqu'à ce que j'atteigne le train.

J'ai six minutes de marche à faire. Cinq si je marche rapidement. Je préfère arriver avant le train qu'après. Je compte donc chacun de mes pas et les divise par deux pour savoir le nombre de secondes, puis de minutes que j'ai marché. Quand j'arrive à cinq minutes et que le vrombissement des rails fait trembler le sol, je sais que je suis tout près.

— Le train est là, Emma. Il a ralenti comme prévu. Il y a vingt-deux wagons et il passera à cent mètres devant toi. Tu n'auras qu'à courir pour le prendre, me dit Lauren à l'oreille.

— D'accord.

— Bonne chance.

Je la remercie et avance d'une dizaine de pas, puis m'arrête entre deux arbres.

J'inspire et expire d'épais nuages qui collent à mes cheveux dénoués. J'ouvre et referme compulsivement les mains. Le train approche. Ma nervosité grimpe en flèche. *Une chance sur cinq, Em. Ne la rate pas. Ne la rate pas. Ne la rate pas.*

Les secondes sautent autour de ma tête et contre mes nerfs tendus à l'extrême. Je vois d'abord la locomotive. Mon estomac se retourne. Je suis une voleuse de temps prise la main dans un sac qui *contenait* des horloges. Il est maintenant vide. Et je n'ai plus que quelques secondes à saisir avant de me mettre à courir.

J'ai peur. Je tremble. L'adrénaline court à flots dans mes veines, bouillante contre ma peau couverte de sueurs froides. Je compte les wagons qui passent, ralentis par Lauren, en me disant qu'au septième que je vois, je dois commencer à courir.

Un… wagon.

Deux… expirations.

Trois… tremblements.

Quatre… flocons de neige.

Cinq… battements effrénés.

Six… inspirations saccadées.

Sept… *Cours !*

Je rabats ma capuche vers l'arrière et décolle en direction du convoi sans le quitter des yeux. Le froid fait couler aux coins de mes paupières des larmes qui se cristallisent sans attendre contre mes tempes qui battent à un rythme fou.

Cours, cours, cours !

Mes jambes sont blindées d'adrénaline et de muscles en fusion qui, contre le froid de l'hiver, causent presque de la condensation.

Plus que quelques mètres. Moins de vingt sûrement. Puis quinze et dix. Cinq, quatre, trois, deux, un...

Je saute. Le sifflement du vent me vrille les tympans. Les wagons cahotent sur les rails avant de reprendre peu à peu leur vitesse normale et je n'ai même pas encore trouvé de moyen de m'accrocher fermement. J'ai saisi la première poignée que j'ai vue et elle tremble autant que mes bras. Je glisse contre la paroi de fer, gémis en voyant les étincelles des roues sur les rails se rapprocher de mes pieds. Je m'y accroche comme une demeurée, les pieds en quête d'un quelconque support sur lequel m'appuyer.

Les arbres se rapprochent et je suis toujours accrochée au wagon. Je jette un coup d'œil pardessus mon épaule. Si je ne trouve pas un moyen d'entrer, mon sac risque d'accrocher les branches. Je ne *dois absolument pas* perdre mon sac. Je passe mon bras dans la poignée et tends l'autre vers une barre, un peu plus haute, qui risque de m'être plus utile que celle sur laquelle je suis tombée en sautant. Je me hisse jusqu'à elle, toujours prise au piège et sur le côté latéral du wagon qui accélère.

Je tourne légèrement la tête vers l'avant quand une branche me lacère la joue. Je grimace de douleur quand la morsure du froid s'empare de l'entaille. Il faut que j'entre dans le wagon. Il le faut parce que mes bras ne me supporteront plus assez longtemps.

J'arrive enfin à trouver un appui pour mes pieds quand j'aperçois la barre me permettant d'ouvrir la porte de la benne. C'est un convoi de marchandises, pas un train de passagers; j'ai eu de la chance. Le bras gauche toujours enroulé à la barre, je réussis à ouvrir la porte en poussant sur le levier à l'aide du pied. Une fois la porte prête à être ouverte, je pousse dans un ultime effort sur le battant pour le glisser sur le côté. Aussitôt que l'espace est suffisant, je m'y engouffre.

Je tombe au sol après avoir refermé la porte presque en totalité. Je manque de force. Le souffle haletant, je ferme les yeux et retire ma chapka en soupirant. Je suis pratiquement couchée sur mon sac. Le sang continue de battre à mes tempes et s'échappe en petite coulée de l'entaille sur ma joue.

J'ai déjoué les probabilités. J'ai sauté sur cette unique chance sur cinq et je l'ai saisie.

Je passe sur mon visage mes mains douloureuses d'avoir soutenu le poids de mon corps aussi longtemps. Je rejette la tête vers l'arrière quand je réalise que je n'entends plus rien dans mon oreille.

— Lauren ? Lauren, vous êtes là ? murmuré-je entre deux inspirations saccadées.

Aucune réponse. Je grommèle en me redressant et retire l'oreillette pour la lancer par l'ouverture que j'ai laissée dans la porte du wagon où le vent siffle furieusement. À l'intérieur, c'est encore plus bruyant que dehors. J'ai de la difficulté à m'entendre penser et à voir le bout de mon bras.

J'ai la sensation d'être coincée dans une boîte de conserve qu'on secoue. Étrangement, le wagon m'a l'air vide. Du moins, celui-ci m'a l'air vide. Je m'approche de la porte d'un pas chancelant pour regarder à l'extérieur en attendant que mes yeux s'acclimatent à la noirceur. Je ne dois pas quitter le paysage des yeux. Parce que mon chauffeur ne s'arrêtera pas pour me faire descendre malgré la nuit qui vient. Ce soir, je ne peux compter que sur un mince croissant de

Lune pour veiller sur moi. Faible et mince, mais bien présent. Ce sera suffisant. J'ai seulement besoin d'un chemin jusque chez moi.

Le paysage défile à mesure que je reprends mon souffle. Le dos contre le métal glacé, il ne me reste plus qu'à attendre. À attendre d'avoir à nouveau à sauter.

Quarante-sept

Mes yeux s'ouvrent et se referment presque compulsivement. À entendre le rythme constant du train sur les rails, je vais finir par m'assoupir. Je n'ai pratiquement pas dormi la nuit dernière, sachant ce que j'allais faire la journée suivante. Je ne cessais de l'appréhender, de craindre ce que j'allais faire, de douter, d'avoir peur. Alors je repensais à ce que mon père m'aurait dit: qu'il n'y a pas de bravoure sans peur. Alors si c'est ce qu'avoir du courage signifie, il devrait savoir que je suis terrorisée. Terrorisée à l'idée de perdre des gens que j'aime aux mains de cette République. Terrorisée à l'idée de devoir tout abandonner alors que je lève le voile sur autant de mystères. Et terrorisée, peut-être bien, à l'idée de mourir, moi aussi, pour une cause dont je ne connais pas tout à fait la nature.

Peu à peu, le paysage me devient familier. Je serais tentée de regarder l'heure, mais je n'ai rien à ma disposition qui me l'indique à l'exception d'Ezra, et je préfère ne pas l'allumer au cas où il me faudrait sauter très bientôt. Je ne sais pas si j'ai passé mon arrêt ou s'il me reste encore beaucoup de temps à attendre. J'ai soudainement peur que toutes les fois où j'ai fermé les yeux ne serait-ce que quelques secondes, ça n'ait finalement duré plus longtemps…

Jusqu'à ce que je le voie. Le mur. Cette enceinte de briques qui a signé mon arrêt de mort avant que le temps ne le fasse lui-même. Alors j'en déduis qu'il me reste moins de dix minutes avant d'avoir à sauter si je me fie à la vitesse à laquelle va ce train. Une intuition me dit qu'il ne ralentira pas comme prévu. J'ai perdu la communication que j'avais avec Lauren et je ne crois pas qu'elle soit en mesure de pister le train sur lequel je me trouve. Ou devrais-je plutôt dire que je croise les doigts pour qu'elle y parvienne.

Je me lève, ajuste mon sac sur mes épaules en inspirant un bon coup. L'air qui s'engouffre dans le wagon par l'embrasure de la porte me semble encore plus froid qu'il ne l'était. Je lève les yeux au ciel, croise le regard du croissant de lune. Ce soir, elle ne m'offrira rien de plus qu'un chemin vers la maison. Pas de protection, pas de conseils, rien qu'un sentier jusqu'à bon port.

Quand je reconnais les quelques pâtés de maisons qui bordent la mienne, je pose mes mains sur la porte et l'ouvre grand. Je rejette la tête sur le côté pour me protéger du vent qui me fouette le visage et brouille ma vue. Je tente d'inspirer, en vain. Je ne réussis qu'à me geler de l'intérieur.

Je m'accroche au cadre de la porte où même des gants chauffants ne pourraient me prémunir du froid. Mes mains sont moites. Plus encore que quand il m'a fallu sauter pour monter dans le train. Étrangement, en descendre m'effraie plus que d'y grimper; c'est le court instant après ce saut qui m'inquiète véritablement.

Nous amorçons un petit virage, mais à la vitesse où nous passons, il me force à m'accrocher comme à mon dernier souffle de vie. Ce n'est même plus le froid ou encore le noir qui me fait trembler, c'est la chute. Le vide avant de toucher enfin le sol.

J'arrive à cet instant. Vite. Trop vite. Alors je compte pour me donner l'illusion qu'il y a bien une chose que je contrôle dans tout ce qui peut m'échapper. Je compte, dénombre tout ce qu'il y a de dénombrable avant que le sol se rapproche inévitablement de mon corps quand je sauterai. Fidèle à elle-même, la Lune m'éclaire tel l'unique projecteur d'une scène où tout est noir. J'attends la levée du rideau pour me lancer.

Ça y est, j'y suis. Ma maison est là, juste devant moi.

Saute, Emma. Saute, bon sang ! Vas-y, saute !

Je recule d'un pas, une main toujours fermement accrochée contre le cadre de métal.

À trois, tu sautes, Emma. Oui, à trois, tu sautes.

J'inspire.

Un… Je n'ai jamais rien fait d'aussi insensé de toute ma vie.

Deux… Je n'ai aucune idée de ce à quoi j'ai pensé en élaborant ce plan.

Trois... *C'est pour eux que tu le fais.*

Ça y est, je saute.

Je quitte le wagon. Trop rapidement ou bien trop lentement, je ne saurais le dire. Je suis aussi gonflée d'adrénaline qu'un ballon à l'hélium. J'atteins le sol avec force, manquant me heurter aux wagons suivants. Le choc dans ma jambe droite résonne jusqu'aux confins de mon crâne. Je roule sur une croûte de neige aussi solide que du béton quand j'entends les freins s'actionner. *Merde, le chauffeur m'a vue!* Je me relève en tanguant de tous bords tous côtés, trop assommée par ma chute pour voir clair. Le chemin que m'a tracé la Lune s'est dédoublé et j'ignore lequel emprunter. *Concentre-toi Em, concentre-toi. Allez, tu peux y arriver.*

Le train derrière grince assez pour faire éclater tout ce qu'il y a en verre dans la ville, y compris mes tympans. Je dois me relever. Me relever avant qu'on ne m'attrape, avant qu'on ne me voie assez près du train pour éveiller les soupçons. De nouveau sur pied, je fais à peine un pas quand ma cheville me lâche. J'ai dû me la fouler en tombant et je crie malgré toute ma bonne volonté en m'effondrant contre la neige. Heureusement pour moi, les wagons continuent de grincer suffisamment pour enterrer le hurlement qui m'échappe.

Le convoi ralentit progressivement. J'en profite pour me remettre à courir. Je n'ai pas d'autre choix. Puis, il s'arrête. Je tourne la tête vers lui en priant pour que ma cheville m'accorde suffisamment de répit pour que je me rende à la maison sans qu'elle ne se rompe complètement.

L'ombre de ma demeure m'engloutit à l'instant exact où deux hommes marchent d'un pas pressé vers le wagon que j'ai quitté, lampe torche à la main.

— Je t'assure, j'ai vu quelque chose sortir du wagon ! Tu vois ? La porte est ouverte !

— On a dû oublier de la fermer tout à l'heure, argumente l'autre.

— Oui, mais ça n'explique pas ce que j'ai vu sortir !

— Je vais te dire ce que c'était, moi ! Rien que ton imagination, tête de nœud.

L'interpellé pousse un grognement désapprobateur après que son collègue lui ait rudement tapé le crâne de l'index. Je pousse un profond soupir en priant pour qu'ils rebroussent chemin et cessent de chercher ce qui a causé tout ce vacarme, lorsque les moteurs se remettent en marche et que le train reprend son trajet.

Je suis derrière ma maison.

Je tourne la tête vers le mur extérieur contre lequel je me suis tapie, heureuse de sentir la brique rêche contre le bout de mes doigts nus. Mon regard glisse sur la porte, plus précisément vers cette poignée que j'ai si souvent tournée en revenant au petit matin après une longue nuit de travail. Vers cette fenêtre où j'ai si souvent regardé en attente d'un garçon qui s'appelle Caleb et qui ne viendra jamais plus.

Je tends la main vers la poignée, qui, je le sais, sera verrouillée de sorte que je puisse tout de même tourner la poignée et retirer la chaînette en passant ma main par l'embrasure. Je la tourne donc, pousse le battant en me relevant, m'exécute tranquillement puis la referme doucement en espérant faire le moins de bruit possible bien qu'il me semble que j'en fasse autant qu'une bouilloire sur le feu. Je retire la chapka de Lauren d'une main et fais tranquillement glisser mon sac au sol contre le cabinet de la cuisine. Je croise les doigts pour qu'Ezra soit intacte à l'intérieur malgré ma chute douloureuse ; j'ignore comment la réparer si jamais j'ai à le faire. Je retire mes bottes en grimaçant pour éviter de geindre. Je marche sur la pointe des pieds autant que ma cheville me le permet.

Je tends le cou, l'oreille et tout ce que je peux tendre pour capter le moindre son, le moindre mouvement dans la maison. J'ouvre les yeux le plus possible même si la cuisine est plongée dans une profonde obscurité.

Quelqu'un remédie à ce problème en allumant d'un seul coup le luminaire bon marché de la pièce principale.

On braque quelque chose sur moi. J'ignore ce que c'est parce que tout ce que je vois pour le moment, c'est mon père complètement ébahi qui me dévisage à en perdre la raison.

Ses yeux, si identiques aux miens qu'ils me donnent l'impression de fixer mon propre reflet dans une glace, se gorgent d'eau. Je lève les mains en l'air.

— Papa, papa, c'est moi.

Ma voix, murmure entrecoupé d'expirations saccadées, s'élève à peine dans l'air pour parvenir jusqu'à lui. Ce que je réalise maintenant être une poêle entre ses mains tombe au sol avec fracas, menaçant d'alerter toute la maisonnée.

Mon père a toujours été un homme de peu de mots; il se rue sur moi pour me serrer dans ses bras et me soulever.

— Oh, mon Dieu, Emma! Je croyais… je croyais ne plus jamais te revoir de ma vie!

— Papa, calme-toi, tu vas réveiller tout le monde, soufflé-je dans son oreille en souriant.

— J'en ai bien l'intention, figure-toi! Sofia! Sofia, descends vite!

Sans pour autant me reposer par terre, mon père garde ses bras fermement passés autour de moi quand ma mère descend, le sommeil n'étant plus qu'un malheureux souvenir sur son visage lorsqu'elle m'aperçoit.

Elle se joint à nous et me serre dans ses bras aussi fortement que l'émotion le lui permet.

— Ma petite fille... Oh, ma belle petite fille, tu m'as tellement manqué ! Je savais que tu étais en vie. Une mère sent ce genre de choses, dit-elle rapidement en prenant mon visage entre ses mains.

Ma sœur émerge alors au haut de l'escalier, tout ensommeillée.

— Pourquoi faites-vous tout ce bruit ? grommelle-t-elle en se frottant les yeux.

Je me détache finalement de mes parents pour la laisser me voir. Je tâche de me tenir droite, de lui sourire bien que ce ne soit pas difficile. C'est plutôt de cacher que ma cheville me fait souffrir qui l'est.

Ses lèvres s'entrouvrent. Aucun son n'en émerge. Elle me scrute à la loupe. C'est comme si j'avais des milliers de projecteurs braqués sur moi. Je suis une fourmi qu'un jeune enfant s'amuse à faire griller sous une lentille lors d'une chaude journée ensoleillée.

Mes doigts se contorsionnent en une gymnastique impossible. J'attends qu'elle dise quelque chose. J'ai peur qu'elle soit fâchée. Qu'elle crie après moi, ça ne me fait rien. J'ai encaissé bien pire, mon visage en est encore marqué par des couleurs qui n'ont rien de naturel.

J'aimerais déglutir, mais ma gorge n'est qu'un puits à sec. Un puits à souhaits qu'on s'est acharné à vider de la moindre goutte d'eau jusqu'à ce qu'il ne reste plus rien. J'attends encore que quelqu'un vienne y lancer un vœu pour qu'on place de nouveau un espoir en moi après tous ces espoirs que je n'ai pu concrétiser.

Ce que j'attends, c'est que ma petite sœur me dise son vœu pour que je le réalise.

Ma mère prend les devants.

— Effie ? Dis quelque chose. Emma est de retour.

Elle fronce les sourcils quand elle lui dit mon nom. Ma sœur n'a jamais été aussi muette de toute sa vie.

Ce n'est pas normal. Ce n'est pas normal. Ce n'est pas normal.

— Effie ? répète mon père.

Elle me fixe. Pourquoi ce que je vois dans ses yeux ne lui ressemble pas ? Ne semble pas venir de la petite sœur enjouée que je connais ?

Mes épaules s'affaissent. Je sais ce qui se passe alors que c'est ce que je voudrais le moins au monde. Je comprends pourquoi elle me regarde ainsi. Je le sais parce que je l'ai déjà vu dans les yeux de Caleb. J'ai déjà vu, connu et côtoyé cette chose qui rend le regard de quelqu'un si terne en présence d'un Insoumis.

Je crie dans ma tête que c'est impossible. Je hurle à ma petite sœur de se battre contre cette chose horrible qui aujourd'hui la brime comme jamais. Seulement faudrait-il qu'elle entende cette supplication. Qu'elle soit consciente de ce cri qui m'agresse les tympans de l'intérieur et que je suis la seule à entendre, que je suis la seule à comprendre, que je suis la seule à connaître parce que je suis la seule à savoir ce qui se passe dans la tête de ma petite sœur à cette seconde.

Le cauchemar se répète, plus effrayant que la fois où Caleb m'a regardée avec ce même air effaré parce que mon nom n'avait plus aucun sens dans sa tête.

Effie ne se souvient plus de moi.

Remerciements

Un grand merci à ma merveilleuse éditrice, Sara. Merci pour ta patience, ton enthousiasme insatiable et tes commentaires qui font en sorte que ce que j'écris se rapproche toujours un peu plus de cette perfection à laquelle chaque auteur aspire.

Merci à ma réviseure, Lydia, d'être à l'affût de chaque détail, quel qu'il soit; ton œil de lynx me surprendra toujours. Merci à Marie-Claire d'avoir cru en mon talent dès les cinq premiers chapitres du tome 1 d'*Insoumise* alors que je le croyais bien loin d'être à la hauteur de tout ce qui s'appelle « Salon du Livre ». Merci à Geneviève, Claude, Manon, Marylin et tous les membres de l'équipe de la maison Guy Saint-Jean Éditeur qui contribuent de près ou de loin à ma série. Sans vous, elle ne me rendrait certainement pas aussi heureuse.

Merci à ma mère. Merci, maman, d'être là pour moi et de parler de mon livre, mais aussi un peu de moi à l'occasion (inutile de dire que c'est plein de sarcasme ?) à tout le monde, et ce, dès que tu en as l'occasion. Te savoir aussi fière de ce que j'accomplis peut seulement faire pousser mon ambition encore plus loin.

Merci à Maud. Merci d'être ma sœur, de me supporter depuis dix-huit ans maintenant. Mais surtout, de ne pas avoir peur de me dire les « vraies affaires » quand il le faut.

Merci à mes grands-parents. Merci à vous deux, vous me rappelez chaque jour à quel point j'ai les grands-parents les plus merveilleux du monde. (On dit tous ça, mais c'est moi qui les ai, je vous le garantis.)

Merci à mes amis, ma deuxième famille. Des gens que j'aime gros comme l'univers, des gens qui me font sentir que j'ai ma place et que je la mérite. Merci à Flavie, Laurence, Frédérique, Ismaël, Matthew, Sandrine, Émilie, Isabelle-Anne, Mélissa, Vincent. Vous êtes formidables, tous autant que vous êtes.

Enfin, merci à mes lecteurs et lectrices. À vous, vous qui tournez chacune de ces pages pour découvrir cette part infime de tout ce que je peux avoir en tête et que j'ose laisser valser hors de moi, vous qui croyez à cette poussière de talent que j'ai et qui me fait briller sur les tablettes de mes librairies préférées, vous qui aimez ces mots que je fais chanter sur papier…

Je vous dis : merci.

À lire prochainement...

Emma est de retour chez elle et pourtant, le plan qu'elle avait échelonné pour faire sortir sa famille de la République n'est plus envisageable; sa petite sœur l'a oubliée. Comme Caleb avant elle, Effie ne se souvient plus de rien concernant Emma. Le défi est de taille pour raviver la mémoire; c'est toute une contre-propagande qu'Emma devra mettre en branle en Basse République, à ses risques et périls, et aux dépens de sa propre sœur afin de ranimer en elle les souvenirs oubliés. Pour que les Insoumis ouvrent les yeux et pour que les Asservis comprennent qu'ils peuvent choisir de se souvenir, c'est un peuple en entier qu'Emma devra soulever, dans le but d'assurer le salut d'Effie et des siens, mais aussi de toute une nation. Une vérité qu'aura saisie Noah bien avant sa sœur ainée.

En Haute République, pendant que les Insoumis s'entourent d'une aura de rébellion, Nayden – qui risque encore gros pour protéger Emma et sa famille –

est toujours prisonnier et sert désormais d'appât. Sa liberté dépend de la volonté et du pouvoir d'Emma à l'aider, elle qui a une dette envers lui; elle qui l'aime malgré les circonstances. Le général Tchekhov, toujours aux trousses de la jeune femme, ne reculera devant rien pour l'éliminer, et ce, quels qu'en soient le prix et les enjeux, ceux-ci allant bien au-delà de tout ce qu'Emma peut envisager. Pour sauver Nayden, une seule option s'offre à elle: partir loin, tout oublier et ne plus jamais revenir vers la République. C'est le prix qu'il lui faudra payer si elle veut vivre et si elle souhaite qu'ils vivent tous.

S'éloigner et disparaître; faire fi de ce torrent d'émotions pour éteindre à jamais le brasier qu'a allumé Nayden en elle.

Les réponses à tous ces mystères, toutes les raisons expliquant l'exclusion de la République face au reste du monde, sont là, quelque part. L'ultime vérité n'est peut-être pas au cœur de la ville où tous les secrets sont tenus sous silence, mais à l'extérieur des frontières.

Pour Emma, le temps est venu de faire tomber les murs.

Une série TROP irrésistible !

Je m'appelle Mackenzie Wellesley et j'ai toujours été à peu près invisible.

Pour créer un malaise, je suis championne : avec mon énorme sac à dos, j'ai fait tomber un joueur de football dans l'escalier principal de l'école. Comme il ne bougeait plus, je me suis lancée dans une tentative de réanimation désastreuse, spectaculaire et surtout inutile. Erreur. Honte.

Alors que je doutais pouvoir un jour remettre les pieds à l'école, le fiasco a explosé sur YouTube. Depuis, ma vie est carrément étrange ; je suis entraînée dans un tourbillon de vedettes rock, de paparazzis et de vêtements griffés gratuits. J'attire même l'attention du gars le plus populaire de l'école ! C'est là que les choses deviennent vraiment intéressantes...

En vente partout où l'on vend des livres et sur
www.saint-jeanediteur.com